Cette publication constitue
le centième livre publié par
Les Éditions JCL inc.

Données de catalogage avant publication (Canada)
Zéléna, Vally, 1915-
    L'autre moitié de l'Orange
    (Collection Témoignage)
    Comprend des références bibliographiques
    ISBN 2-89431-100-1
    1. Zéléna, Vally, 1915- . 2. Femmes - Québec
(Province) - Biographies. I. Titre. II. Collection:
Collection Témoignage (Chicoutimi, Québec).
FC27.Z44A3 1992   920.72'09714   C92-096237-8

© **Les Éditions JCL inc., 1992**
Édition originale: mars 1992

L'autre moitié de l'Orange

Collection
TÉMOIGNAGE

Éditeurs
LES ÉDITIONS JCL INC.
930, rue Jacques-Cartier Est
CHICOUTIMI (Québec) Canada
G7H 2A9
Téléphone: (418) 696-0536
Télécopieur: (418) 696-3132

Maquette de la page couverture
IDEM CONCEPTION VISUELLE

Révision littéraire
LAURETTE THERRIEN

Technicienne à la production
JUDITH BOUCHARD

Dépôts légaux
2ᵉ trimestre 1992
Bibliothèque nationale du Québec
Bibliothèque nationale du Canada

ISBN
2-89431-100-1

Distributeur pour le Canada
LES MESSAGERIES ADP
955, rue Amherst
MONTRÉAL (Québec)
H2L 3K4
Téléphones: (514) 523-1182
          1 800 361-4806
Télécopieur: (514) 521-4434

VALLY ZÉLÉNA

L'autre moitié de l'Orange

Notre 100ᵉ titre

Pour souligner d'une façon spéciale
la sortie de notre centième titre et
afin de bien vous associer à cette lecture
et à communier d'une façon plus intime
avec les protagonistes de cette histoire vécue,
nous vous suggérons l'audition de
quelques morceaux choisis dont
il sera question dans ce livre.

De Mozart
Concerto N° 20 en ré mineur
Concerto N° 21 pour piano en do majeur
Concerto N° 22 en mi bémol majeur
Concerto N° 25 en do majeur
Concerto N° 27 en si bémol majeur
La Grande Fugue en do majeur
La Reine de la nuit de la Flûte enchantée

L'Appassionata de Beethoven
Le Clair de lune de Debussy
Le Quatuor pour cordes de Borodine
Rêves d'amour de Liszt
Concerto en la mineur de Grieg
L'Ave Maria de Schubert
Ballade de Chopin en sol mineur op. 23

En avant la musique!

L'éditeur

À la mémoire de Laurín
À Sophie
À Irène
À Lise Vekeman
À Gloria H. Guay

L'oubli est un baume pour les cœurs meurtris.
V. Zéléna

Avertissements

Par souci de discrétion, l'auteure a omis volontairement les noms de famille des principaux témoins de son histoire.

Pour la prononciation correcte des noms et des mots espagnols, l'auteure a placé des accents toniques qui ne figurent pas tous dans les règles de la grammaire de cette langue.

Table des matières

Ta pyramide n'a point de sens
si elle ne s'achève en Dieu.

Saint-Exupéry
Citadelle

Notre programme annuel de publications est rendu possible
grâce, entre autres, à l'aide reçue du
Conseil des Arts du Canada.

Tema

Andante grazioso

Prologue

Par une nuit du mois de mars 1990, un incendie majeur détruisit mon appartement.

Mue par le faible espoir de retrouver quelques objets, je suis revenue un peu plus tard sur les lieux du sinistre. Dans ce qui restait de ma chambre, je commençai à fouiller, au moyen d'une tige de métal, dans cet amalgame innommable de goudron fondu, de cendres et de débris de bois brûlé.

Maigre récolte: un peigne, un petit vaporisateur encore plein de parfum, un collier à moitié calciné, une boucle d'oreille... tristes vestiges de mon coffret à bijoux.

Découragée, j'allais cesser les fouilles, quand mon regard fut attiré par quelque chose de brillant émergeant des cendres: une bague en or blanc, toute simple, ornée d'un saphir carré, miraculeusement intacte!

Ce bijou oublié depuis si longtemps, rangé au plus profond de mon coffret, une fois nettoyé et mis à mon doigt, fit surgir, comme par magie, des réminiscences lointaines, remontant au temps radieux de ma jeunesse.

Et, jour après jour, comme les vagues de la marée montante inondent le sable de la plage, des souvenirs remontèrent à la surface, en se bousculant, pendant des jours, des semaines et des mois.

En ce morne après-midi du 11 novembre 1990, j'espérais trouver à la télévision, sur l'écran de la météo, la promesse d'un peu de soleil pour les jours prochains. Comme musique de fond, il y avait l'*Andante* du concerto Nº 21 pour piano de Mozart...

Alors je me souvins d'un anniversaire... Et d'un seul coup, comme un essaim d'étoiles filantes s'élance d'un point radiant, des images et des sons jaillirent par centaines du fond de ma mémoire: un beau visage d'homme, un sourire lumineux, une voix prenante... Laurín...

Oui, Laurín, dont un peu plus de la moitié de sa vie fut dominée par un grand amour.

J'ai voulu le faire revivre en écrivant son histoire, qui est aussi un peu la mienne.

Les temps heureux

Tout a commencé à Paris, par un appel téléphonique à la veille du jour de l'an 1937. Un ami de prime jeunesse, Raphaël, tout en me présentant ses vœux, profita de l'occasion pour m'inviter à fêter son anniversaire le 4 janvier.

— Il y aura quelques amis, me dit-il. J'ai enfin quitté la boîte de nuit et je joue maintenant avec une formation du tonnerre. À lundi 6 heures, sans faute. O.K.?

Pour gagner sa vie, Raphaël, violoniste d'origine corse, premier prix de conservatoire et lauréat d'un concours de guitare classique, s'ennuyait à mourir en jouant tous les soirs *Otchi tchernia* dans le minable orchestre d'une quelconque boîte de nuit à Montmartre. Il rêvait de faire partie d'une formation de classe, digne de son talent. Il fut exaucé. Plus tard il me raconta comment, par un hasard heureux, il fut engagé, au cours de l'été 1936, par un orchestre typique d'élite, les *Lecuona's Cuban Boys*, qui, dès l'automne de la même année, devait triompher dans la revue du Casino de Paris avec la chanteuse Éliane Célis.

Leur musique, leurs chansons en espagnol, pleines de lyrisme, étaient diffusées sur les postes de radio de Paris. Et moi, je m'amusais à chantonner à la maison avec leur ténor à la voix caressante. Quand je l'entendis pour la première fois chanter *María la O*, je fus troublée. Je me demande si je n'étais pas tombée d'abord amoureuse de sa voix.

Le soir du 4 janvier, je me rendis au domicile de Raphaël. Il excellait dans la préparation de bons petits plats et de desserts succulents. C'était, comme il disait, «son violon dingue».

Je me suis trouvée devant une silhouette masculine que je crus avoir déjà vue quelque part, du moins pendant une fraction de seconde. La pénombre du vestibule me cachait ses traits.

Notre hôte a crié depuis son antre: «Salut! faites les présentations vous-mêmes!»

Le mystérieux garçon tourna son visage vers la lumière et mon cœur a chaviré...

— Mon nom c'est Aráldo et toi, c'est Válly?

Il mit l'accent sur la première syllabe.

Il me tutoyait comme s'il me connaissait depuis toujours. J'étais surprise par tant de familiarité: en 1937, on était plus cérémonieux!

— Viens que je te présente aux autres: Válly, voici Andrés et son amie Simone.

Il était aux petits soins pour moi.

— Assieds-toi là, bien confortablement. Qu'est-ce que je te sers comme apéritif?

Aráldo était svelte avec un beau visage fin aux traits réguliers, de grands yeux à peine bridés, le teint légèrement cuivré et des cheveux très noirs, lisses. Il avait quelque chose d'exotique. Il était très à l'aise, avec des gestes sûrs, sans brusquerie, un sourire chaleureux, une tenue très correcte. Un rêve, ce garçon! Il paraissait très jeune: dix-neuf ou vingt ans? Il avait de belles grandes mains de pianiste.

— Rafi m'a dit que tu es une amie de Gaby et de Michel. Nous avons joué à leur mariage en septembre dernier: c'est moi qui accompagnais Rafi à l'orgue. Andrés tournait les pages et actionnait les tirasses.

Il s'exprimait en un français impeccable, mais avec un léger accent espagnol.

Petit à petit je perdis ma timidité et entrai dans la conversation:

— Ainsi, tu es organiste?
— Seulement quand mes amis se marient!

À ce moment Rafi nous appela.

— À table! le soufflé au saumon n'attend pas.

Le souper fut excellent, le gâteau, couronné de vingt-cinq bougies: à s'en lécher les doigts. La bonne humeur régnait.

Le café fut servi dans le petit boudoir où se trouvait un piano droit. Aráldo s'assit à côté de moi et la conversation reprit de plus belle. Apparemment, Raphaël l'avait bien renseigné à mon sujet. Savoir que j'avais fait de la danse classique, de l'aviation et du parachutisme le fascinait; que je nageais bien lui plut également. Mais ce qui l'intéressa par-dessus tout, c'est que j'avais une voix de soprano léger et que je prenais des leçons de chant.

Je me sentais maintenant très à l'aise avec Aráldo. Je répondais à ses questions sans embarras et je ne pus m'empêcher de lui demander son âge:

— J'ai eu vingt-deux ans en novembre dernier, me dit-il. Toi, ce sera dans un mois, n'est-ce pas?

Andrés et son amie se lançaient des sourires complices en nous écoutant parler.

— Andrés était avec moi au Conservatoire de musique de *La Habana**.

Je commençais à comprendre: La Havane, Cuba... Un de ces jours, Rafi me devra des explications.

— C'est là que tu as appris à jouer de l'orgue?
— Non, c'est dans une église: les sons graves du pédalier me fascinaient... Au conservatoire j'ai appris le piano, le clavecin et le chant; Andrés, c'était l'alto et le saxo.

Je ne m'étais pas trompée: il était pianiste. Il me demanda soudain:

— Válly, quel est ton répertoire de chant?
— Surtout le classique: Schubert, Respighi, Mozart...
— Ah! Mozart!... Je l'ai dans la peau!

Quelle passion dans sa voix! Quel éclat dans ses yeux! Enfin, je venais de rencontrer un ami de Mozart, et un pianiste de surcroît!

Raphaël intervint à ce moment:

———————

* *La Havane*

— Elle raffole de vos chansons et les chante très bien!

Je n'avais plus aucun doute: c'était l'un des *Boys*!

Aráldo était impatient d'avoir des détails:

— Je voudrais savoir quelles rumbas tu chantes.
— Eh bien, *María la O, Cubanakan, Siboney*...
— Tu chantes en espagnol? Formidable! Veux-tu faire des duos avec moi? Justement, je me cherche une partenaire. Quelle est ta tonalité?
— Ré majeur.
— Tiens, moi aussi! Allons-y!

Il se mit au piano. Et nous avons improvisé et chanté en nous amusant, comme si nous l'avions toujours fait. Dès les premières mesures, je reconnus mon chanteur préféré: A. R. dont le nom figurait sur les étiquettes des disques... Aráldo R... Comment n'avais-je pas fait le rapprochement plus tôt? Nos voix s'harmonisaient très bien. Aráldo était un ténor léger, au régistre très étendu. Et cela dura longtemps, au-delà de minuit...

Entre deux chansons, nous nous regardions, émerveillés. Moi, je cherchais à comprendre la raison de cette attirance spontanée. Aráldo, lui, semblait trouver cela tout à fait naturel. Puis subitement, il passa ses mains derrière ma nuque et détacha le ruban qui retenait mes cheveux. Après les avoir arrangés sur mes épaules, il dit tout doucement:

— Je voudrais que tu sois coiffée comme ça... toujours comme ça...

Surprise par tant d'audace, je ne savais pas quoi dire.

Nous étions fatigués et assoiffés. Aráldo alla chercher à la cuisine quelque chose à boire. Apparemment, il connaissait très bien les lieux. Profitant de son absence, Rafi me demanda:

— Eh bien, comment tu le trouves, mon copain?
— Tout à fait charmant, mais un peu trop familier. Il me prend déjà pour sa chose! De quel droit?

Rafi allait me répondre lorsque Aráldo revint de la cuisine, portant un plateau chargé de rafraîchissements.

Simone et Andrés sonnèrent bientôt l'heure du départ.

— Nous sommes en vacances en ce moment, dit Aráldo. Demain je pars pour dix jours faire du ski, mais nous nous reverrons à mon retour, n'est-ce pas? Je te téléphonerai. D'accord?

Il me téléphonera... on connaît la chanson. Il est du genre beau garçon, tout sucre et miel; une fois les talons tournés, *iadiós!*

Raphaël n'en revenait pas. En m'embrassant, il me glissa à l'oreille:

— Il mange déjà dans ta main, bravo!

Aráldo me ramena à la maison dans sa voiture sport. Durant le trajet, il ne dit pas un mot. Les réverbères éclairaient par moments son beau visage. Il avait l'air détendu, heureux, un sourire mystérieux jouait sur ses lèvres.

Quand nous sommes arrivés devant chez moi, il descendit pour ouvrir la portière de mon côté et me tendit la main d'un geste chaleureux:

— Alors, amis?
— Amis!

Je venais de réaliser que je m'étais mariée deux ans trop tôt...

***

De retour à la maison, ne trouvant pas le sommeil, je me mis à penser à ce que j'avais fait de ma jeunesse.

Témoin de l'arrivée de Charles Lindbergh à

Paris en 1927, je m'étais passionnée pour l'aviation. Alors que peu de carrières étaient accessibles aux femmes, ce domaine leur permettait de se réaliser pleinement. La France avait ses héroïnes, telles Maryse Bastié, Adrienne Bolland – devenue la seule femme-pilote de l'Aéropostale – Hélène Boucher qui, pour les jeunes filles de mon âge, étaient un symbole de courage et de liberté.

J'avais commencé à fréquenter ce milieu dès l'âge de quatorze ans. Lycéenne, j'apprenais parfois mes leçons assise sur un banc devant l'un des hangars à Orly*, en regardant les avions prendre leur envol et atterrir. J'allais bientôt connaître les vertiges grisants des sauts en parachute. Se jeter dans le vide... crier, pour ne pas étouffer... sentir le glissement de l'air sur mon corps... Le parachute va-t-il s'ouvrir? Oui... il s'ouvre... Un choc me soulève de quelques mètres... et puis commence la lente descente. Où vais-je atterrir? Peu importe... Je suis en vie!

Pour des raisons familiales, il m'avait fallu quitter le lycée à seize ans et travailler dans un bureau. À dix-sept ans, par dérogation spéciale, j'avais

---

* Orly était alors un aérodrome destiné à l'entraînement des pilotes-réservistes de l'armée de l'Air française. La Marine y avait sa base pour les Zodiac, petits dirigeables de reconnaissance. Les avions légers de tourisme y ont été admis pendant quelques années.

obtenu mon brevet de pilote d'avion de tourisme. Pour défrayer mes heures de vol, j'acceptais de participer à des festivals aériens, tantôt avec un parachute, tantôt en me tenant en équilibre sur les ailes d'un avion en vol, exercice pour lequel j'étais solidement attachée par des câbles, invisibles depuis le sol. C'était bien payé, considérant le danger que cela représentait et dont je n'avais pas vraiment conscience. Connaissant ma passion pour ce genre de prouesses, ma mère ne s'y opposait pas, et c'est le cœur serré qu'elle signait l'autorisation.

Sur un terrain d'aviation, près de Paris, je fis la connaissance d'un homme de douze ans plus âgé que moi, élève-pilote dans un petit club privé. Comme il était beau garçon, sympathique, sérieux, rassurant, il m'inspira confiance: il n'avait rien des coureurs de jupons qui fréquentaient habituellement les aérodromes. Je l'avais fortement impressionné par mes exploits téméraires. Je voulais me spécialiser dans l'acrobatie aérienne, appelée également «haute voltige». Dessinateur industriel, Denis – tel était son nom – voulait améliorer sa situation en suivant des cours du soir pour devenir géomètre. J'avais pour lui une affection sincère.

Orpheline de père à l'âge de cinq ans, incomprise de mon frère de quinze ans mon aîné, j'étais attirée par les hommes aux tempes grisonnantes. Je désirais fonder un foyer, avoir un bon mari, de beaux enfants. Aussi quand Denis me demanda en mariage, j'acceptai. Je n'avais pas encore vingt ans!

Notre union mit un terme à mes exploits aériens, Denis estimant que la place d'une jeune épouse était à la maison. Abandonner le pilotage fut pour moi un arrachement douloureux, d'autant plus que j'étais restée en excellents termes avec mes amis du milieu qui, à chaque occasion, ne manquaient pas de me seriner: «Pilote un jour, pilote toujours!»

Pour me consoler, je m'inscrivis à un petit conservatoire pour étudier le chant et la théorie. Ayant fait du piano dans mon enfance, je n'eus aucune difficulté à renouer avec la musique. Mes progrès furent si rapides que mon professeur déclara en plaisantant que si je continuais de la sorte, un jour je chanterais *La Reine de la nuit* de Mozart!

Gaby, une de mes amies aviatrice, faisait comme moi des rêves de «Grand Amour». Elle rencontra Michel et fut comblée. Ils habitaient ensemble et Gaby, en me faisant des confidences, me parlait de ses folies avec Michel. Des folies? Pour mon brave mari, les relations de couple se résumaient au «devoir conjugal» hebdomadaire. Dans ma grande naïveté, je me contentais de ces brèves étreintes dépourvues de passion.

***

Les jours qui suivirent ma rencontre avec Aráldo me parurent interminables. Notre petit studio sous les toits, à Boulogne-sur-Seine, en banlieue de Paris, ne nécessitait pas beaucoup d'entretien. Denis prenait ses repas de midi à la cantine de son bureau. Pour la première fois de ma vie j'étais désœuvrée. Le souvenir de ce garçon peu ordinaire ne me quittait pas.

Aráldo avait dit: «Je pars demain pour dix jours...» Il devrait revenir le 14 janvier.

J'avais envie d'appeler Raphaël. Mais pour lui dire quoi? Que j'étais follement amoureuse de son ami et pour l'entendre déclarer: «Ma pauvre petite, des filles comme toi, il en a à la pelle!»

Le 15 janvier arriva. Le téléphone était resté muet toute la matinée. Puis, vers midi, la sonnerie me fit sursauter. Je n'osais pas décrocher. Finalement, je répondis.

— Enfin!... J'allais raccrocher! Salut, c'est moi!
— Qui, toi?
— Comment «qui, toi»? C'est moi, Aráldo, voyons! Tu te souviens? Je suis parti faire du ski! Me voilà de retour, en pleine forme. Je viens te chercher. Il y a à Auteuil un petit restaurant où l'on mange bien. On y va?
— On y va!

Au restaurant, il était assis face à la fenêtre. Il

me racontait ses vacances comme un enfant rentrant de colonie:

— Tu sais, Válly, c'était formidable! C'est la première fois que j'ai vu la vraie neige: je m'en suis barbouillé la figure, j'en ai mangé... J'ai fait quelques chutes mémorables... J'ai eu froid par moments, mais j'ai adoré ça!

Dans la lumière du jour je pouvais mieux voir son visage. Je détaillais ses traits à la dérobée. Aráldo avait des yeux magnifiques de velours de soie, bruns, dont l'iris était cerclé d'un filet plus foncé, des cils longs, des sourcils en arc harmonieux, un nez parfait, une bouche sensuelle, des pommettes légèrement saillantes, un menton volontaire... Et surtout, à mi-chemin entre la lèvre supérieure et la joue gauche, il avait un petit grain de beauté qui ajoutait à son charme. Il avait des cheveux très noirs, lisses et bien coupés. Toute sa personne exprimait la beauté et une sorte de force se dégageait de lui. Il finit par remarquer que je le dévorais des yeux. Je devais avoir l'air stupide!

— La couleur de ma peau et mes cheveux t'intriguent, hein? C'est l'héritage de mes lointains ancêtres, les Arawaks, ou Taïnos, des vrais Peaux-Rouges, les tout premiers occupants de Cuba.

Puis, changeant brusquement de sujet:

— Je voudrais te présenter à mes patrons di-

manche prochain, à 7 heures, chez eux à Neuilly.
— Pourquoi faire?

Il prit un air de conspirateur et répondit:

— Ne pose pas de questions, s'il te plaît.

Apparemment, c'était son habitude de ne pas aller par quatre chemins, ses suggestions ou propositions ne supposant aucun refus. Cette façon d'imposer sa volonté m'agaça. J'appris plus tard que dans mon propre intérêt je devais accepter son offre.

***

Pour aller de chez moi à Neuilly, banlieue cossue à l'ouest de Paris, il fallait traverser le bois de Boulogne. Il faisait nuit. Les allées étaient mal éclairées. Brusquement Aráldo arrêta sa voiture le long du trottoir et, se tournant vers moi:

— Tu verras, mes patrons, ils sont «chouettes». Tu les aimeras tout de suite, de même que nous nous sommes aimés du premier regard...

Je n'en croyais pas mes oreilles. Il m'aimait et avait vu clair en moi! Allait-il m'embrasser? Dans l'obscurité je ne pouvais pas voir son visage. Je le sentais frémissant. Il démarra tout doucement et nous fîmes le reste du chemin sans dire un mot. Notre silence ressemblait à une promesse.

***

L'ascenseur nous déposa au 5e étage d'un immeuble de construction récente. Quand la porte fut ouverte, Aráldo me poussa carrément à l'intérieur comme s'il avait peur que je me sauve. Une belle jeune femme brune, de type méridional, aux cheveux noirs et raides tressés en une longue natte, nous accueillit aimablement. Derrière elle se tenait un homme d'une trentaine d'années, de taille moyenne, dont le doux visage, légèrement basané, était encadré par une chevelure brune bouclée.

Aráldo, ses deux mains posées sur mes épaules, dit d'une voix chaleureuse:

— Isabél, Armándo, – il prononça «Issabél» et «Almándo – je vous présente Válly.
— J'espère, dit Isabél, que Laurín a été prudent. Il conduit toujours trop vite, ce garçon. Un vrai danger public!

J'écarquillai les yeux. Elle parlait un français impeccable, mais je ne comprenais rien à ce qu'elle venait de dire:

— Excusez-moi! Vous avez dit «Laurín»? Je croyais que c'était Aráldo.

Isabél se mit à rire:

— Vous avez raison, c'est bien son prénom officiel. Mon mari s'appelle Armándo, un de nos musiciens se prénomme Romuáldo, un autre Fernándo... alors vous comprenez, on ne s'y retrouve plus avec tous ces noms en «do». Laurín, c'est son deuxième prénom. Étant le plus conciliant des quatre, il accepte que nous l'appelions ainsi. Pour nos deux enfants il est «tonton Lori».

Un rapide tour du propriétaire me permit de constater qu'il n'y avait pas de piano. Pourtant Armándo était pianiste et compositeur. Sur une table du salon, il y avait des crayons, des gommes et du papier à musique barbouillé de notes.

Nous passâmes dans la salle à manger: la table était déjà mise.

— Chère Madame, dit Isabél, voulez-vous partager notre repas, à la bonne franquette? Nous avons une cuisinière, mais elle est occupée à nourrir notre monde à *La Maison*. Alors, nous nous débrouillons par nous-mêmes. Laurín nous a dit que vous aimez la simplicité.

Devant mon assiette, il y avait un bouquet de violettes. J'appris plus tard qu'il s'agissait d'une attention de Laurín qui savait par Raphaël que j'aimais ces humbles fleurs. Le «modeste» repas se composait de mille petites choses exotiques, chaudes et froides, et d'un dessert aux fruits, à faire rêver.

Nous sommes allés prendre le café dans le salon. Quelques bûches brûlaient dans la cheminée, ce qui rendait l'ambiance encore plus chaleureuse. La conversation était animée, mais je sentais qu'on voulait en venir à un but plus précis. Armándo s'adressa à moi:

— Sous le nom d'Aráldo, Laurín chante dans notre ensemble. Il s'ennuie tout seul sur scène et se cherche une partenaire. Il nous a demandé de vous faire passer une audition.
— Une audition? À moi?
— C'est bien ça. Mardi prochain un peu avant 2 heures, si cela vous convient. Apportez vos partitions, c'est moi qui...

La porte d'entrée, brusquement ouverte, laissa le passage à un adorable bambin aux cheveux bruns bouclés. Une jeune fille le suivait. Il se précipita dans le salon, grimpa sur les genoux de Laurín, couvrant son visage de baisers. Fermant les yeux, Laurín fondait de bonheur... Ensuite, ce fut le tour d'Isabél et d'Armándo, puis m'apercevant, il s'arrêta devant moi et me tendit sa menotte:

— Je m'appelle Cárlos.

Le garçonnet ne tarda pas à me sauter au cou...

— C'est notre petit dernier, qui a trois ans, et voici Lisette, une jeune voisine qui le garde lorsque nous sommes occupés. Nous avons aussi une fille, María; elle est déjà retournée en pension, mais vous aurez sans doute bien des occasions de la voir.

***

Avant de nous quitter, celui que j'appellerai désormais «Laurín» me proposa d'aller le lendemain matin chez Raphaël, afin de choisir les morceaux pour l'audition.

Nous avons hésité entre plusieurs œuvres de Mozart. Il aima la ritournelle de Respighi, en italien. Elle était trop grave pour ma voix. Laurín la transposa à vue au piano, avec une facilité surprenante.

— Je vais la hausser d'un ton et je donnerai la copie demain à Armándo.
— Mais ce ne sera jamais prêt pour demain!

Il riait doucement, en hochant la tête:

— Ça ne prendra que quelques minutes. Une page, c'est vite copié...

Décidément, cet étrange garçon ne doutait de rien, ce qui n'était pas fait pour me rassurer.

Le lendemain, Laurín vint me chercher pour me conduire à *La Maison*, un grand pavillon situé à Neuilly. J'avais un trac terrible malgré la répétition satisfaisante de la veille. Je n'avais rien dit à Denis, tant je doutais de moi.

— Viens, n'aie pas peur, je suis avec toi. Tout ira bien.

Je ne me souviens que d'une chose. Je me trouvais dans une grande salle – un ancien salon probablement – où il y avait un piano à queue, un clavecin, des lutrins et quelques autres instruments de musique. Armándo au piano me pria de me mettre assez loin, comme si j'étais sur scène; Isabél s'assit en avant, tenant lieu de public. Laurín se plaça tout près de moi, tel un ange gardien.

Derrière la porte vitrée fermée, je devinais un certain va-et-vient.

La *Stornellatrice* de Respighi, transposée et co-piée comme promis par Laurín, et l'air de Chéru-bin des *Noces de Figaro* de Mozart me valurent l'approbation de l'auditoire. Armándo demanda:

— Connaissez-vous quelques morceaux de no-tre répertoire?

Laurín répondit à ma place:

— Elle les chante tous, ou presque, par cœur.
— Voilà qui est bien; que choisissez-vous?

Une fois de plus Laurín me devança:

— *María la O* avec moi, en duo. Tu veux bien?

Ce qui se passa ensuite semblait sortir d'une comédie musicale américaine. Dès l'introduction du piano, la porte vitrée s'entrouvrit et je vis dix musiciens entrer un à un sur la pointe des pieds, portant chacun son instrument. Au moment prévu, la trompette attaqua... Ce petit orchestre nous accompagna avec beaucoup d'enthousiasme. Mon trac s'était envolé et j'aurais chanté des heures avec pareil ensemble.

Pour Armándo, l'essai était concluant. Isabél, radieuse, me prit par les épaules et s'adressant aux musiciens:

— Regardez, les gars, notre petite Cubaine au teint de rose, aux cheveux dorés et aux yeux bleus! Quel contraste ça va faire avec vous tous!

Il y eut un murmure approbateur, des serrements de mains, des félicitations cordiales, tout cela sous l'œil vigilant de Laurín qui avait tout organisé. En passant, Raphaël me glissa: «Il t'a eue, hein?»

— Alors, vous m'engagez? C'est vrai?

Isabél me fit entrer dans le bureau d'Armándo pour la signature du contrat. Je fus engagée comme surnuméraire, pour les concerts et les tournées, en France seulement. Quel début encourageant pour une jeune chanteuse inexpérimentée!

J'avais hâte de raconter mon aventure à Denis qui approuva, d'un sourire indulgent, mes premiers pas dans le monde artistique.

Les *Boys* m'adoptèrent tout de suite et veillèrent à m'apprendre l'espagnol. Ils admiraient ma docilité pendant les répétitions, qu'ils comparaient à celle d'une poupée. Cela me valut le surnom de *Muñeca* qui se transforma bientôt en un affectueux *Muñequita*. Parce que je m'habillais souvent en rouge, Isabél m'appela *Amapóla*, qui signifie en français: coquelicot.

Laurín me donnait aussi des surnoms gentils, tels que *Estrellíta, Florecíta, Princésa*, Fillette. La petite voix intérieure de ma conscience m'empêchait de lui rendre la pareille.

***

Une vie de rêve commençait pour moi. Je me trouvais du jour au lendemain plongée dans le milieu fascinant du spectacle, fait de costumes chatoyants, de rythmes envoûtants et d'applaudissements. J'appartenais à un groupe reconnu, dont chaque musicien était en même temps un soliste. Seule femme au milieu de tous ces beaux garçons... et avec Laurín...

Je n'allais pas tarder à découvrir l'envers du décor. À la fois attraction et orchestre de dîners-concerts, nos «chantiers», comme disaient les *Boys*, étaient des cabarets haut de gamme dans le quartier Étoile-Champs-Élysées. Jouant et chantant presque toujours debout, de 5 à 7 heures et de 9 heures à minuit, dans une salle mal aérée, sans micro, Andrès était musicien, mais chantait les «congas», et comme Laurín et moi, devenait aphone chaque soir. Les *Boys* nous aidaient en chantant en chœur. À la fin du spectacle, nos chevilles et nos pieds étaient enflés, tandis que les instrumentistes récoltaient un sérieux mal de tête. Le succès remporté auprès du public et les cachets élevés compensaient ces inconvénients.

Éreintés par ces soirées interminables, les *Boys* insistèrent auprès d'Isabél et d'Armándo pour faire supprimer les 5 à 7. Leur impresario, Suzanne M., conseilla à Isabél d'en parler à l'un des directeurs de l'établissement.

— Emmenez donc votre charmant jeune homme avec vous, a-t-elle ajouté innocemment.

Isabél, impressionnée par cet homme bourru, laissa parler Laurín, qui lui soumit plusieurs solutions de remplacement, dont celle d'un piano-bar. Amusé, le directeur lança:

— Vos idées me plaisent... mais dites donc, vous êtes bien persuasif pour votre jeune âge...

Ce à quoi Laurín répondit:

— Monsieur, on m'a toujours dit que la valeur n'attend pas le nombre des années.

Le directeur capitula, sans diminuer le cachet des musiciens!

***

Le foyer des *Boys* était une vaste demeure, qu'ils appelaient *La Maison* et qui avait autrefois abrité la famille nombreuse d'un riche industriel. Construite au milieu d'un jardin, à l'ombre de deux beaux chênes, elle était entourée d'une clôture en fer forgé, bordée d'une haie de troènes qui, durant l'été, protégeaient les occupants des regards indiscrets. Le long du mur mitoyen poussaient quatre massifs de rhododendrons aux bouquets de jolies fleurs roses et mauves. Au milieu du jardin, il y avait un portique avec des balançoires.

Puisque Paris devenait leur plaque tournante, les patrons avaient préféré louer cette confortable maison à l'année, la meubler et l'aménager pour y installer leurs musiciens. Eux-mêmes, avec leurs deux enfants, avaient emménagé dans un appartement non loin de là. Seuls Raphaël et Laurín avaient un pied-à-terre à Paris.

Armándo composait souvent la nuit. Il n'avait pas de piano à son appartement. Une table et du papier à musique lui suffisaient et, quand il avait absolument besoin de l'instrument, il s'habillait en hâte et allait à *La Maison,* dont la grille n'était jamais verrouillée. Une fois au clavier, il mettait la sourdine et pouvait ainsi travailler pendant des heures.

La Maison résonnait de musique, de vocalises et d'éclats de rire. Isabél, Laurín et moi formions un joyeux trio auquel se joignait souvent Raphaël. Il se considérait comme le page d'Isabél, lui rendait de menus services et vouait une reconnaissance infinie à cette «bonne personne» de l'avoir sorti de la médiocrité en l'engageant dans l'orchestre.

La vie du groupe était réglée comme du papier à musique. Le petit déjeuner, qui commençait à 7 h 45, était pour les *Boys* la seule occasion, en dehors du travail, d'être réunis. Ils discutaient de choses et d'autres et lisaient à voix haute les lettres qu'ils recevaient de leur pays. Tous parlaient en même temps, en espagnol, en anglais et en français. En quelque sorte, une tour de Babel, que je retrouvais avec plaisir presque chaque matin.

La répétition débutait à 10 heures, sous la direction de Laurín. Après le repas de midi avait lieu la copie manuscrite, en plusieurs exemplaires, des plus récentes compositions d'Armándo. Personne n'aimait se battre avec ses hiéroglyphes, mais ce pensum faisait partie du contrat.

Les jours où il n'y avait pas de copies, tous

poussaient un soupir de soulagement et se consacraient à de la musique de chambre sous la direction de Laurín, d'Armándo ou de Manuél, le premier violon... Pendant ces heures de détente, Schubert, Bach ou Borodine prenaient la relève des rythmes cubains.

Les soirs, avant le spectacle, Isabél faisait servir un repas léger aux musiciens. Cependant, de retour à *La Maison*, ils ne se privaient pas de dévaliser le réfrigérateur...

Aimant la couture, j'avais proposé à Isabél, dès le début, de l'aider à l'entretien des costumes de scène: chemises blanches, en tissu léger, ornées de volants, foulards à la couleur de chacun, pantalons blancs, chaussures blanches également. C'est Laurín qui dessina les modèles des chemises des garçons et de mes robes de scène, aux couleurs parme et blanc.

Cela faisait près d'un mois que je travaillais avec les *Lecuona's Cuban Boys*. Laurín et moi venions de terminer nos vocalises dans le bureau d'Armándo qui était inondé de soleil. Laurín scrutait mon visage attentivement. Soudain, il m'approcha de la fenêtre et posa cette question inattendue:

— *Florecíta*, dis-moi d'où tu viens.
— Je...
— Non, laisse-moi chercher... Teint clair, che-

veux d'or, yeux bleus, de la classe... je t'imagine en princesse venue du Nord.

— Pas tout à fait... Sans être une princesse, j'ai du sang aristocratique dans les veines. Je suis née en Russie, la petite dernière de sept enfants. J'avais deux ans quand éclata la révolution. Mon père mourut trois ans plus tard et ma famille fut dispersée. Nous avons connu la peur, la famine et la maladie. Quand j'eus dix ans, un de mes frères, installé à Paris, nous fit venir, ma mère et moi, auprès de lui. Les premières années ont été difficiles. Il nous est arrivé d'avoir faim et froid... Il m'a fallu renoncer à mes rêves d'enfant, comme la danse classique, le piano... J'ai dû apprendre jeune à gagner ma vie.

— Que d'épreuves, ma pauvre amie! Tu as eu quand même une adolescence peu commune...

— Oui, ma passion pour les avions m'a fait découvrir tout un monde. J'ai vécu des sensations fortes et fréquenté des personnages peu ordinaires, qui risquaient leur vie chaque jour...

— Et c'est là que tu as rencontré ton mari.

Après un court silence, Laurín reprit:

— Est-ce que ça va entre vous deux?

— C'est-à-dire... si l'on veut... Je suis trop jeune pour lui. Nous n'avons pas vraiment les mêmes goûts. Mais c'est un homme honnête et travailleur. Avec lui je me sens en sécurité.

Laurín s'assit sur le canapé. J'allais en faire

autant, quand soudain il entoura ma taille de ses bras. Il leva son beau visage vers moi: une expression indéfinissable se lisait sur ses traits. Ses yeux de velours devinrent lumineux. J'entendis alors la plus passionnée et la plus inimaginable des déclarations d'amour, qui se termina par ces mots:

— Je ne te demande rien en retour. Chez nous, le mariage, c'est sacré.

J'étais profondément troublée... Il appuya sa tête contre ma poitrine et devait entendre battre mon cœur. Surmontant ma timidité, je lui avouai la passion qu'il m'inspirait depuis l'instant où je l'avais vu. C'était la première fois de ma vie que je prononçais de vrais mots d'amour... Il murmura:

— Moi... je ne suis qu'un petit chanteur de charme dans un orchestre à la mode. La mode passe... Je n'ai rien d'autre à t'offrir que mon amour.
— Laurín, je ne te demande rien d'autre.

J'attendais mon premier baiser... Mais non, rien... Il sentait si bon la lavande fraîche... Il me libéra doucement de son étreinte.

Dès ce moment, un sentiment grandissant s'installa dans nos cœurs. Durant les séances de travail, tout en gardant respectueusement ses distances, Laurín m'adressait des sourires charmants et m'enveloppait de son regard. Sur la scène, lorsque nous chantions des rumbas d'amour, il me semblait qu'il entourait ma taille de son bras et me serrait un peu plus contre lui, me plongeant dans un trouble délicieux. Combien de temps serions-nous capables de résister à l'appel de l'amour?

***

Voulant tout savoir sur mes compagnons de travail, je demandai à Isabél de m'en parler. Née à La Havane, orpheline dès sa tendre enfance, elle avait été confiée par un de ses oncles aux ursulines de la Nouvelle-Orléans. C'est là qu'elle apprit le français et l'anglais et qu'elle reçut également une excellente formation musicale. À sa sortie du couvent, elle se fit un point d'honneur d'apprendre sa langue maternelle et resta fidèle à l'orthographe originale de son prénom.

Musicienne accomplie, anthropologue, elle s'intéressait beaucoup aux vestiges de la culture des premiers habitants de Cuba. Lors d'un séjour dans son île, en s'éloignant des côtes, elle avait entendu des mélopées non influencées par les rythmes africains. Elle les prit en note, en se disant que cela pourrait servir un jour.

De retour aux États-Unis, elle fit la connaissance d'Armándo, un excellent pianiste, originaire comme elle de La Havane. Leur sympathie se transforma rapidement en amour. C'était en 1929.

Trois mois plus tard, ils se mariaient et en 1930 naissait María-Clára.

L'idée leur vint de recruter une dizaine de musiciens et chanteurs originaires de Cuba, de formation classique, jouant obligatoirement de deux instruments, et connaissant en plus les petites percussions typiques du folklore afro-cubain.

Isabél soumit son idée à un ami de la famille, Ernesto Lecuona, pianiste et compositeur de talent, très apprécié aux États-Unis et en Amérique latine. Il l'encouragea et lui donna un an ainsi qu'à son mari pour former un groupe. Il lui apporta son aide et donna son nom à l'orchestre, lui laissant ses compositions les plus typiques. Ainsi naquirent les *Lecuona's Cuban Boys*, auxquels se joignit Laurín à la fin de 1932.

Au début de 1934, piloté par Ernesto Lecuona, le jeune orchestre fit ses débuts aux États-Unis et au Canada. Rapidement, Armándo prit la relève pour la direction de l'ensemble. Deux ans plus tard, c'était la conquête de l'Europe, avec des concerts donnés en France, en Belgique et un court séjour à Berlin. Dès l'automne ce fut le triomphe dans la revue à grand spectacle, au Casino de Paris.

***

Denis ne semblait pas impressionné par mon

nouveau travail, mais appréciait les améliorations que mes cachets permettaient d'apporter à notre vie quotidienne. Il trouvait que l'appartement n'avait jamais été aussi bien tenu et la cuisine aussi bonne que depuis que j'avais engagé une femme de ménage à plein temps. Apparemment, il ne voyait pas le danger qui menaçait notre couple. J'étais emballée de travailler avec les *Boys*. Je lui parlais souvent des petits incidents sur scène: un trou de mémoire, un couac... Pendant que je frétillais devant le miroir en chantant des rumbas, Denis, épris de culture égyptienne, me parlait des pyramides à degrés, d'Akhénaton, pharaon monothéiste, de Thoutmosis... Voyant que je ne comprenais rien à tout cela, il dit un jour, avec un sourire aigre-doux:

— Tu n'es qu'une gamine frivole.

Quand il venait me chercher pour travailler, Laurín le saluait aimablement, en ajoutant «je viens enlever votre femme». Denis, en le regardant à peine, marmonnait «très bien, très bien» et se replongeait dans sa lecture. Il n'avait jamais pris le temps d'examiner attentivement ce beau garçon qu'il trouvait sans doute trop jeune.

Pendant ce temps, notre complicité amoureuse grandissait et chaque jour me permettait de cerner le caractère de Laurín.

Il avait un radieux sourire qui éclairait de belles

dents régulières; son rire était communicatif. Toute sa personne rayonnait de joie de vivre, de bonheur et de paix. Pourtant, sous cette apparence paisible, je devinais un tempérament ardent et passionné, mais qui réussissait à se contrôler par un effort de volonté. Je sentais en lui une sorte de double personnalité qui devait, par moments, engendrer une tension intérieure très forte, ne pouvant se résoudre que par une grande activité.

Je le trouvais aimable et patient avec ses bruyants camarades, toujours prêt à aplanir les difficultés de la vie quotidienne. Sa règle de conduite était: «Fais à autrui ce que tu voudrais qu'il te fasse.» Serviable, il écopait plus souvent qu'à son tour la copie de partitions. Cependant, quand un des musiciens, tel que Nicolás, l'aîné des *Boys*, manifestait de la mauvaise volonté, il pouvait devenir très autoritaire et même cinglant. Lorsque j'essayais d'intervenir, il me répondait calmement:

— Je te propose de me remplacer pendant une seule journée.

Lassé de cette tension constante, qui était un mauvais exemple pour les autres *Boys*, Laurín décida de gagner l'amitié de Nicolás. Après une franche explication, ils devinrent les meilleurs amis du monde. Quand on lui demandait comment il s'y était pris, il répondait: «Un sourire ça ne coûte rien, mais c'est payant.»

De même que ses camarades de travail, Laurín avait la nostalgie de sa patrie, mais il essayait de ne pas le montrer: «À quoi bon attrister ceux qu'on aime?»

Il était profondément croyant. Chaque matin il rendait grâce à Dieu pour le cadeau royal qu'Il lui faisait: la vie. Paradoxalement, son goût du risque le poussait parfois à s'exposer au danger, surtout lorsqu'il conduisait.

«Fais de chacune de tes journées des heures de bonheur», me disait-il.

L'idée de la mort le fascinait, mais sans angoisse, ayant accepté son caractère inéluctable. «Il vaut mieux mourir jeune, plutôt que de vivre vieux et perclus de rhumatismes», disait-il, ou encore: «Moi, je ne vieillirai pas», phrase qu'il répétait de temps en temps. Ses amis le taquinaient gentiment:

— Ça va, ça va, Docteur Faust! Dis-nous plutôt, combien tu le vends, ton élixir de jouvence?

Il haussait les épaules. Je n'aimais pas l'entendre parler de la sorte. Isabél ne le prenait pas au sérieux:

— Fillette, n'écoute pas ce qu'il raconte. Il dit ça pour se rendre intéressant... Bien sûr, s'il continue à se prendre pour un champion de courses automobiles, il ne fera pas de vieux os.

Ce qui me touchait le plus chez lui était sa compassion, qui se manifestait particulièrement à l'égard des enfants. María, la fille d'Isabél et d'Armándo, avait une nature secrète, mystérieuse et souffrait du manque de disponibilité de ses parents. Quand il la voyait, assise dans son coin, essuyant discrètement ses larmes, il s'approchait d'elle doucement:

— Qu'est-ce qu'il y a, mon petit papillon?
— Tonton Lori, j'ai de la peine.
— Je vois ça, on va s'en occuper...

Il la faisait asseoir sur ses genoux, la berçait tendrement et séchait ses larmes.

— Ce n'est qu'une petite averse, disait-il, cache-toi sous un pétale de rose et attends, le soleil va revenir... Là, ça y est... tu souris, le soleil brille... C'est fini, María, on ne pleure plus. Va embrasser tes parents et dis-leur combien tu les aimes...

*

Tandis que mon cœur battait pour Laurín, je me rapprochais d'Isabél, qui le connaissait de longue date et l'aimait comme un frère. Elle se prêtait de bonne grâce à mes questions et il m'arrivait, lorsque nous ne donnions pas de concerts, de venir passer quelques heures en sa compagnie.

— Sais-tu, Válly, que notre beau Laurín a du sang indien dans les veines?

— C'est ce que j'ai cru comprendre.

— Longtemps avant l'ère chrétienne, les îles antillaises étaient occupées par des peuples amérindiens. Les premiers arrivés furent les Siboneys.

— Siboney, mais c'est ce que nous chantons?

— Oui, c'est en leur souvenir qu'Ernesto Lecuona composa cette rumba.

«Un autre peuple leur succéda: les Arawaks, ou Taïnos. Selon les descriptions laissées par les premiers conquérants du pays, ils étaient «sans barbe, plutôt grands, bien proportionnés» et avaient «le visage fin, le teint cuivré, les yeux bruns, légèrement bridés, les cheveux très noirs, lisses. Ils étaient courageux, pacifiques et généreux».

«Cette description ne te rappelle personne?»

— Laurín!

— Exactement! Ces Arawaks de nature pacifique devaient constamment se défendre contre les belliqueux Karibés ou Caraïbes. Leur violence, jointe à la cruauté des colons espagnols, eut raison de ce peuple. Entre-temps, des unions entre Espagnols et indigènes produisirent des métissages, auxquels s'est ajouté progressivement le sang africain.

«D'après mes recherches, dès le début de la colonisation, les ancêtres espagnols de Laurín ont protégé ce qui restait des Arawaks. Par le mystère

de la génétique, ces types caractéristiques existent encore. Laurín en est un exemple frappant et le tient de sa grand-mère paternelle, Terésa.»

Je me promis de questionner un jour Laurín sur ses jeunes années.

***

Depuis sa déclaration d'amour, rien de nouveau ne s'était produit. Pourtant nous étions de plus en plus attirés l'un vers l'autre. Cette situation ne pouvait plus durer.

Notre orchestre était l'attraction-vedette au pavillon de l'Amérique latine à l'Exposition internationale de Paris en 1937. Laurín avait l'habitude de me ramener chez moi en faisant un détour par le bois de Boulogne. En cette nuit de mai sans lune, calme et tiède, on pouvait apercevoir à travers les feuillages des arbres un ciel constellé d'étoiles. Les allées étaient désertes. Ayant arrêté sa voiture, il demanda:

— *Estrellíta*, si on faisait quelques pas?

Après deux ou trois minutes de marche, il s'arrêta, posa ses mains sur mes épaules. L'obscurité me cachait son visage.

— Il n'y a pas de doute, nous nous aimons, mais je n'oublie pas que tu es mariée. Je ne veux

pas d'une aventure ni d'une liaison: je redoute trop les lendemains de l'extase. Je voudrais que notre amour demeure pur, jusqu'au jour où, inévitablement, nous arriverons au point de non-retour. Je le souhaite ainsi et j'espère que tu ne me désapprouves pas.

Je l'écoutais, profondément troublée... Comme dans un rêve, je ne sus que lui dire:

— Laurín, mon premier amour, je pense comme toi.
— Tout ce que je te demande, c'est quelques baisers sur la joue et la permission de te serrer dans mes bras de temps en temps.

Le sens de l'humour l'emportant, il ajouta:

— En résumé: pas plus bas que le cou et pas plus haut que les jarretières, au sens figuré, cela s'entend.
— Qu'est-ce que c'est que cette histoire?
— Dans ma paroisse, à *La Habana*, les gens s'interrogeaient entre eux: «Qu'est-ce qu'il arrive à Carmencíta, elle porte une jarretière autour de son cou?» Ce qu'ils ne savaient pas, c'est que le curé lui avait dit un jour:

«Ma petite Carmencíta, tu as quinze ans et tu commences à fréquenter les garçons. C'est bien. Mais souviens-toi: pas plus bas que le cou et pas plus haut que les jarretières.»

48

Pour sceller ce pacte, Laurín couvrit mon visage de baisers. J'en fis autant. Il avait la peau si douce... Puis il me serra très fort dans ses bras... Il sentait si bon la lavande fraîche.

Il devenait chaque jour plus affectueux, son regard s'attardait sur moi... Comme par hasard, en passant très près de moi, oh! tout à fait innocemment, il effleurait ma poitrine... Et moi, je recevais une décharge électrique.

Nos chastes baisers sur la joue étaient entrecoupés de mots d'amour. Laurín savait toujours s'arrêter à temps, mais dans son sourire, un peu mélancolique, je pouvais lire: «Tu es mariée.»

***

Les semaines passaient, partagées entre les spectacles, la radio en direct et les enregistrements. Très fatiguée, laissant les *Boys* partir en tournée éclair en Italie, je suis allée en vacances* avec mon mari en Corse. Pendant ces quinze jours de détente, Denis s'était montré attentionné, affectueux, comme au temps de nos brèves fiançailles... Brusquement, j'ai tout remis en question. Qu'était donc Laurín pour moi et que pouvais-je attendre de lui? Peut-être était-ce le renou-

---

* *En France, depuis 1936, tous les salariés avaient droit à un congé annuel payé de deux semaines.*

veau de notre couple. Devrais-je demander à Isabél une prolongation de mon congé?

Hélas! L'enchantement s'évanouit avec notre retour à Paris. J'ai retrouvé mon Denis d'avant les vacances, et c'est avec joie que je suis retournée auprès de Laurín et de mes amis.

***

Approchait le moment tant attendu par le groupe d'aller jouer pendant deux mois à Biarritz, aux limites sud-ouest de la France, près de la frontière espagnole.

Station balnéaire réputée, la ville de Biarritz n'offrait aucun intérêt particulier, hormis son casino. Sa seule curiosité était le Rocher de la Vierge, visible depuis la plage de Port-Vieux.

À cause des souffles dominants très forts, il y avait peu d'arbres élevés, à part le magnolia, mais plutôt des massifs verdoyants, de lilas, de jasmin et de roses sauvages, dont les parfums font des mélanges exquis au moment de leur floraison. Des plantes grimpantes, telles le lierre, la glycine, la vigne vierge et le chèvrefeuille ornaient les grilles et les façades des maisons.

***

Toute la «famille» – y compris les deux enfants,

Lydia, la cuisinière haïtienne (familièrement appelée la *mamá*) et sa fille Nancy – s'installa dans deux villas mitoyennes, munies de tout le confort.

On réussit à caser un piano dans l'une des villas. Comme il n'y avait pas assez de place pour aménager une salle de répétitions, il fut décidé que nous irions chaque soir pratiquer dans la grande salle du Casino. Le répertoire était bien rodé, l'ambiance de travail paraissait agréable, tout devrait marcher à merveille.

Laurín et moi, dès le surlendemain matin après le petit déjeuner, partîmes explorer les environs, réputés pour leurs sites pittoresques facilement accessibles. La *mamá* nous avait préparé un repas froid. La voiture, arrivée la veille par le train, roulait par les routes campagnardes, plus ou moins bien entretenues, en direction des premiers contreforts des Pyrénées.

À environ deux heures de route, nous avons découvert un champ s'étendant jusqu'à un boisé. Le foin était fauché et rangé en meules. Par-dessus les arbres, on apercevait les toits d'une ferme. Non loin de là, dans un pré, des vaches paissaient tranquillement. Un bosquet nous invitait à pique-niquer à l'ombre de ses arbres.

On m'avait souvent raconté que les quelques expériences amoureuses de Laurín s'étaient soldées par un échec. J'avais du mal à le croire. Sans être un tombeur, il plaisait aux femmes et se montrait un compagnon attentionné et plein d'humour. Je cherchais depuis quelque temps un moyen de l'amener aux confidences. Dans ce décor reposant, sous les rayons du soleil filtrant à travers les branches des arbres, il me conta spontanément ses déboires amoureux.

Pour les femmes qu'il avait cru aimer, «des jolies filles, mais des corps sans âme», disait-il, l'amour se limitait aux quatre coins du lit à deux places, aux restaurants à la mode et aux cadeaux, et se soldait par un «au revoir, à la prochaine, on se rappelle...»

Laurín aurait voulu prolonger ces instants sublimes, mais se faisait traiter de naïf, de sentimental démodé, de rêveur par ses conquêtes du moment. Après chaque aventure, il se retrouvait tout seul, à la recherche d'un amour plus spirituel.

— Vois-tu, pour moi, le Grand Amour – avec des majuscules – est un sentiment très puissant, qui unit à jamais deux êtres qui s'aiment... le partage des joies et des peines... l'acceptation de tous les sacrifices pour l'être aimé... un sentiment qui bannit la jalousie et la crainte... quelque chose qui doit dépasser l'entendement... c'est aussi une immense tendresse... Rien, ni les épreuves, ni le temps, ni la distance, ni les séparations ne pourraient prévaloir contre le Grand Amour... Pas même la mort.

Je l'avais écouté en silence. En pleurant, nous nous sommes jetés dans les bras l'un de l'autre. Nous venions de réaliser que nous étions unis par le Grand Amour.

— Ma bien-aimée, veux-tu me suivre sur les sommets des plus hautes montagnes, où le froid n'aura pas d'emprise sur nous, où l'air qu'on respire est raréfié, mais si pur, et où notre amour pourrait trouver refuge?

— Oui, mon Laurín d'amour, je te suivrai où tu voudras.

Déjà Laurín se tenait debout, me tendant la main, me pressant très fort sur son cœur... Le monde avait cessé d'exister pour nous...

Déjà nous marchions tous les deux sur les sommets des plus hautes montagnes...

Déjà il desserrait son étreinte...

Au loin on entendait tinter les cloches des vaches... Nous retombions sur terre...

***

Nous étions pleinement heureux... Les sommets des plus hautes montagnes offraient le refuge à notre Grand Amour. Nous vivions dans la pureté, l'absolu, l'éternité... Une chose me préoccupait: comment cet homme au tempérament ardent pouvait-il accepter, par amour pour moi, de se passer de femme?

Intuitif, Laurín s'est vite douté de ce qui me préoccupait. Et direct, comme toujours:

— *Estrellíta*, je devine ce que tu voudrais savoir. Primo: il n'y a pas d'autre femme dans ma vie. Secondo: crois-le ou non, la musique aidant, je possède assez de volonté pour maîtriser et dominer mes désirs.

***

Nos sentiments n'échappaient pas aux *Boys* qui eurent bientôt l'occasion d'en savoir davantage sur les liens qui nous unissaient.

Depuis deux ou trois jours, la chaleur était étouffante. En cette fin d'après-midi de juillet, le thermomètre indiquait 33°C à l'ombre! Par surcroît, même le vent était tombé.

Je ne sais pour quelle raison nous avions notre jour de relâche un vendredi. Il n'y avait presque personne dans la villa.

Un massif de roses sauvages, devant l'une des fenêtres de la salle commune, conservait une certaine fraîcheur à la pièce. Isabél achevait de prendre sa revanche aux échecs sur Laurín, qui faisait exprès de perdre sans qu'elle s'en rendît compte.

— Échec et mat! J'ai gagné!

Raphaël revenait de la cuisine portant un plateau, de quoi faire un repas léger pour nous quatre. Par cette chaleur, nous n'avions pas très faim, mais plutôt soif. Laurín et moi, nous nous sommes assis l'un à côté de l'autre.

Isabél nous regardait attentivement :

— Que vous êtes jeunes et beaux tous les deux... vous pourriez avoir de beaux enfants... mais ne vous pressez pas trop pour les faire. Le métier et la famille ne vont pas toujours bien ensemble. Regardez-nous, avec María et Cárlos...
— Isabél, nous n'en sommes pas rendus à faire des enfants! Nous nous aimons, c'est vrai, mais ça s'arrête là.
— Vous n'allez pas me faire croire que depuis six mois vous vous contentez seulement de vous regarder avec des yeux de crapauds, morts d'amour?
— Oh!

On peut dire à n'importe qui: «Ça ne te regarde pas», mais pas à Isabél.

— C'est pourtant vrai, nous avons décidé de nous en tenir là; Válly est mariée.
— Allez donc! Continua Isabél. Grand amour, amitié amoureuse, ça aboutit inévitablement au pieu.
— Au pieu?

— Oui, au plumard, au lit! D'ailleurs, je ne donne pas cher de vos beaux principes si vous passez une nuit entière dans le même lit...

Alors Laurín donna un grand coup avec sa main à plat sur la table, faisant vibrer les tasses et les cuillers qui s'y trouvaient.

— Chiche! je relève le défi! Nous sommes capables de résister! Point!

Isabél faillit s'étrangler; Raphaël aussi.

Laurín sortit précipitamment, me traînant par la main en direction du jardin, en grommelant: «Isabél mérite une bonne leçon!»

J'étais furieuse:

— Misérable! tu oses... sans m'avoir consultée!
— Pas de panique, pas de panique, fillette... dans ces affaires-là, c'est l'homme qui décide et si je ne veux pas, il ne se passera rien...
— Tu n'es qu'un voyou, un vicieux, un mâle dominateur! Tu me déçois... Ah! «c'est l'homme qui décide»? et quoi encore! Laisse-moi te dire que si moi, je ne veux pas, tu ne m'auras pas de force! Et sache que si c'est moi qui veux, je ne donne pas cher de ta sacro-sainte volonté.
— Du calme, ma chérie, ne te fâche pas... Je te donne ma parole qu'il ne se passera rien... En attendant, allons admirer le coucher du soleil.

Il me prit doucement par le bras. Ses yeux reflétaient la lumière dorée...

Assis sur le sable encore chaud, nous regardions l'astre du jour descendre lentement. À mesure qu'il s'approchait de l'horizon, il s'aplatissait et semblait plonger doucement dans l'océan. L'eau était teintée d'ocre. Dans le ciel embrasé, quelques nuages fauves semblaient immobiles...

— Regarde, ma chérie, on voudrait retenir le soleil... C'est comme la vie qui s'échappe lentement et qu'on ne peut empêcher de plonger vers la mort... Que c'est long, l'agonie du soleil!

Et il se mit à rire.

Nous revenions de la plage, tendrement enlacés, encore sous l'emprise de ce spectacle. La pleine lune faisait son apparition.

— *Florecíta*, si nous étions dans mon île, ces couleurs ocres, cette immobilité de l'air et la chaleur me feraient penser aux présages d'un cyclone...

***

À la demande de Laurín, j'avais mis ma plus belle chemise de nuit. «Autrement, ce serait tricher», avait-il dit.

57

Ma chambre mansardée était meublée simplement, mais avec goût. «Une vraie chambre de jeune fille», selon Isabél. La fenêtre donnait sur la mer.

Le rythme lointain des vagues et les bruits de la ville parvenaient jusqu'à moi. Les cigales chantaient dans les buissons. Le ventilateur ronronnait, inefficace. Dans la chaleur de la nuit, les magnolias et les roses exhalaient leurs parfums enivrants et en emplissaient la pièce.

Ayant écarté légèrement les rideaux de mousseline, je regardais par la fenêtre: dans le ciel que la clarté de la lune pâlissait, quelques étoiles scintillaient faiblement. La lumière bleue faisait paraître encore plus blanche la longue chemise de nuit que je portais. J'étais inquiète.

On frappa à la porte. Sans attendre la réponse, Laurín entra et poussa le verrou... En robe de chambre et pyjama, un oreiller sous le bras, il avait l'air d'un petit garçon penaud. En d'autres circonstances, j'aurais pouffé de rire.

Adossé au mur, il me regardait sans bouger. Ses yeux étaient de velours de soie, où scintillaient des paillettes.

— Tu es belle ce soir, *Estrellíta*, le clair de lune te va bien... On dirait une jeune mariée.
— Laurín, j'ai peur.

Il posa son oreiller sur le lit, s'approcha de moi et tout doucement:

— Il ne faut pas avoir peur, mon amour; il ne se passera rien... aie confiance en moi. Je t'ai donné ma parole et c'est une garantie.

Laurín était calme, rassurant, protecteur.

— Viens... Prions d'abord.

À genoux tous les deux, notre prière ressemblait plutôt à un appel au secours:

— Mon Dieu, ne nous laisse pas succomber à la tentation, ne nous laisse pas profaner notre bel amour, aide-nous à préserver ce qu'il y a de plus pur dans nos relations... Mais que Ta volonté soit faite en toutes choses...

Ayant calé les oreillers contre la tête de lit, nous nous sommes assis l'un près de l'autre. Laurín se tourna vers moi. Il faisait chaud et il rejeta la couverture... Il portait un pyjama blanc.

Gênés, nous gardions le silence. Il fallait commencer par dire quelque chose.

— Beau prince du Sud, si tu me parlais de tes jeunes années?
— Eh bien, princesse du Nord, je suis né le 11 novembre 1914, un mercredi, non pas à *La*

Habana, mais en Floride (à Baya-B...). À l'église toute proche, les cloches sonnaient l'angélus de midi. *Mamacíta* – petite maman – avait perdu son premier bébé, une petite fille, au moment de la naissance. En attendant ma venue au monde, elle alla vivre dans la maison de ses parents en Floride. Je n'ai jamais su pourquoi.

«Deux mois plus tard, mes parents m'emmenaient à *La Habana,* où je fus baptisé. J'ai toujours considéré «mon île verte» comme ma vraie patrie.»

Laurín savait qu'Isabél m'avait parlé de ses origines, aussi il continua:

— Maman s'appelle Laura, d'où mon prénom. Elle est née à Cuba, de parents hispano-cubains. Ils étaient éleveurs de chevaux pur-sang, depuis plusieurs générations, d'abord à Camagüey, ensuite près de *La Habana.*

«Mon père, Mattéo – il a accentué les deux «t» – possède une plantation de canne à sucre à quelques heures de voiture de notre résidence principale de *La Habana.* Je m'entends très bien avec lui et je l'appelle souvent par son prénom. Au fait, sais-tu que je suis un héritier très riche?»

— Non, mais je m'en fiche pas mal.
— Tiens, moi aussi je m'en fiche pas mal.

«Avant l'abolition de l'esclavage, en 1886, mon

grand-père, qui était italien, Alessandro R. – devenu Alejándro – avait une mentalité différente de celle des Espagnols. Il avait amélioré les conditions de vie et de travail de ses esclaves, ce qui lui valut une certaine animosité de la part de quelques planteurs.

«Mattéo avait à son tour modernisé le village, en transformant les *bahios** des anciens esclaves en habitations plus solides. Il prit également toutes sortes de mesures sociales pour assurer la sécurité de ses ouvriers.

«Mon petit frère est mort à l'âge de cinq ans, d'une étrange maladie. J'ai deux autres sœurs, beaucoup plus jeunes que moi. Choyé par des parents merveilleux et des grands-parents généreux, je menais une enfance dorée dans un climat de paradis.

«Laura, qui joue du piano et de la flûte traversière, m'initia très tôt à la musique. J'avais à peine huit ans quand un orchestre symphonique vint donner un concert, avec un pianiste dont j'ai oublié le nom. Mes parents m'emmenèrent au théâtre avec eux.»

Laurín s'arrêta de parler. Il avait très chaud, il avait soif. Il s'assit sur le bord du lit, s'essuya le front.

---

* *Maisons individuelles des esclaves.*

— Laurín, enlève la veste de ton pyjama, tu auras moins chaud.

— Non, non, cela pourrait devenir de la tentation! Soyons prudents!

D'un geste, je lui montrai une bouteille d'eau plate dans le seau avec de la glace. Il alla remplir deux verres. C'était si bon de boire cette eau fraîche.

Avant de revenir s'asseoir près de moi, il prit sur le fauteuil deux coussins qu'il plaça sous nos genoux.

— Je commençais à avoir des fourmis dans les jambes. Un lit, ce n'est pas fait pour y rester assis, pas vrai?... Où en étais-je?

— Au moment où tes parents t'emmenèrent au concert.

— Ah oui! J'étais littéralement ensorcelé par ce merveilleux pianiste. Je me voyais déjà à sa place, luttant ou dialoguant avec cette masse d'instruments. Ma vocation était tracée. Quand, beaucoup plus tard, je le dis à mes parents, Laura approuva d'emblée. Mattéo, quelque peu surpris, me dit: «Aráldo, je souhaite que tu ne changes pas d'idée en cours de route, car je ne te vois pas très bien dirigeant la plantation.»

«Au collège où on m'envoya, je reçus une formation classique et j'appris, outre l'espagnol, l'anglais et le français. J'avais un goût particulier pour les langues étrangères. Mon copain italien, Filíppo, m'enseigna sa langue maternelle. Aníta, mon amie d'enfance, de mère allemande et de père cubain, m'apprit l'allemand.

«Au Conservatoire national de musique de *La Habana*, je suis entré à l'âge de huit ans dans la classe de piano. Je débutais, alors qu'Armándo, oui, je dis bien Armándo, terminait pratiquement ses études de piano. Il avait à peu près le double de mon âge et à plusieurs reprises nous avons joué à quatre mains... Imagine quand nous nous sommes retrouvés plus tard!»

Après avoir pris quelques respirations profondes, Laurín continua son récit.

— Dès mon jeune âge, j'ai commencé à m'exercer au piano à la lecture et à la transposition à vue des partitions. Ma voix ayant mué tôt, je pris des cours de chant. À dix-sept ans et demi, j'ai quitté le conservatoire, avec en poche un premier prix de piano et une médaille d'or, qui ne me quitte jamais.

— Moi, la même année j'obtenais mon brevet de pilote d'avion de tourisme.

— Tu vois, Princésa, nous sommes vraiment sur la même longueur d'ondes!

De nouveau il se leva, jeta un coup d'œil par la fenêtre et se mit à rire:

— Elle est bien choisie, notre nuit! La plus chaude du mois de juillet, et la pleine lune de surcroît... Dire qu'elle aurait pu être notre nuit de noces...

Il me tendit un verre d'eau et but le sien. Ensuite, il éteignit la lampe:

— Avec ce clair de lune il y a assez de lumière, pas vrai?

Il sortit de la chambre sur la pointe des pieds. Après quelques minutes, il fut de retour.

— Ils dorment tous... La porte d'entrée est grande ouverte, les portes des chambres aussi, pour faire des courants d'air, enfin, c'est une façon de parler, puisqu'il n'y a pas d'air...
— Mon Laurín, en laissant cette porte ouverte, nous aurions peut-être un peu plus de fraîcheur?
— Non, non, mon amour, ce serait tricher. Endurons courageusement la fournaise, la nuit finira bientôt...

De nouveau il s'assit sur le bord du lit, se tournant vers moi. Après un court moment, il reprit son récit.

— Ah oui... C'est alors qu'Isabél vint passer quelque temps chez nous. Décidé de parfaire ma technique, je lui demandai quelques adresses de conservatoires aux États-Unis.

«Et c'est alors que je fis une bêtise de taille.»

— Avec Isabél???
— Non, voyons! je la trouvais trop vieille pour moi.
— Oh! Elle n'a que huit ans de plus que toi.
— Ma copine Aníta était précoce et délurée pour ses dix-sept ans. Elle m'initia aux relations sexuelles puis jeta son dévolu sur Miguél, un étudiant en médecine, en vacances à *La Habana*. Pour elle je n'étais qu'un gamin stupide, alors que Miguél, lui, roucoulait des mots d'amour dont je ne soupçonnais même pas l'existence. Chaque fois qu'elle sortait avec son Miguél, Aníta disait à ses parents que c'était avec moi, pendant que je pratiquais sagement mon piano à la maison. Je décidai de l'impressionner.

«En explorant la bibliothèque de mon père, je découvris un petit recueil de poèmes en espagnol, d'un auteur inconnu du XIXe siècle, dont le contenu était plutôt olé, olé... Je choisis une sorte de paraphrase du Cantique des cantiques de la Bible et, sur un beau papier à lettre, j'écrivis: «Très chère Aníta». J'ai ensuite recopié le poème et j'ai signé: «Avec amour, Aráldo-Laurín R.»

«Ma lettre tomba entre les mains de ses parents et ce fut le scandale; j'avais compromis Aníta!

«Personne ne voulut écouter mes protestations ni celles d'Aníta. Nos parents décidèrent de nous marier, et vite! Je n'avais pas encore dix-huit ans. Désespérés par l'intransigeance de nos familles, mettant notre argent de poche en commun, nous allâmes tous deux consulter un avocat.»

*

Laurín se tut. Il montrait des signes de fatigue. J'avais mal au dos. Je sortis à mon tour et commençai à descendre l'escalier tout doucement. Une marche craqua.

Ils dormaient tous. On entendait quelques légers ronflements... Au rez-de-chaussée, la porte de la chambre des patrons était ouverte. Je prêtai l'oreille: quelqu'un remuait dans son lit. Isabél probablement. Qu'est-ce qui l'empêchait de dormir? Le clair de lune, la chaleur, l'impatience de savoir si nous avions flanché, ou peut-être le remords?

Une brise rafraîchissante venant de l'océan commençait à souffler, apportant avec elle l'odeur des algues.

Dans le vestibule, le faible courant d'air avait dispersé sur le plancher les revues et les journaux. Je les remis sur le guéridon. Je fermai tout doucement la porte d'entrée, puis remontai dans ma chambre.

Laurín, debout devant la fenêtre, respirait

avidement l'air, enfin rafraîchissant... La brise légère faisait voler les rideaux de mousseline.

— Princesse, viens tout près de moi, il fait meilleur maintenant.

Tendrement il entoura de son bras mon épaule. Tout doucement, je me blottis contre lui; il avait encore son léger parfum de lavande. Son cœur battait très fort. Visiblement, il luttait pour dominer son émotion. Et moi, j'éprouvais une sensation bizarre, une sorte d'ivresse qui gagnait tout mon corps. J'aurais voulu prolonger ces instants merveilleux. Il aurait suffi que je dise un mot... Mais il ne fallait pas oser un seul geste qui puisse mettre le feu aux poudres...

Sur le cadran de l'amour, la grande aiguille marquait «moins cinq».

— Laurín, j'ai peur...
— Il ne faut pas, ma chérie.
— Ce n'est pas de toi que j'ai peur, c'est de moi-même... Je ne sais plus où j'en suis.
— Courage, mon amour, la nuit s'achève. Nous avons gagné!

Il regardait au loin; je suivis son regard. Le ciel s'éclaircissait, effaçant une à une les pâles étoiles. La lune blême était à son déclin. Là-bas, une brume légère, comme un voile de mariée, unissait le ciel à l'océan.

Laurín avait tenu parole malgré les tentations que représentaient le clair de lune, les parfums enivrants des fleurs, ma longue chemise de nuit, si blanche... l'intimité...

Nous avions sommeil. Après avoir échangé un chaste baiser sur la joue:

— *Estrellíta*, allons dormir. Il nous reste à peu près deux heures de sommeil. Ce soir, on travaille. Dors bien, mon amour.

Laurín arrangea les oreillers, puis se coucha sur le côté face à moi, les genoux légèrement repliés, les bras croisés sur sa poitrine, ses belles mains posées sur ses épaules: on aurait dit un chaton. Il s'endormit aussitôt. Dans la clarté naissante du jour, je le contemplais. Un sourire à peine perceptible flottait sur ses lèvres.

Avant de sombrer dans le sommeil, je vis, dépassant du col de son pyjama, une médaille d'or pendre au bout de sa chaîne.

*

Quand j'ouvris les yeux, il faisait grand jour. Laurín était debout devant moi. Sur son visage il n'y avait aucune trace de fatigue.

— Princesse, nous pouvons sortir la tête haute. Merci, mon Dieu!

— Nous aurions dû parier une bouteille de champagne.

— Voyons! tu n'y penses pas! Une caisse de champagne, oui! Mais prépare-toi en vitesse pour le petit déjeuner. Je t'attendrai sur le palier. Ils sont déjà en bas.

Nous nous sommes arrêtés sur le seuil de la porte de la salle à manger. Toutes les têtes se tournèrent vers nous. Les conversations cessèrent... Isabél était visiblement gênée. Main dans la main, nous avons annoncé triomphalement:

— Isabél, tu as perdu ton pari: il ne s'est rien passé, nous te donnons notre parole!

Il y eut quelques applaudissements, des chaises remuées... Isabél se leva brusquement et quitta la pièce. Armándo ne comprenait rien:

— Mais qu'est-ce qui se passe? Qu'est-ce qui se passe ici?

Nous suivîmes Isabél jusque dans sa chambre. Couchée sur son lit à plat ventre, elle était secouée par des sanglots.

— *Hermaníta**, n'aie pas de chagrin. Nous n'avons rien à te reprocher. Au contraire, tu

---

* *Sœurette*

nous a donné l'occasion de vivre une expérience unique.

À la suite de cet événement, nous avons pris figure de héros. Armándo composa pour nous une jolie mélodie intitulée *Nóche de Biarritz*.

***

Plus tard, Isabél nous confessa les remords qu'elle avait éprouvés. Pour se justifier, elle se disait qu'après tout, si nous avions déjà couché ensemble, il n'y avait rien là. Si au contraire ce que nous prétendions était vrai, alors avec nos principes surannés, nous allions sûrement nous dégonfler. Où donc était le mal?

Mais quand, peu avant 10 heures, elle vit Laurín en pyjama et robe de chambre, un oreiller sous le bras, monter l'escalier, son cœur se serra. Elle voulut l'arrêter:

— Laurín, attends!...

Il se retourna, lui envoya un baiser avec sa main:

— *Buénas nóches, querída Isabél...*

Alors la panique s'empara d'elle. À qui se confier? Son mari l'aurait désapprouvée. Le règlement interne du groupe stipulait: «Faites tout ce que vous voulez à l'extérieur, évitez à tout prix le scandale, et pas de débauche à *La Maison*.» Or, à Biarritz, la villa devenait *La Maison*!

Incapable de trouver le sommeil, elle était montée à plusieurs reprises pour écouter: la lumière passait sous la porte. Elle nous entendait parler et rire de temps en temps. La chaleur et le clair de lune l'avaient laissée éveillée jusqu'au matin.

Quand elle sut que nous avions gagné, elle se sentit soulagée, mais également ridicule.

*

La preuve était faite: nous étions capables de conserver un caractère éthéré à nos relations, du moins pour un certain temps. Jusqu'à cet avant-dernier vendredi de juillet, nous n'avions jamais été aussi intimes. Nous étions restés toute la nuit sur la tangente et il s'en serait fallu d'un rien pour que tout basculât. Cette expérience nous avait rapprochés. Nous étions certains de vivre le Grand Amour. Un demi-mot, parfois un regard suffisaient pour nous comprendre. Les mots d'amour devenaient superflus. N'importe qui peut dire «je t'aime», mais qui peut le prouver en se maîtrisant de la sorte?

***

Nous continuâmes nos promenades dans les environs. Était-ce par hasard, Laurín reprit la route

71

rurale et arrêta la voiture près du bosquet si propice aux confidences. Il regardait en direction des Pyrénées. Dans les vallons, le soleil jouait à ombres et lumière.

— Ici, c'est la paix, la vie... là-bas, c'est la guerre civile, la mort...

J'étais impatiente de connaître la suite de son récit, commencé pendant la nuit de Biarritz.

— Eh bien, p'tit gars, tu vas me faire languir comme ça longtemps?
— Te faire languir, moi? Je ne comprends pas...
— Raconte-moi ce qui est arrivé après votre entrevue avec l'avocat.

Laurín leva les yeux au ciel, comme s'il cherchait à rassembler ses souvenirs.

— Après nous avoir entendus, l'avocat nous dit que la seule solution était un mariage blanc, qu'il nous appartiendrait de prouver, pour obtenir l'annulation. Il nous suggéra de nous séparer immédiatement après la réception et me recommanda de quitter la ville.

«Tandis que notre mariage se préparait à la hâte et que nos parents nous croyaient revenus à de meilleurs sentiments, j'envisageais le pire. Si mon plan échouait, c'en serait fini de mes projets de carrière.

«Le jour des noces arriva. On m'habilla comme un prince. Moi, je me voyais vêtu de bure, prêt pour le supplice. Ce fut un beau mariage, célébré à la cathédrale de *La Habana*. Je faillis m'étrangler en prononçant le «oui» fatidique.

«Pendant la réception, tout en souriant aux invités, nous avions envie de les mordre. Je suis parti aussi vite que j'ai pu après un bref baiser à Aníta.

«Rentré à la maison, je ramassai mes affaires dans un grand sac à dos et comptai mon argent: il n'y en avait pas beaucoup... Après m'être changé, j'écrivis une lettre à mes parents, leur demandant pardon pour la peine que je leur faisais, bien que je fusse innocent de ce dont on m'accusait, et précisant que je tenais à gagner mon pain à la sueur de mon front, coûte que coûte... Ensuite, je glissai mon alliance dans l'enveloppe et déposai la lettre sur le bureau de mon père. J'avais beaucoup de chagrin.

«Profitant de l'obscurité, je quittai la maison par derrière. Par crainte qu'on parte à ma recherche, je me rendis au port par un trajet détourné. Au petit jour je réussis à m'embarquer sur un cargo en partance pour la Nouvelle-Orléans. J'ai payé mon billet en faisant des corvées «d'épluche», de «plonge», et en lavant le pont... J'ai dû dormir chaque nuit dans un canot de sauvetage différent pour éviter les assiduités d'un matelot.

«À la Nouvelle-Orléans, je me suis trompé de train... Je devais rejoindre Isabél et Armándo à Philadelphie. Quand j'y suis arrivé, ils n'y étaient plus! Partis pour Boston.

«Entre-temps, on m'a volé ma trousse qui contenait mes objets de toilette. Je craignais surtout pour ma médaille: je la cachais soigneusement.

«Mais demande donc à Isabél qu'elle te conte en détail mes aventures. Elle aime bien en parler.»

*

L'occasion ne tarda pas à se présenter.

— Isabél, j'aimerais que tu me racontes comment Laurín est arrivé chez toi, à Boston.
— Comme il avait très peu d'argent, il a fait le voyage dans un wagon à bestiaux, avec des vaches. Une surprise désagréable l'attendait à Philadelphie: nous n'y étions plus. Il réussit à obtenir notre adresse à Boston. À Philadelphie, il a travaillé comme débardeur, à décharger fruits et légumes, pour se faire un peu d'argent. C'était dur, pour un fils de famille riche! Heureusement, il était fort, physiquement et moralement.

«Un soir on sonna à la porte. J'ai ouvert et j'ai reculé d'étonnement: dans la pénombre se trouvait un grand garçon, mal vêtu, avec une barbe de plusieurs jours. Je le reconnus à sa voix. C'était bien notre Aráldo. Il était fatigué, affamé, amaigri. Ce qu'il lui fallait avant tout, c'était un bain chaud, un rasoir et une brosse à dents. Après avoir retrouvé un aspect convenable, il me mit au courant de son mariage forcé et je lui promis mon aide et ma protection.»

— Pauvre petit gars... il lui a fallu bien du courage...

— Oui, tu l'as dit, Válly. Là il faut que je revienne en arrière. Armándo et moi avions déjà commencé à recruter les candidats pour notre futur orchestre, tant à Cuba que sur le continent américain.

«J'avais entendu Aráldo lors de mon passage à La Havane et je m'étais dit: «Voilà un bon élément pour notre ensemble.» Je me disais qu'avec son excellente formation musicale classique et son sens inné du rythme cubain, il pourrait seconder mon mari. Beau garçon, avec une voix agréable, il aurait un emploi de chanteur. Connaissant son rêve de devenir pianiste virtuose, je m'étais bien gardée de lui faire cette offre. Le sort en a décidé autrement. Nous l'avons donc engagé avec joie et nous en sommes bien récompensés.»

***

Dès le retour à Paris, nous nous sommes mis à la préparation du nouveau répertoire pour la saison à venir. Biarritz était bien loin... et le mois de septembre allait s'achever. À la veille de notre premier spectacle, Laurín me fit cette demande insolite:

— *Estrellíta*, je voudrais que tu me donnes le baptême de l'air.
— Est-ce que j'ai bien entendu?
— Oui, tu as bien entendu.
— Je peux t'emmener à l'aérodrome où quelqu'un te...
— Non! je tiens à ce que ce soit toi.
— Mais, Laurín, je n'ai pas piloté un avion depuis au moins quatorze mois!
— Je suppose que ça ne s'oublie pas, non?... Válly... s'il te plaît...

Il ne me restait plus qu'à téléphoner à Toussus-Paris* et retenir un avion pour le soir même. C'est avant le coucher du soleil qu'on peut offrir des sensations fortes à un néophyte.

Ayant obtenu la communication, je passai l'écouteur à Laurín.

— Roger? Salut, vieille branche! C'est Válly.
— Quelle Válly?
— Il n'y en a qu'une seule, que diable!...
— Ah! c'est toi, sacrée trottinette! Qu'est-ce que tu deviens? Ça fait longtemps qu'on t'a vue!

---

* *Cet aéroport, situé à 30 km au sud-ouest de Paris, était réservé aux avions légers de tourisme.*

— Je suis mariée et je travaille...

— On l'sait que t'es mariée et que t'as toujours travaillé.

— Écoute, vieille branche, je ne te téléphone pas pour te raconter ma vie, j'ai besoin d'un zinc pour ce soir, vers 5 heures.

— Qu'est-ce que tu veux, un *Luciole*?

— Non, un mono, c'est pour un baptême. Il faut que le passager voie ce qu'il a sous ses pieds.

— Un *109* alors?

— Pas ça... Mon gars a de longues jambes... Est-ce que tu as toujours mon *Morane*?

— Ouais; il a été en révision il n'y a pas long-temps.

— C'est combien l'heure, jus compris?

— Trente ronds.

— Vieille crapule... tu ne vas pas me dire que le prix a gonflé à ce point en un an?

— Cinquante pistoles pour deux heures, ça te va?

— D'acc. Ah oui, il faudra que tu me prêtes un froc, je n'en ai plus. Le gars a besoin d'un serre-tête et de lunettes. À ce soir.

— On ferme à 8 heures et il n'y a pas de ba-lisage.

— Compris, cinq sur cinq.

Laurín ne parvenait pas à garder son sérieux.

— Qu'est-ce que c'est que ce vocabulaire? Je ne t'ai jamais entendue parler comme ça. Un froc, c'est quoi?

— Un pantalon, une salopette... C'est le jargon habituel du terrain.

Je fis à mon futur passager des recommandations très strictes:

— Tu enfileras un pull par-dessus ta chemise et ensuite ton gros chandail de marin. Des chaussettes chaudes, des chaussures de tennis. Emporte un foulard et une paire de gants chauds.
— Pourquoi tout ça?
— Parce que, en cette saison, à la tombée de la nuit il commence à faire froid, surtout en vol.
— Ah!

Et nous avons pris la route pour Toussus-Paris.

*

Mon *Morane*, tout argenté, flambant neuf, était déjà sur l'aire de ciment devant le hangar. Je touchai le moteur, il était encore chaud. Roger avait dû faire voler l'avion peu de temps auparavant.

Cet appareil monoplan à «parasol» avait un mât d'une soixantaine de centimètres de haut, planté au milieu de l'aile, retenant les tendeurs, attachés à chacune des ailes, pour consolider la voilure. Propulsé par un moteur de 11 cylindres en étoile, c'était le type d'avion qu'utilisait l'armée de l'Air française pour l'entraînement de ses pilotes-réservistes. Quelques heureux civils en possédaient un. Avion robuste, souple à manier, excellent pour l'acrobatie aérienne, je l'aimais particulièrement car c'était avec lui que j'avais passé les épreuves de brevet de pilote.

Me voyant sortir du bureau de Roger, vêtue d'une combinaison de mécanicien trop grande, bas du pantalon remonté, manches roulées, un gros pull dépassant du col, Laurín se détourna pour ne pas éclater de rire.

En galant homme, il voulut m'aider à monter dans la carlingue.

— Non, toi d'abord, grimpe à l'avant.

Le passager est toujours à l'avant, le pilote à l'arrière.

Me tenant en équilibre sur un pied dans le marchepied encastré dans l'avion, je mis à Laurín le serre-tête et ajustai les lunettes qu'il devrait abaisser sur ses yeux au moment du décollage. Ensuite j'enroulai l'écharpe autour de son cou; il me tendit ses mains pour que je lui mette les gants. Il se laissait faire, s'efforçant de garder son sérieux. Enfin j'ajustai les attaches: ceinture et bretelles. Les courroies étaient neuves.

— Surtout n'essaie pas de te détacher en vol, ne

touche pas à cette boucle. Si tu veux t'accrocher, il y a une poignée de chaque côté de la carlingue.

Je grimpai dans la carlingue et alors commença le rituel: actionner les commandes de profondeur, de direction et de gauchissement, repérer les instruments de bord. Laurín, la tête tournée vers moi, observait avec le plus grand intérêt. Roger s'approcha de l'avion:

— T'as vu, j'ai remplacé le gyroscope, j'ai fait mettre une petite lumière sur le tableau de bord et des étriers au palonnier*, comme ça on ne risque pas de perdre les pédales. Le moulin a été révisé à neuf.

Jetant un coup d'œil au passager:
— C'est son premier vol?
— Oui...
— Oh! là, là! Tâche de ne pas le semer en route, ce serait dommage, un beau gars comme lui.

Passant d'un marchepied à l'autre, Roger lui donna une tape amicale sur l'épaule:

— Ça va?

Laurín lui sourit et fit avec son pouce le geste *number one!*

---

* *Gouvernail de direction aux pieds, jouant le même rôle que le guidon d'un vélo.*

— Courage, vieux! la Trottinette, elle connaît son affaire et le coucou est robuste.

Roger vérifia la solidité des attaches de mon passager et s'éloigna.

Et ce fut le démarrage:

— Contact...
— Oui, contact...

Le mécano lança l'hélice, alors que je mettais le contact. Deuxième essai, sans résultat. Enfin au troisième essai compression-allumage, l'hélice se mit à tourner, entraînant le moteur, lequel après quelques ratés, nous envoya un peu de fumée noire. Mon passager comprit que c'était le moment d'abaisser ses lunettes.

Je mis le régime plein tube. Le *Morane*, tel un cheval de course, trépigna sur place. Passant de la pleine puissance au ralenti, je m'assurai que le moulin tournait bien.

— Enlevez les cales...

L'avion s'ébranla et commença à rouler en cahotant sur le «gazon» qui n'était autre chose que de l'herbe à pâturage. Les belles pistes cimentées d'aujourd'hui nous étaient inconnues.

Il fallait faire presque un tour complet du

terrain avant d'arriver au point de décollage. Après avoir lancé le moteur à plein régime, je retenais l'avion pendant quelques instants. Enfin je poussai le manche vers l'avant. L'arrière du *Morane* commençait à s'élever... Puis je tirai doucement le manche vers moi, pour permettre au train d'atterrissage de quitter la terre.

Instant enivrant où l'homme, ou la femme, devient oiseau...

Nous étions assez haut... Laurín me montrait les maisons minuscules, les petites autos comme des jouets d'enfants, roulant sur les lacets grisâtres étroits que sont les routes vues du ciel.

Devant, un gros soleil s'apprêtait à se coucher. Alors que le ciel resplendissait de couleur dorée, la terre se teintait de vert et de bleu. Je commençais à prendre de l'altitude, histoire de sonner un peu mon précieux passager, afin de l'impressionner.

Moteur au ralenti, j'avais laissé le *Morane*, tel un aigle, planer sous les rayons du soleil couchant. Nous étions proches de la perte de vitesse. On pouvait presque voir l'hélice tourner et en prêtant l'oreille, il était possible d'entendre les soupapes faire «clac-clac». Les tendeurs vibraient, produisant une douce musique. Laurín sortit les bras de chaque côté de la carlingue et faisait des gestes gracieux de battement d'ailes. Comme moi, il goûtait à l'ivresse de l'espace.

Trêve à l'enchantement. Reprise de la vitesse de croisière. Il ne faut jamais laisser tourner le moteur longtemps au ralenti, sous peine d'encrasser les bougies.

Et tout d'un coup un étrange sentiment s'empara de moi: Laurín, mon Grand Amour, était là, dans la carlingue avant... Je tenais sa vie et la mienne entre mes mains: une fausse manœuvre... et nous serions tous les deux précipités dans l'inconnu... jusqu'à la fin des Temps! L'épate fut plus forte que la prudence. Je m'étais promis d'impressionner Laurín, eh bien, j'irais jusqu'au bout...

Une glissade sur l'aile. Ensuite la «danse du Chili»: vol à plat, le fuselage de l'avion en pivotant sur son axe vertical fait des mouvements de droite à gauche. Laurín était aux anges, il battait des mains. Attends, mon grand, tu n'as encore rien vu.

Je repris de l'altitude. Un tonneau; l'appareil roule sur son axe longitudinal, de droite à gauche. En veux-tu un autre? Cette fois-ci un double-tonneau, même manœuvre, mais répétée deux fois... À travers le pare-brise, je pouvais voir mon précieux passager toujours aussi enthousiaste: il tournait la tête vers moi, avec son radieux sourire. Maintenant un renversement ou la feuille morte? Non, pas avec un passager, c'est trop dangereux.

Et pourquoi pas un looping? Serai-je encore capable de l'exécuter? Mentalement je repassais les manœuvres à effectuer.

Piqué, palier... plein gaz... manche au ventre. Dans un grondement de tonnerre, le *Morane* joyeux s'élance en chandelle. Là il faut réduire la puissance du moteur; l'avion, perdant un peu de sa vitesse, amorce une courbe à l'envers et manche au milieu, bascule sur le dos pour voler dans cette position pendant un instant. Couper les gaz, pour éviter le retour de flamme. «Rendre la main»: l'avion pique du nez, plonge et frissonne, et, ô merveille, pendant quelques secondes on entend une musique, comme des sons d'une harpe: c'est la poussée de l'air qui fait vibrer les tendeurs du «parasol». Redémarrer le moteur sans tarder et tomber dans le vide encore, puis terminer la boucle par un gracieux palier. Même sans être attaché, aucun des occupants de l'avion ne peut être éjecté; au cours de ces manœuvres la force centrifuge le plaque au fond de l'habitacle. Laurín jubilait. En veux-tu un autre? En voilà! Et un troisième.

Il me restait encore à faire goûter à mon courageux passager la «sensation de la crève», avant que la nuit ne fût complète. Il fallait revenir en arrière, en faisant un large demi-tour. Sous nos pieds, un brouillard épais recouvrait le fond de la vallée de l'Yvette. Il devait y faire froid! C'était un endroit réputé pour les trous d'air: le soir l'air refroidit vite et se rétracte; un avion, en passant de la zone de l'air tiède à cette couche froide, tombe brusquement dans un «trou» de cinq à dix mètres. C'est là qu'il faut garder la bonne vitesse pour être capable d'en sortir.

De légères secousses constituaient les signes avant-coureurs d'un ou de plusieurs trous. Et v'lan! chute à la verticale de quelque huit mètres dans l'abîme noir. L'avion frissonna... Laurín se tourna vers moi et fit un «Ah!» d'admiration que le bruit du moteur m'empêcha d'entendre.

Nous étions à quelques jours de l'équinoxe d'automne et la nuit tombait vite. Ayant allumé les feux de position, je fis un demi-tour pour revenir au terrain. C'était mon premier vol de nuit. Laurín, cet oiseau des îles, devait avoir froid. Silencieux et immobile, intuitif, il sentait que j'éprouvais des difficultés. En effet, je ne savais plus où j'étais; le gyroscope ne fonctionnait pas sur de courtes distances et l'étoile polaire n'était pas encore visible. Sous nos pieds, les hameaux familiers se confondaient dans leurs lumières. Pendant que je cherchais des indices au sol, Laurín, la tête levée, contemplait le ciel indigo, où commençaient à s'allumer les plus brillantes étoiles.

Je devinai un peu à gauche les hangars du terrain d'essais de Guyancourt. Puis tout d'un coup, juste devant moi, des lumières jaillirent: chaque fois que le gardien de Toussus-le-Noble, base pour avions de tourisme et terrain de secours, entendait la nuit un bruit de moteur d'avion, il allumait son balisage de limite de terrain – il était mitoyen de Toussus-Paris.

Me poser à Toussus-le-Noble, vent dans le dos, c'était perdre la face; de plus, Roger serait furieux, car il faudrait récupérer le *Morane* demain de bonne heure. À la grâce de Dieu... Je fis un demi-tour serré, réduisis la vitesse, amorçai rapidement un palier pour faire un atterrissage court. Des petites secousses familières m'avertissaient que je survolais à basse altitude la pommeraie. Au bout de celle-ci se trouvait le terrain de Toussus-Paris!

Les lumières de Toussus-le-Noble m'aveuglaient. Le *Morane*, presque en perte de vitesse, se balançait. Les deux roues touchèrent la terre. Un petit coup de manche vers moi et la béquille sous la queue de l'avion gratta le sol. Nous venions de retrouver le plancher des vaches!

*

Roger et les mécanos couraient à notre rencontre. Par petits coups de moteur, j'avançai vers l'aire de ciment. Guidée par Roger, je rentrai le *Morane* dans le hangar.

— Chapeau, Trottinette, tu nous a donné chaud! On se demandait si tu allais atterrir!

Laurín était déjà à terre. À peine j'eus le temps de détacher ma ceinture qu'il me sortait de la carlingue et me serrait très fort dans ses bras. Il avait le nez froid...

— Merveilleux! Merveilleux! Princesse... Merci.
— On remettra ça si tu le veux une autre fois.

Dans le bureau de Roger, du thé chaud et des biscuits nous attendaient. Un poêle à bois ronflait gaiement. Avant d'aller me changer, je fis les présentations: «Roger, voici Laurent, mon partenaire.»

À mon retour, les deux hommes, assis près du feu, bavardaient comme de vieux amis. Roger apprit en quoi consistait notre travail. Il émit un sifflement admiratif:

— Fichtre de fichtre, trottinette, tu as tous les talents!

***

On nous attendait avec impatience à *La Maison*. Laurín avoua son emballement pour l'avion et raconta comment je l'avais sonné. Ce jour-là, j'étais montée d'un cran dans l'estime des *Boys*.

Le lendemain soir, avant d'aller chanter, Laurín me fit part de ses impressions:

— Ah! Je n'oublierai jamais mon baptême de l'air. C'était merveilleux, enivrant, sublime... Tu as été formidable.

Puis tout d'un coup il me serra dans ses bras très fort; ses yeux exprimaient le désarroi:

— Ma chérie, promets-moi de ne plus jamais piloter!
— Mais pourquoi?
— Tu cours un danger.
— Mais j'aime ça. À présent que je gagne de l'argent, je peux retourner régulièrement sur le terrain seule ou avec...
— Non, non, oublie ça.
— Est-ce que j'ai été imprudente?
— Au contraire, tu as fait preuve d'une extra-ordinaire maîtrise de soi. Mais il ne faut pas, il ne faut pas...
— Mais enfin, pourquoi? Explique-toi, voyons!
— S'il te plaît, ne pose pas de questions... Par amour pour moi, promets-moi d'oublier l'avion... en tant que pilote!
— Laurín, je te promets solennellement de ne plus jamais piloter un avion...

Les temps incertains

Les *Boys* sont rentrés tout heureux de leurs vacances de décembre. Ils aimaient leur travail et reprenaient le collier avec joie pour une nouvelle saison.

En sortant du bureau d'Armándo, je me suis trouvée nez à nez avec Raphaël:

— Salut, Raf! Joyeux anniversaire! Quand vas-tu fêter?
— Je ne fête pas cette année.
— Pourquoi donc?
— L'an dernier c'était mon quart de siècle, mais c'était surtout l'occasion de te présenter Laurín.
— Au fait, tu ne m'avais pas dit qu'il s'appelait Laurín.
— Il ne m'avait pas laissé le temps. Il se présenta comme Aráldo. C'est son prénom d'état civil. Je n'ai pas voulu intervenir.

— Après tout, c'est sans importance...

— Souviens-toi, au mariage de Gaby, nous ne pouvions pas rester à la réception. Pendant que je te disais au revoir, Laurín descendit de la tribune, suivi d'Andrés, qui sortit de l'église. Il allait me tirer par la manche, mais il t'aperçut et resta cloué sur place. Il venait d'avoir le coup de foudre. C'est moi qui le tirai par la manche. Dans l'auto, il me demanda:

— *Qui est cette jeune fille avec qui tu parlais?*

— *Une fille formidable, Vally, une amie à Gaby et à moi.*

— *Parle-moi d'elle.*

«Sachant que Laurín avait eu trois ou quatre déboires amoureux, je m'étais dit: «Encore une amourette en perspective...»

«Nous étions alors débordés par les répétitions au Casino de Paris. Laurín ne voulait pas continuer à loger à *La Maison*. En attendant qu'il trouve un logis à son goût, je l'hébergeais. Chaque soir il me posait des questions sur toi; il voulait toujours en savoir un peu plus. Et moi, à moitié mort de fatigue, je devais lui répondre encore et encore.

«Un soir, ses yeux ont pris un éclat étrange et il me dit d'une voix rauque:

— *Rafi, il faut que tu nous présentes... Un jour, cette jeune fille sera à moi! Je l'épouserai.*

— Oh! Laurín a osé te dire ça!

— Ne lui répète surtout pas. Promis? Je l'ai prévenu que tu étais mariée, ce que j'aurais dû faire depuis longtemps.

«Visiblement déçu, il me demanda: «Est-ce qu'elle est heureuse?»

«J'ai haussé les épaules en lui répondant: «Son mari a douze ans de plus qu'elle...»

«Alors il plongea dans ce que nous appelons son univers secret. Puis revint à la surface.

— *Après tout, le divorce n'est pas fait pour les chiens... Raf, je t'en prie, il faut que tu nous présentes.*

— Mais comment savais-tu que je chantais leurs rumbas?

— Quand tu m'as répondu au téléphone, j'ai pu entendre une musique et une voix familières. Tu es allée arrêter le phono, en fredonnant quelques mesures avec Laurín, ou Aráldo, comme tu préfères. «Tiens! tu écoutes les *Lecuona's Cuban Boys*?» t'avais-je dit. «Oh, oui, m'avais-tu répondu, j'en raffole! Je passe mon temps à chanter avec leur ténor.»

— Je m'étais bien gardé de te révéler que depuis peu je faisais partie de leur ensemble. Je voulais te faire la surprise en te présentant Laurín. Je lui devais bien ça: c'est grâce à lui qu'Isabél et Armándo m'avaient engagé... Mais vous deux, ça fait déjà un an... j'espère que c'est pour durer.

— Moi aussi, je l'espère.

*

Laurín et moi avons fêté aux chandelles notre premier anniversaire de bonheur, dans le petit restaurant d'Auteuil.

— Cachottier, va! Tu m'avais remarquée au mariage de Gaby et tu ne m'en as rien dit!
— Ah! quelle vision merveilleuse... Rafi se tenait sur le côté et toi, tu étais vêtue de soleil, l'or de tes cheveux répandu sur tes épaules. J'ai attendu quatre mois avant de te rencontrer. Tout ce temps-là, je n'ai fait que penser à toi. Rafi hésitait à nous mettre face à face, tant il me croyait volage.
— Toi, tu étais à contre-jour; aveuglée par le soleil, je ne vis que ta silhouette. Quand tu m'ouvris la porte chez Rafi, tu étais assez loin de moi et, dans la pénombre, pendant une fraction de seconde, je crus t'avoir déjà vu quelque part. C'était donc toi à l'église! Je comprends maintenant ta familiarité à mon égard, dès notre première rencontre.

***

En dépit des rumeurs inquiétantes qui circulaient au sujet d'Hitler en Europe centrale, la tournée en Autriche, annoncée par nos patrons dès la fin de l'année 1937, fut maintenue. Comme stipulé dans mon contrat, je n'étais pas du voyage.

Le départ était prévu pour le début de février. Nos frileux oiseaux des îles ne s'en réjouissaient aucunement.

Le succès accompagna les *Boys* partout où ils se produisirent. La chance aussi les servit. Ayant quitté Vienne le 11 mars, ils traversèrent le lendemain la frontière, non sans remarquer un nombre impressionnant de militaires en uniformes allemands. N'ayant pas lu les journaux, ils n'ont rien compris. Le 13 mars, l'Allemagne annexait l'Autriche et les troupes d'Hitler entraient à Vienne sans rencontrer de résistance. Après avoir eu froid, les *Boys* venaient d'avoir chaud!

Pour Laurín, la guerre était inévitable. Malgré ce qui venait d'arriver, ses amis le traitaient de défaitiste, d'*aguasfiestas** et d'oiseau de mauvais augure.

Il incitait les *Boys* à être prévoyants:

— Ce n'est pas parce que Isabél a souscrit une bonne assurance que vous devez dépenser sans compter! Si la guerre éclate, il se pourrait que nous nous retrouvions au chômage. Et puis, la mode change: aujourd'hui nous sommes des vedettes, demain peut-être un autre ensemble nous supplantera.

----

* *Trouble-fête*

93

Laurín rappelait également aux *Boys* qu'ils avaient tous reçu une formation musicale classique et les encourageait à pratiquer régulièrement la musique de chambre...

Comme pour leur donner l'exemple, chaque fois que le piano était disponible, Laurín se mettait à faire des exercices pour fortifier ses doigts, des arpèges et des accords plaqués, pour terminer par des gammes. Parfois il déclenchait un véritable ouragan qui pouvait durer au-delà de deux heures. Armándo et Isabél venaient l'écouter souvent.

— Ce garçon a une endurance extraordinaire au travail, ne trouves-tu pas, Isabél?
— C'est vrai. Il m'a toujours étonnée.
— Il a vraiment de grandes mains et couvre plus qu'une octave, du do au mi, sans effort.
— Remarque la puissance de sa main gauche et la souplesse de sa main droite. Il devrait équilibrer davantage les deux mains.
— Certainement... Mais n'oublie pas qu'il est gaucher. Je pense qu'avec la pratique et la maturité, il pourra s'améliorer.
— Il est aussi bon pianiste que claveciniste. Quant à l'orgue, Bach lui sied à merveille!
— Un jour il devra choisir entre ces trois claviers.
— Il est encore jeune, il a le temps.

Je savourais ces exercices comme des chefs-d'œuvre. Lui n'avait pas l'air d'être conscient de notre présence. Il naviguait sur un nuage tissé avec des cheveux d'ange, comme il disait.

Je finis par comprendre que le piano était son vase d'expansion. Par ses prouesses pianistiques, il libérait l'énergie accumulée par l'abstinence volontaire.

Comme Denis se plongeait dans ses livres, j'aimais, les soirs de relâche, passer quelques heures avec mes amis cubains. Depuis quelque temps, alors que Laurín savait que j'étais attendue à *La Maison*, on me disait:

— Il n'est pas là.
— Où est-il?
— On ne sait pas... Ça ne répond pas chez lui.

Comme moi, Isabél avait remarqué son comportement étrange et cela l'inquiétait.

— Válly, ce garçon est bizarre. Tiens, par exemple, certains soirs, même à une heure du matin, au lieu de rentrer chez lui, il s'installe au piano, met la sourdine et joue le mouvement d'une sonate, ou d'un concerto, les yeux mi-clos, ou perdus quelque part au loin. Il est complètement inconscient de ma présence. Quand il joue Mozart, il me donne l'impression de se dédoubler.
— Moi aussi, j'ai souvent cette impression.
— Malgré l'heure tardive, je trouve un pré-

texte pour rester dans la salle de musique; rien ne semble le distraire. Ça peut durer une heure. Ensuite il revient à lui en disant: «Tiens, Isabél, tu es là? Il est tard; je vais me coucher.»

«Le lendemain matin, quand il t'amène à *La Maison*, il redevient le Laurín habituel: gentil, joyeux, heureux de vivre. Vraiment, ce garçon m'inquiète.»

Après un moment de silence, comme si elle était embarrassée:

— Je crois que notre Laurín a un jardin secret.
— Mais non, ma chérie, je le saurais, il me dit toujours tout.
— Je suis sûre qu'il te cache quelque chose. Puisqu'il te dit tout, eh bien, tâche de savoir ce qu'il a. Si c'est quelque chose de sérieux, dis-le moi.
— Ma chère amie, s'il me confie quoi que ce soit de personnel, permets-moi de le garder pour moi.

*

À quelques soirs de là, Laurín me ramenait comme d'habitude après le spectacle.

— Dis donc, p'tit gars...

Il arrêta sa voiture.

— Oui, fillette... je t'écoute.

— On te trouve bien cachottier et mystérieux ces temps-ci.

— Qui ça «on»?

— Les *Boys*, Isabél surtout.

— Ah!.. et qu'est-ce qu'ils disent?

— Isabél pense que tu as un jardin secret.

— Ah oui? Et pourquoi?

— Parce que tu disparais de *La Maison* sans rien dire à personne. Et quand tu joues du piano, tu es complètement inconscient, comme si tu étais parti très loin.

— Ah! comme ça, j'ai un jardin secret?

— Oui, «Môssieu»...

— Eh bien, Isabél a vu juste: j'ai, en effet, un jardin secret.

— Comment?!!

— Tiens, demain, non, après demain, j'ouvrirai pour toi seule, rien que pour toi, les grilles de mon jardin secret.

La curiosité me dévorait... Que pouvait être ce jardin secret?

Le surlendemain dans l'après-midi, Laurín me téléphona:

— *Princésa*, je viens te chercher dans un quart d'heure.

Ce n'était pas la première fois que je me trouvais à Auteuil, dans son antre de vieux garçon de vingt-trois ans, un ravissant deux pièces situé au troisième étage. Tout était bien rangé, propre, sentant bon la lavande fraîche. Les fenêtres donnaient sur un jardinet, un coin de campagne en pleine ville.

— Tu vois, mon étoile d'amour, ici je n'ai pas les couchers de soleil comme chez toi, au 7e étage. Par contre, dès le printemps, les mésanges font leurs nids dans l'arbre et viennent nourrir leurs petits. En bas, il y a un parterre de roses et, au fond, un buisson de jasmin. La nuit, les parfums de ces fleurs envahissent ma chambre. Et alors, je voudrais t'avoir tout près de moi... dans mes bras.

Émue, je ne savais que lui sourire.

Laurín me fit asseoir confortablement. Il disparut, puis revint un verre de jus d'orange dans chaque main.

Après un moment de silence, il prit une clé dans le tiroir de son secrétaire, sortit de dessous son lit une mallette et l'ouvrit:

— Voici mon jardin secret.

Cette mallette contenait de nombreuses partitions de piano, quelques biographies de compositeurs: Mozart, Bach, Beethoven, la plupart écrites en anglais.

— Les reliques du cours d'histoire de la musique du conservatoire.

— Ah! C'est ça le mystère? Qu'avons-nous imaginé!

— Je n'ai pas de place pour un piano. Certains soirs, je reste ici, je lis les partitions et je les mémorise, comme si j'apprenais par cœur des textes. Puis, devant le piano à *La Maison*, je les revois et les transmets à mes doigts. Pour y parvenir, j'ai besoin de m'isoler mentalement.

Il se rapprocha, me serra doucement contre lui. Nous étions en contemplation devant les trésors de son jardin secret.

— Crois-moi, Vàlly, je suis parfaitement conscient de ce qui se passe autour de moi, même si je me concentre sur mon jeu. J'entends les remarques d'Armándo et d'Isabél. Quant aux trois instruments, tu sais que mon choix est fait depuis longtemps: c'est le piano.

— Oui, mon Laurín, tu as fait le bon choix. À mon avis, c'est le répertoire de piano qui te convient le mieux.

— Nous serons toujours d'accord, mon étoile d'amour!

Il resta un moment silencieux, caressant mes cheveux.

— J'attends le jour où je poserai enfin mes mains sur le clavier d'un piano de concert. Quand je serai prêt pour aborder une deuxième carrière, je quitterai Isabél, Armándo et les *Boys*. Mais, n'en dis rien à personne, à personne... Promis?

— Promis. Et nous deux, alors?

— Eh bien, tu seras mon impresario, ajouta-t-il en riant.

Je n'avais toujours vu que des qualités chez Laurín. Je venais de découvrir qu'il était profiteur! Ainsi, après toutes ces années passées avec les *Boys*, il allait les quitter, au moment opportun. En y pensant bien, il leur avait rendu tant de services qu'ils pouvaient bien lui servir de tremplin.

Il ne me restait plus qu'à rassurer Isabél au moyen d'un pieux mensonge:

— Ce n'est rien de grave, des lubies d'enfant gâté.

***

L'été approchait et, avec lui, notre retour à Biarritz, où nous étions attendus avec impatience.

Comme l'année précédente, j'avais passé deux semaines en Corse avec Denis, sans retrouver l'état d'âme de nos premières vacances au soleil. Tandis que mon mari goûtait un repos bien mérité dans un hamac sous les pins parasols, je chassais l'ennui en escaladant les collines et en nageant dans les eaux d'un bleu profond de la baie de Calvi, en pensant à Laurín. Plus que jamais, j'étais heureuse de retrouver mes amis cubains. Laurín, en m'ouvrant les bras, s'écria:

— Mon Grand Amour! Je me suis ennuyé à mourir sans toi!

***

À peine arrivé à Biarritz, Laurín manifesta le désir de faire une excursion au Col de Roncevaux. Il m'expliqua qu'étant enfant, il s'intéressait beaucoup à l'histoire de France médiévale, riche en légendes et en exploits héroïques. La fin tragique du Chevalier Roland, neveu de Charlemagne, était son récit préféré. Plutôt que de voir sa fidèle épée, Durandal, tomber aux mains des ennemis, le valeureux guerrier, blessé à mort à Roncevaux, voulut briser sa dague. Sous la violence du choc, c'est le rocher qui se fendit, laissant la place à la «Brèche de Roland».

— Cette histoire m'a fasciné. J'avais environ dix ans et je m'étais identifié au héros de ce récit pour devenir «Le Noble Chevalier Laurent». Faisant seller le cheval de *mamacíta*, je parcourais la campagne, à la poursuite de Sarrasins imaginaires, tenant d'une main l'étendard de fortune – le foulard d'Aníta –, de l'autre ma Durandal, fabriquée avec des planchettes. Les pieds accrochés aux étriers, je lâchais la bride et le cheval se sentant libre, galopait joyeusement à travers champs.

Si je n'ai pas fait de chute, c'est bien par bonté divine...

*

Munis des renseignements sur le trajet à suivre pour atteindre le Col de Roncevaux situé à la frontière espagnole, à environ 1050 mètres d'altitude, nous sommes partis un matin de juillet de très bonne heure, prévenus des difficultés que nous allions rencontrer. La route n'était plus entretenue depuis le début de la guerre civile. D'après un voisin, il était préférable de laisser la voiture à mi-chemin et de poursuivre en escalade, empruntant à l'occasion le lit d'un torrent asséché.

Après avoir traversé des villes et des villages, des coins verdoyants, longé la Nive, nous prîmes le chemin de la montagne. La pauvre voiture n'en pouvait plus de rouler sur cette route délabrée et nous continuâmes à pied avec pour accessoires deux bâtons à pique, une gourde avec de l'eau fraîche qu'il fallait ménager et l'appareil photo de Laurín. La vieille carte de la région indiquait mal les endroits accessibles.

Enfin nous atteignîmes notre but! Fatigués, essoufflés, nous nous trouvâmes nez à nez avec des militaires français qui gardaient cet endroit proche de la frontière et tentaient de nous empêcher d'avancer:

— Vous ne pouvez aller plus loin que la barrière: là-bas, c'est la guerre...

— Nous le savons. Nous voulons seulement voir la Brèche de Roland, c'est un peu plus loin.

Laurín prit son accent américain. Nous fûmes autorisés à nous éloigner un peu, sous l'œil méfiant des militaires. Ils ont même laissé au touriste yankee son *Kodak*.

— Alors, tu l'as vue, «ta» Brèche de Roland? Content?

Nous étions pressés de repartir et de récupérer notre voiture. Sur le chemin du retour, après nous être restaurés dans un petit café sympathique, nous découvrîmes un coin verdoyant près d'un cours d'eau. Fatigués, nous décidâmes de nous y arrêter. Laurín en profita pour reprendre son récit.

— *Estrellíta*, te souviens-tu de mon histoire? Je me prenais pour le Chevalier Roland. Mon père apprit qu'au retour de chacune de mes expéditions, le cheval était couvert de mousse, ce qui voulait dire que l'animal avait galopé trop longtemps. Sommé de m'expliquer, je fus désormais réduit à me promener exclusivement dans les sentiers cavaliers.

«Cela ne me tentait guère. J'ai donc cherché une autre occupation. Je plaçai une cible sur le champ appartenant à mon père et je me mis à perfectionner le tir à l'arc. Chaque jour j'éloignais davantage ma cible, jusqu'à la déplacer, par mégarde, sur le champ du voisin. Un beau matin, j'ai raté mon but et ma flèche alla se planter dans la toile de protection d'un séchoir à tabac. Sanction: ne pas dépasser les limites de notre propriété. Il me fallait du mouvement, de l'action. Dans ces conditions, le tir à l'arc devenait trop statique.»

— Pourquoi pas la bicyclette?
— Justement... Mon ami Andrés avait un élevage d'iguanes – on les élève comme des petits chats en France. Le mien étant mort de vieillesse, je voulais le remplacer.

«C'était la saison des pluies. La veille au soir, de nombreux indices laissaient présager un cyclone. Néanmoins, ce matin-là, je décidai d'aller chez Andrés.

«J'ai gagné rapidement la route de Mariél. Après quelques kilomètres, je n'ai pas vu les clous éparpillés sur la chaussée: double crevaison! J'ai voulu réparer les chambres à air... Hélas! les rustines étaient desséchées. Il faisait très chaud et le vent était tombé. Il était environ 11 heures.

«Que faire? Porter le vélo sur mon épaule, par cette chaleur? Je me souvins être passé devant une petite exploitation agricole. Je fis un demi-tour et finis par atteindre la ferme. C'était une famille de *guajíros,* ou paysans: ils compatirent à mes malheurs, m'invitèrent à partager leur repas. Les jeunes gens réparèrent mon vélo. J'ai vidé mes poches pour les payer. Ils ont refusé.

«Leur désintéressement était sincère, ils ne savaient pas qui j'étais. Ma tenue vestimentaire ne me distinguait en rien des autres garçons de la ville. Le vélo? C'était chose courante pour les gars de faire des travaux divers pour s'offrir un vélo, comme celui des fils à papa.

«L'éolienne de la ferme étant au point mort, l'accumulateur était déchargé. C'est par une radio à galène que nous avons capté un message de l'Observatoire: «Avertissement météorologique. Un cyclone se dirige vers les côtes sud-ouest de Cuba...»

«Mes bons samaritains me firent monter dans le premier autobus en partance pour *La Habana.* Arrivé à bon port, je téléphonai chez nous. Le chauffeur vint me prendre avec mon vélo. «Vos parents sont très inquiets, me dit-il. Ils vous cherchent partout.»

«Je savais que j'aurais droit à un savon maison!

«Quelques heures plus tard, le cyclone arriva... avec des vents de 200 km à l'heure, balayant tout sur son passage. Bilan: six cents morts, des milliers de blessés. Dans le port, des navires furent jetés les uns contre les autres, beaucoup ont coulé... Des plantations anéanties. Les bas quartiers de la ville furent inondés. Pendant plusieurs jours, à *La Habana* et dans les environs, nous fûmes privés d'eau, d'électricité et de téléphone... C'était en août 1926. J'avais onze ans.

«L'éolienne des braves paysans fut renversée. Mon père, en guise de remerciements, envoya une équipe de ses ouvriers pour remplacer les pièces et la remettre en état.

«Comme sanction: interdiction formelle de dépasser un rayon de 25 kilomètres depuis le centre de *La Habana*.»

— Tu pouvais toujours faire du pédalo...
— Ah, tiens! je n'y ai pas pensé...

Et Laurín éclata de rire.

— Tu te doutes bien que toutes ces bêtises n'ont pas été faites au cours d'une seule et même année! Chaque nouvelle sanction limitait mon territoire.

«Assis sur une borne en ciment, je méditais sur le sort réservé aux enfants des riches: ils ne manquent de rien, mais on leur refuse la chose à laquelle ils tiennent le plus au monde: la liberté d'action.

«Une grosse tape dans le dos, qui faillit me faire perdre l'équilibre, me tira de mes pensées. «Alors, mon vieux, on fait sa prière? Tu m'as tout l'air de t'amuser follement!»

«C'était mon ami Filíppo. Voyant mon ennui, il m'invita à la chasse aux requins pour le lendemain. J'acceptai.»

*

Cette histoire de chasse aux requins m'intriguait depuis longtemps.

— Dis-moi, Laurín, comment as-tu pu tuer des requins, toi qui ne ferais pas de mal à une mouche?
— Pas «des» requins, ma belle étoile, mais «un» requin, un seul. D'ailleurs, je ne l'ai même pas tué.
— Raconte vite!
— Il faut que je revienne un peu en arrière. J'avais dix ou onze ans. Je m'étais bagarré avec un garçon plus vieux et plus costaud que moi. Je lui ai flanqué une de ces raclées dont il se souviendra toute sa vie... En somme David contre Goliath.

«Après nous être expliqués et pardonnés, nous sommes devenus des amis. C'était Filíppo, dont je t'ai déjà parlé. Après cet incident, je me promis de ne jamais plus répondre aux insultes. Il m'invita à la chasse aux requins. J'y suis allé, à l'insu de mes parents. J'avais environ quatorze ans.

107

«L'eau sur la côte nord-ouest de l'île était in-festée de requins. Ces bestioles, généralement de taille moyenne, nageaient pas trop loin des côtes; elles ne présentent pas de danger réel pour la population, sauf pour les imprudents. Elles en-dommageaient les filets et les nasses, s'emparaient du produit de la pêche. Voraces, les requins cro-quent tout ce qui leur tombe sous la dent: ils avalent même les boîtes à conserves vides. Pen-dant un certain temps, l'administration portuaire payait assez bien pour les trophées: têtes et peaux. La tête était la meilleure preuve.

«Munis de harpons à manche court, de grap-pins et de gaffes, les jeunes gens allaient à cette chasse en barques ou en canots à moteur.

«Bien qu'étant très adroit, je faisais exprès, en lançant mon harpon, de rater ma cible. Et les garçons se moquaient de moi: «Pauvre demoi-selle mains-blanches... c'est juste assez bon pour jouer de l'orgue à la messe.»

— Et tu ne disais rien?
— Non... Depuis l'incident avec Filíppo, quand on me frappait la joue gauche, je présentais aussi la droite.

«Puis un jour un drame se produisit.

«Luis, le capitaine de notre équipe de football, un beau mulâtre d'environ dix-sept ans, partit à la chasse aux requins. Attiré par les appâts, un véritable monstre surgit des flots. Luis, debout dans l'embarcation, l'a harponné... Le squale blessé tira sur le filin, Luis tomba dans l'eau. Le requin le saisit par le bras, à la hauteur de l'épaule, le garçon hurla et fut entraîné dans la mer. Tout se passa très vite...»

— Quelle horreur!
— Glacés d'effroi, nous regardions la flaque de sang que les vagues ont dispersée rapidement. Le filin se dévidait très vite. Arrivé au bout de sa course, on le ramena: le harpon pendait à son extrémité. Le monstre avait réussi à se libérer.

«Le jour suivant, un petit yacht chargé de fleurs coupées, ayant à son bord un prêtre et une vingtaine d'amis, se rendit à l'endroit où Luis avait disparu. Une prière fut dite et les fleurs jetées à l'eau.

«Je décidai de le venger.

«J'achetai un harpon à manche court, tout ce qu'il y avait de plus solide. Il ne me restait qu'à le fixer au filin.

«En compagnie de Filíppo, je me rendis au port. J'attendais «une grosse pièce». Le temps passait. Les copains me regardaient à la dérobée, se demandant ce que je faisais là.

«Soudain, un requin énorme sortit de l'eau, tout près de l'embarcation. Je lançai le harpon de toutes mes forces: il fut atteint près de la nageoire dorsale. L'instrument pénétra profondément dans sa chair.

«Tenant le filin à pleines mains, je tentais de rapprocher ma prise de la barque. L'animal se débattait furieusement et j'avais du mal à garder mon équilibre. J'allais tomber dans l'eau quand, rapide comme un éclair, Filíppo lança une sorte de pique-glace, qui atteignit le monstre à la tête. Après quelques soubresauts, le requin cessa de bouger. Il était tellement gros que nous ne pouvions le hisser dans la barque. Nous l'avons traîné par le harpon. Il avait des nageoires pectorales impressionnantes.

«Sur le quai, ce fut l'admiration. On avait rarement vu dans les eaux territoriales une prise aussi grosse!

   – *C'est le fils à papa qui l'a harponné.*
   – *C'est Filíppo qui l'a achevé.*

«La pauvre bête, couleur gris argenté – une bête superbe – gisait sur le quai. Elle mesurait environ 1 m 90.

   – *Eh bien, fi-fille, qu'attends-tu pour le dépouiller et le dépecer, ton poisson? raillaient les gars.*

«On me mit dans la main un couteau: il est tombé sur le ciment.

 — *Va, fillette, on le fera à ta place!*

«J'avais la nausée. Le front appuyé contre le mur d'un bâtiment, j'entendais, comme dans un rêve, les cris joyeux des copains.

«Quelqu'un prit mon bras gauche, plia le coude, accrocha un panier contenant la tête du requin. La même chose pour mon bras droit: on y suspendit la peau coupée dans le sens de la longueur en deux morceaux. Les gars ont gardé les nageoires pectorales.

 — *Alors, fi-fille, qu'est-ce que tu attends pour porter ton cadeau à papa?*

«J'ai arrimé tant bien que mal mes trophées sur mon vélo et je suis parti en direction de notre domicile éloigné du port. J'avais l'habitude de parcourir des longues distances. Je pédalais aussi vite que je pouvais, j'avais chaud.

«Soudain, dans un sursaut d'orgueil, j'ai réalisé que le «Chevalier Laurent» avait vaincu l'adversaire!

«Quand je suis arrivé à la maison avec mes trophées, ma mère a failli se trouver mal. Mattéo ne savait quoi dire.

— *Aráldo, je ne pouvais pas deviner que tu prenais part à de telles folies. Que ça ne se reproduise plus! Tu as compris?*

*

Les moustiques commencèrent à valser autour de nous.

— Déjà 5 heures! Nous allons être en retard pour le spectacle.

Nous rentrâmes à Biarritz à toute vitesse. À la Villa, on s'inquiétait, craignant un accident. Quelqu'un voulut même avertir la gendarmerie.

Nous avons chanté ce soir-là, pleins de courbatures, les genoux écorchés et les pieds endoloris. Deux jours de repos furent nécessaires avant de reprendre nos explorations des environs de Biarritz.

*

Nous sommes allés du côté de Puyoo, où coule le tumultueux Gave d'Oloron. La rivière, peu profonde à cet endroit, était entourée d'arbustes verdoyants et odorants. Une herbe haute et soyeuse poussait le long des berges, les chants des oiseaux accompagnaient le bruissement des vagues. Les bords peu escarpés alternaient avec d'étroites grèves de sable fin.

En short et bermuda, pieds nus, nous marchions dans cette eau limpide qui, par ce jour d'été, nous apportait la fraîcheur de la montagne. Poussés par les remous, ou bravant le contre-courant, nous accrochant l'un à l'autre pour ne pas glisser sur les pierres inégales, nous riions comme des enfants, nous éclaboussant des pieds à la tête et buvant dans le creux de la main cette eau pure. Nous étions heureux.

Nos vêtements trempés à tordre avaient besoin d'être séchés. Nous décidâmes de garder quand même nos shorts:

— Vois-tu, *Florecíta*, qu'un gendarme survienne et qu'il nous trouve seulement en petites culottes? Scandale! «Au poste, ah! mes amis!... Pour outrage à la pudeur.»

Le polo de Laurín, trempé, collait à son corps. Je l'aidai à l'enlever et l'accrochai à une branche. Je portais un T-shirt pas trop ajusté, il était également mouillé. Laurín commença à l'enlever...

— Non, non, je n'ai rien en dessous...

Il posa ses mains à la hauteur de ma poitrine, sous le T-shirt et resta ainsi un moment.

J'avais l'habitude de voir Laurín torse nu sur la plage ou à la piscine. Mais ici, dans ce décor idyllique, rien que nous deux... c'était différent.

Tout près de lui, j'osais à peine effleurer cette peau douce, qui gardait encore un soupçon de son parfum caractéristique. Je commençais à avoir le vertige, comme à la fin de la nuit de Biarritz.

Laurín me serrait contre lui et couvrait mon visage de baisers.

— Ma belle Válly, je t'aime passionnément. Si tu savais. J'ai tellement envie de toi. Il y a si longtemps que j'attends...

Laurín a presque enlevé mon T-shirt. Ses lèvres étaient si proches. J'ai pensé: «Je ne lui résisterai pas.»

L'herbe soyeuse était si invitante...

Hélas! Il m'a libérée doucement de son étreinte, a remis en place mon T-shirt. L'enchantement s'est dissipé, comme une brume légère. Dans un soupir, il murmura:

— Tu es mariée. Pardonne-moi... Oublions tout ça.

Et comme si de rien n'était, il prit son polo, le brandissant au bout de son bras et me tendant sa main, clama:

— Suivez le guide, s'il vous plaît, Messieurs Dames!

Il détacha le ruban qui retenait mes cheveux; je l'ébouriffai et nous repartîmes à la course, tantôt le long de la rivière, tantôt dans l'eau, oubliant déjà ces moments enivrants.

Insouciants, encore si jeunes, nous ne voyions pas le temps passer. C'étaient presque des vacances en période de travail.

Le soir, dans ma chambre, j'essayai de comprendre. Cet après-midi, il était «moins trois». Pourquoi, au moment du débordement de la passion, quelque chose vint l'arrêter? Était-ce uniquement parce que j'étais mariée? Ou bien y avait-il autre chose? Une dualité?

***

Quelques jours plus tard, nous avons retrouvé notre champ de l'été précédent. À la place du foin, il y avait des gerbes d'avoine. Les paisibles vaches étaient fidèles au rendez-vous. J'en avais une peur bleue depuis ma tendre enfance. Quand j'avais quatre ans, une vache m'avait soulevée entre ses deux cornes et m'avait fait faire un tour complet de notre cour, avant de me déposer.

Passant à travers la clôture, malgré mes protestations, Laurín m'entraînait au milieu du troupeau.

— N'aie pas peur, *Florecíta*, avec moi elles ne te feront pas de mal...

Galopant au milieu de ces braves bêtes, caressant le museau de l'une, donnant une tape affectueuse sur la croupe de l'autre, sautant par-dessus les bouses fraîches, nous avons fait presque le tour du pré.

Essoufflés, les pieds encore endoloris par notre expédition au Col de Roncevaux, nous sommes venus nous asseoir à l'ombre de notre bosquet. Le soleil était chaud et, sous ses rayons, les abeilles bourdonnaient autour des fleurs des champs; les papillons multicolores volaient çà et là. Nous avions soif. Dans la bouteille thermos il restait juste une tasse de thé.

Laurín fredonnait:

— Ma belle, ma belle... si tu bois dans ma tasse, tu connaîtras mes pensées: je t'aime follement!
— Tu connais déjà les miennes: je t'aime... follement. Mais parlons plutôt de choses sérieuses.
— De quoi, par exemple?
— Depuis longtemps j'ai une impression curieuse: c'est comme si nous étions attachés l'un à l'autre, comme liés...
— Comme soudés?
— C'est bien ça, soudés!
— Je ne me suis pas trompé: c'est bien toi qui détiens l'autre moitié de l'Orange!
— De quelle orange parles-tu?

J'ai regardé dans le fond du panier à pique-nique.

— Ne cherche pas, ce n'est pas la saison des oranges. C'est une légende orientale. Écoute plutôt:

«Le Créateur tient dans Sa main une orange belle et sans défauts. Quand un enfant naît, Il coupe le fruit en deux et lui donne l'une des moitiés. Ensuite, quand un deuxième enfant, du sexe opposé, vient au monde, Il lui offre l'autre moitié. Peu importe où naissent ces deux enfants, cela peut être aux antipodes... Ils sont irrésistiblement attirés l'un vers l'autre et quand enfin ils se rencontrent, si les deux moitiés sont identiques, elles se soudent et rien ne peut les séparer... Alors, ce couple vit le Grand Amour... Tu vois, nous deux, nous sommes chacun l'autre moitié de l'Orange. La mort détruit la vie, mais pas l'amour: quand l'une des moitiés s'endort, l'autre devient la gardienne de l'Orange tout entière... pour l'éternité... N'est-ce pas merveilleux?»

— Alors, dis-moi, puisqu'il y a tant de gens qui reçoivent chacun une moitié de l'Orange à leur naissance, pourquoi ils se font du mal, se quittent, sont malheureux?
— Pour que les couples soient heureux, il faut que les deux moitiés proviennent du même fruit. C'est aussi simple que ça!

Il m'a longuement bercée sur son cœur, en me disant des mots tendres.

***

Depuis plusieurs mois, on parlait beaucoup de la Tchécoslovaquie et des Sudètes... À Biarritz, personne ne voulait prendre au sérieux les menaces d'une guerre possible.

Laurín cessa de donner des avertissements.

— À quoi bon insister, c'est comme si je crachais dans un violon.

Notre contrat au Casino de Biarritz tirait à sa fin et le mois d'août allait s'achever. Nous nous préparions à quitter. Traversant la ville, en début d'après-midi, nous avons constaté une grande agitation. Des camelots vendaient des journaux dans les rues, en criant: «La mobilisation partielle est décrétée.»

— Ah! m... alors!!!

De plus loin qu'il nous aperçut, José courut vers moi, un papier bleu à la main:

— *Muñequíta*, c'est pour toi, on a ouvert, on a pensé que ça pouvait être grave, avec tout ce qu'on entend à la radio depuis ce matin. Je m'apprêtais à partir à votre rencontre.

C'était un télégramme de Denis: il devait rejoindre son unité. J'étais bouleversée. L'inquiétude s'empara des *Boys*... Laurín, jusque-là pessimiste, nous rassura:

— Une mobilisation partielle ne signifie pas la déclaration de la guerre. Tout peut s'arranger dans les jours prochains. Gardons notre calme et prions pour la paix.

Il fallait me faire conduire à la gare pour acheter mon billet.

— Ne bouge pas, je m'en occupe. Fais tranquillement ta valise, me recommanda Laurín.

Arrivée à Paris tôt le matin, j'eus à peine le temps de me rendre à mon domicile: Denis était prêt à partir, sa petite valise à la main. J'étais dans tous mes états. Dans le taxi qui nous conduisait au point de rassemblement, j'essayais d'être calme. Les paroles réconfortantes de Laurín me revenaient:

— Prends courage, Denis, aie confiance... une mobilisation partielle, ce n'est pas la guerre, tout peut s'arranger et bientôt tu seras de retour à la maison.

Après un tendre baiser, il rejoignit ses camarades. Le camion allait les emporter vers une destination quelque part en France.

Sur le chemin du retour, l'angoisse me saisit: c'est mon mari qui vient de partir. Et si la guerre est déclarée, quel sort l'attend? Je ne le reverrai peut-être jamais.

Une semaine plus tard, les réservistes furent démobilisés, à la grande joie de tous. Denis, tout heureux, rentra chez nous. Mais le feu rouge venait de s'allumer. Il fallait être sur nos gardes.

Le 30 septembre 1938, l'Accord de Munich fut signé, en vertu duquel la Tchécoslovaquie abandonnait les Sudètes à l'Allemagne. Le monde occidental soupira d'aise. Hitler promettait de se tenir tranquille. Mais ce ne fut qu'un leurre: à peine six mois après sa signature, l'Accord fut rompu.

***

Vers la mi-novembre, Laurín prit à part son ami Andrés et ils conversèrent longuement. Andrés était ressorti pensif. Le surlendemain au petit déjeuner, il nous annonça son mariage prochain avec Simone, son amie de cœur.

La cérémonie fut somptueuse, avec grandes orgues, chant et orchestre. Le soir même, Andrés monta sur scène dans son habit de noces: un smoking blanc, avec une fleur d'oranger à la boutonnière. Il fut acclamé.

Le lendemain, les jeunes mariés partirent en voyage de noces et les *Boys* prirent leurs deux premières semaines de vacances. Nicolás, heureux père de famille, s'en alla à New York pour y passer un mois.

Les temps troubles

En commençant l'année 1939, nous avons tous éprouvé une sensation désagréable.

La guerre civile en Espagne durait. Hitler de son côté s'agitait.

Andrés déménagea pour vivre avec son épouse, mais nous rejoignait à *La Maison* avant la fin du petit déjeuner, pour être présent à la répétition.

Fernándo, de retour de ses vacances sur la «Côte», nous apprit qu'il avait rencontré «une femme comme ça»! Il a claqué dans ses doigts.

En mars 1939, l'Accord de Munich fut rompu et le spectre de la guerre refit surface.

Armándo nous avertit que nous étions invités à participer au Festival international de jazz de Spa ainsi qu'à Ostende, en Belgique. Notre séjour à Biarritz serait abrégé de deux semaines. Certains ont trouvé cela «formidable», d'autres se demandaient ce que nous avions de commun avec le jazz.

***

En avril, pour la première fois, Laurín me parla de mariage.

Dédaignant le banc tout neuf récemment installé dans le jardin, nous étions chacun sur une balançoire. Laurín fixait le bout de son soulier. Je sentais qu'il allait dire quelque chose. Le soleil s'était caché et je commençais à frissonner.

— Viens, ma Válly, tu vas prendre froid, on va rentrer.

Dans la salle de musique, les *Boys* se préparaient pour jouer du Bach sous la direction d'Armándo. Laurín me fit entrer dans le bureau du chef, qui servait aussi de boudoir. Il paraissait préoccupé. Enfin, il sortit de son mutisme.

— *Estrellíta*, qu'est-ce que tu dirais si on se mariait, nous deux?
— Mais, mon Soleil, je suis déjà mariée.
— Le divorce n'est pas fait pour les chiens.

J'avais déjà entendu cela quelque part...

— Ce n'est pas si simple, comme tu vois, il y a autre chose...

À ce moment quelqu'un ouvrit la porte:

— Ah! Laurín, tu es là, justement je te cherchais. Pourrais-tu me...?
— Non, pas tout de suite, tu vois, je suis occupé.

Il soupira.

— Je disais donc, que ce ne serait pas facile, car...

La porte fut encore ouverte:

— Laurín, sais-tu où se trouve la partition de...?
— Non, je ne sais pas, excuse-moi, je n'ai pas le temps.

Il soupira de nouveau.

— Mon Laurín, si tu laisses la porte ouverte, ils verront bien que tu es occupé avec moi.
— Non. On ne peut pas parler de ces choses-là ici. Allons plutôt chez moi.

Arrivés chez Laurín, il reprit aussitôt:

— Je disais que ce ne serait pas facile: toi, tu veux avoir des enfants, moi, je n'en veux pas...

— Quand nous étions fiancés, Denis en voulait plusieurs. Maintenant, il n'en veut plus, à cause des responsabilités.

— Moi, je ne fuis pas les responsabilités; c'est beaucoup plus grave que ça. J'aimerais avoir des enfants, au moins un enfant à nous deux...

— Mais tu ne peux pas?

— Je n'ai pas dit cela.

D'habitude Laurín y allait directement, sans préambule. Cette fois-ci, il tournait autour du pot.

— *Mamacíta* avait une sœur qui est morte à dix-sept ans d'anémie pernicieuse. Mon petit frère est mort à l'âge de cinq ans, apparemment de la même maladie; et pourtant, ce ne sont pas les soins ni la bonne alimentation qui manquaient. Maman a aussi fait trois fausses couches. L'été dernier, elle a eu un malaise au cours d'une vente de charité qu'elle présidait... Elle avait un nombre de leucocytes supérieur à la normale. Avec des soins adéquats, on a rétabli la situation, mais elle est toujours sous surveillance médicale.

Il y a eu pas mal de mariages entre cousins de son côté... Heureusement, mon grand-père italien apporta un peu de sang neuf... Tu me suis?

— Oui, je commence à comprendre.

— Si je suis prédisposé à avoir cette maladie, je peux la transmettre à mes enfants. Je ne sais pas si c'est héréditaire, ou une simple coïncidence. Tu nous vois, avec un petit enfant, comme Cárlos, notre enfant à nous, mourant dans nos bras sans que nous puissions rien y faire?

Cette révélation m'avait profondément troublée.

— Oui, mon amour, je comprends...

— Bien que je sois possessif et exclusif en amour, si tu veux vivre ta maternité, j'accepterai que tu choisisses un homme digne d'être le père de ton enfant. Je lui donnerai mon nom, je l'aimerai et l'élèverai comme mon propre enfant, comme notre enfant, à condition d'ignorer qui est son père.

Je le regardais, stupéfaite: de nouveau je me trouvais devant cette dualité que je n'arrivais pas à m'expliquer. Émue, je ne pouvais plus retenir mes larmes.

— Ne pleure pas, *Estrellíta*... Je sais que cela peut te paraître incroyable, mais le Grand Amour n'est-il pas quelque chose qui dépasse l'entendement et qui ferait accepter tous les sacrifices pour la femme aimée?

— Mon Laurín chéri, le Grand Amour, c'est aussi le partage des joies et des peines.

Laurín me serrait contre lui, il séchait mes pleurs... et soudain, j'ai senti sur ma main une grosse larme... Pour la première fois, lui et moi étions réunis dans la même peine.

— Quand j'aurai réussi dans ma deuxième carrière, je devrai voyager beaucoup. Pourrais-tu vivre au milieu des valises à moitié défaites, dans une chambre d'hôtel entre deux trains et, dans un avenir peut-être proche, entre deux avions? Ou bien, attendre le retour du guerrier?
— Avec toi, je supporterai tout.
— Tu le dis maintenant, mais en présence du fait accompli, le diras-tu encore? Notre union risquerait d'être en péril.
— Mon Laurín, tu me sous-estimes.

Il y eut un moment de silence. Puis il ajouta:

— Allons voir un avocat. J'ai un ami qui pourra nous conseiller.

*

L'ami de Laurín était l'assistant d'un avocat parisien de renom qui nous dirigea vers un de ses confrères, spécialiste en divorces. Nous l'avons rencontré.

— Vous savez sans doute qu'en France, on ne divorce pas par consentement mutuel, ni pour cause d'incompatibilité d'humeur? Il faut autre chose, par exemple: des coups et blessures avec constat.
— Mon mari n'est pas un violent.

— Alors, l'adultère, avec constat ou preuves concrètes.

— Scandale à éviter à tout prix. C'est l'un des règlements de notre orchestre.

— Ou alors, en dernier recours: l'abandon du domicile conjugal...

Laurín me regarda avec un éclair d'espoir dans les yeux.

— Dans ce cas, chère Madame, le conjoint coupable perd tous ses droits... Avez-vous des droits ou avantages à perdre?

— Moi?... Aucun.

— Alors, c'est parfait. Bonne chance.

*

Cette consultation nous remplit d'espoir. Les étoiles dans les yeux de Laurín scintillaient.

De retour dans son appartement, Laurín explosa de joie:

— «Abandon du domicile conjugal.» Génial! Tu sais qu'à l'automne prochain, nous aurons une tournée de quatre mois en Égypte et en Tunisie. Tu partiras avec moi et tu écriras à ton mari que tu veux divorcer. Moi, je me chargerai de toutes les démarches et des honoraires des avocats. Nous pourrons nous marier et vivre heureux. Mon amour, n'est-ce pas merveilleux?

— Penses-tu qu'Armándo acceptera cette situation? Il est très à cheval sur les principes. Et puis la peur du scandale...

— Laisse tomber Armándo; c'est de nous qu'il s'agit et il n'y aura pas de scandale. Nous aurons affaire à Isabél, elle est dans le vent. Et puis, vous ne vous êtes pas mariés à l'église que je sache?

— En effet... Je partirais donc à n'importe quel titre?

— Oui, n'importe... n'importe quoi, pourvu que nous soyons ensemble!

Il me souleva et m'entraîna dans un triple tour de valse.

— Ô, *Florecíta*! Comme je t'aime!

Par la fenêtre, nous pouvions voir les mésanges voleter autour de l'arbre où elles avaient fait leur nid.

***

On remarquait à cette époque une certaine émancipation des mœurs. On commençait à mettre en pratique la liberté des sexes et on en parlait beaucoup.

Des barrières furent renversées, des tabous abolis... Les travaux et les ouvrages de Freud sur la psychanalyse eurent un regain de popularité. Quelques auteurs, des médecins, également des psychologues, les commentaient ou communiquaient les résultats de leurs propres travaux et expériences. Des revues médico-scientifiques consacraient des articles à la «libido».

Laurín lisait beaucoup, parfois tard le soir. Il s'intéressait à tout ce qui concernait la science, la médecine. Sans aucun doute avait-il consulté quelques-uns de ces ouvrages à la mode. Il laissait de côté les romans d'amour, disant: «Je suis en train de vivre le mien.»

Était-ce la perspective de notre mariage dans un avenir encore indéterminé ou bien le résultat de ses lectures? Toujours est-il que son comportement commença à changer.

Quand j'ai connu Laurín, il avait encore quelque chose d'un adolescent, une sorte de pudibonderie, survivance de son éducation à l'espagnole. Il n'osait alors prononcer certains mots et disait «jusqu'au point de non-retour», ce qui voulait dire «jusqu'à ce que nous fassions l'amour». À présent, il tenait des propos qui me faisaient rougir, parlant ouvertement de sexualité:

— Souviens-toi, princesse, nous avons analysé le Grand Amour. C'était de la théorie. En pratique, il faudra y ajouter le désir, l'acte sexuel complet, l'extase partagée...

Il devenait de plus en plus entreprenant. Ses

étreintes étaient plus chaleureuses et prolongées, accompagnées de mots enflammés. Les chastes baisers sur la joue, comme par hasard, glissaient et venaient effleurer mes lèvres, s'y attardaient... Jusqu'au jour où il me donna un baiser ardent... J'eus un choc, une crampe dans le bas ventre... Je commençais à éprouver des sensations étranges, quelque chose qui me rappelait les rives du Gave d'Oloron.

J'aimais Laurín éperdument: c'était mon meilleur ami, mon Grand Amour éthéré. À présent, je voyais en lui un homme, entouré de tout le mystère que cela représentait pour moi. Je découvrais que je l'aimais aussi passionnément avec mon corps et mes sens.

Après ces moments enivrants, de retour chez moi, je trouvais Denis écoutant la radio, plongé dans ses livres. Parfois, avant de se coucher, il se souvenait de mon existence. Alors il accomplissait son devoir conjugal... Ensuite, il remettait son pyjama et, après un bref «bonne nuit, ma chérie», il me tournait le dos. Cinq minutes plus tard, il ronflait...

J'éprouvais le besoin intense de revivre les minutes passées près de Laurín. Sa présence me devenait indispensable, mais la pudeur m'empêchait de la rechercher. N'en pouvant plus, je décidai de m'ouvrir à Isabél.

— J'aimerais te parler de quelque chose de très grave. Pourrions-nous aller dans ton appartement?

— Mais certainement.

Aussitôt arrivées, elle me questionna:

— Eh bien, fillette, qu'est-ce qu'il y a de si grave? Ne me dis pas que tu es enceinte!

— Non, je ne suis pas enceinte. C'est plus grave que ça.

— Allons donc! Que peut-il y avoir de plus grave pour une femme que d'être enceinte et que le futur père ne soit pas le mari?

Isabél voyait plus loin que moi.

— Isabél, jusqu'à ces temps derniers, j'étais persuadée que le plaisir était réservé exclusivement aux hommes. Je viens de me rendre compte que je me trompais...

— Ah! çà, par exemple! Tu te fiches de moi ou quoi? Mais de quelle planète es-tu tombée?

— Certainement pas de Vénus.

Mes yeux commencèrent à se remplir de larmes...

— Ma chouette, tu es sérieuse? Ne me dis pas que... quel âge as-tu? À peu près le même âge que Laurín? Et depuis combien de temps tu es mariée?

— Quatre ans et cinq mois. Mon mari dit que je suis frigide... J'ai l'impression d'être marginale.

— Ah! le crétin! Il n'y a pas de femmes frigides, il n'y a que des hommes malhabiles. Le plaisir doit être partagé. Pauvre petite, depuis tout ce temps-là... Et Laurín dans tout ça? Lui en as-tu parlé? Non?... Pourquoi?

— Laurín, c'est de la dynamite à manier avec prudence, et si nous devions recommencer la nuit de Biarritz, tu gagnerais ton pari. Laurín est en train de changer: il devient adulte.

— Voilà qui est bien, ma chouette! Avec lui au moins tu ne t'ennuieras pas. Vous allez vous marier, pourquoi ne pas prendre une petite avance? Ça ne devrait pas poser de problème puisqu'il a son appartement. Mais parle donc à ton amoureux, dans un cadre idyllique. Ou tu préfères que je lui en dise un mot?

— Oh! surtout pas! Je lui en parlerai moi-même. Je ne suis pas encore prête.

— Qu'est-ce que tu veux dire?

— J'ai peur de le décevoir... Je n'oserais jamais me déshabiller devant lui.

— Ah! ma chère petite! Que ce soit le dernier de tes soucis. Fais confiance à ton Laurín!

***

Le premier changement visible chez Laurín fut sa nouvelle façon de se coiffer. Il portait ses cheveux peignés en arrière, comme c'était la mode. Une fin d'après-midi, il arriva à *La Maison* les cheveux coupés court, avec une raie sur le côté gauche. La réaction unanime du groupe fut un «ah!» admiratif.

Le changement suivant fut sa tenue vestimentaire de ville, moins stricte, plus décontractée, tout en demeurant correcte.

Nous vivions heureux, avec l'espoir que notre mariage serait un jour possible. Nous avions peine à cacher notre joie.

Toutes les occasions étaient bonnes pour nous d'être ensemble. Les *Boys* nous surnommaient «les inséparables». Les deux moitiés de l'Orange se soudaient un peu plus fort chaque jour.

Denis ne semblait pas être incommodé par mes absences de plus en plus fréquentes. Que lui fallait-il? De bons repas, des chemises lavées et repassées, des caleçons propres, des chaussettes sans trous (ma femme de ménage s'en occupait). Et surtout la paix. Quant à la femme... Mon travail, qu'il considérait toujours comme «une amusette», rapportait de l'argent. J'avais la conscience tranquille.

Notre répertoire ne nous suffisait plus: nous voulions exprimer la joie de vivre avec nos voix, en dehors de la scène.

Avec enthousiasme nous chantions les vocalises de Rachmaninoff et de Panofka, avec dévotion l'*Exsultate, jubilate* et l'*Ave Verum* de Mozart. Isabél, en nous accompagnant au piano, disait avec ravissement:

— À vous écouter tous les deux, on dirait des voix d'anges.

Les *Boys* nous taquinaient gentiment:

— Hé! les inséparables... C'est votre nouveau répertoire? Ou bien la crise de mysticisme?
— Mais non... C'est la fin de leur crise d'adolescence attardée.

Pour toute réponse, je leur faisais des grimaces et Laurín haussait les épaules avec indulgence.

Oui, nous étions des adolescents attardés: nous avions encore la fraîcheur d'âme de la prime jeunesse: heureux temps qui passe trop vite et ne revient jamais.

***

Pendant que nous vivions cette nouvelle phase de notre amour, de gros nuages de poudre à canons s'amoncelaient au-dessus de l'Europe... Le «corridor» de Dantzig* devenait l'enjeu de ce con-

---

* *Aujourd'hui, Gdansk, en Pologne*

flit qui semblait imminent. On se sentait de moins en moins en sécurité.

On dansait follement le «Lambeth Walk» et la «danse du parapluie», venus d'Angleterre, le cha-cha-cha et la conga, qui semblaient vouloir supplanter la langoureuse rumba, le tango et le boston. Nous nous demandions si ces danses n'allaient pas devenir bientôt des vestiges d'une époque révolue.

D'Amérique nous est arrivée une chanson, très populaire auprès des militaires: «Nous irons pendre notre linge sur la Ligne Siegfried», «line» en anglais, ou corde à linge. On avait l'impression que le monde avait besoin de s'étourdir comme l'autruche cachant la tête sous son aile pour ne pas voir le danger.

Laurín éprouvait une singulière inquiétude. Quelque chose de grave allait se produire et toucher ses amis les plus proches.

Une nouvelle agréable allait le distraire et chasser momentanément ses sombres pressentiments.

Je n'ai pas l'habitude d'écouter aux portes, mais par mégarde j'entendis une conversation entre Armándo et Isabél. Je me suis empressée d'en parler à Laurín.

— Sais-tu, mon Laurín, les patrons sont en train d'escalader la clôture de ton jardin secret?

— Quoi?! Ils osent?

— Rassure-toi, c'est sans hostilité; au contraire, ils veulent t'aider.

— Comment ça, m'aider?

— Ils regrettent que tu perdes ton temps avec les *Boys*. Puisque la rage de la composition a quitté Armándo pour quelque temps, il songe à te décharger de certaines de tes responsabilités. Ainsi tu auras plus de temps pour pratiquer le piano.

— Ah çà, par exemple! je ne l'aurais jamais pensé.

Laurín continua de déclencher la tempête au piano, suivie d'un arc-en-ciel apaisant. La musique l'habitait... Ses progrès étaient étonnants.

***

Pendant que les *Boys* étaient en tournée éclair sur la Côte d'Azur, Isabél me donna deux semaines de congé pour les passer avec mon mari: «C'est bien son tour, non?» dit-elle en riant. Mais Denis préféra rester chez nous: «Pourquoi voyager? Le bois de Boulogne est si proche, pourquoi ne pas en profiter?»

J'avais hâte de retrouver Laurín et mes amis.

Puis vint le temps de nous installer à Biarritz. Dès la fin du mois de juin, nous avons retrouvé avec joie les deux villas tout près de l'océan, non sans une certaine tristesse à la pensée de quitter cet endroit deux semaines plus tôt, à cause du Festival de Spa.

Il restait encore beaucoup de coins à explorer. Nous décidâmes de changer d'itinéraire et de remonter la côte vers le nord. Par hasard, près d'une petite plage privée, nous avons découvert un dancing, apparemment très correct.

Le premier soir de relâche, nous avons pris la direction de cet établissement qui était en effet très bien fréquenté. Je n'ai pas mis longtemps à comprendre la raison de ce brusque engouement de Laurín pour la danse sociale: c'était une autre occasion de me serrer longuement contre lui et de me dire à l'oreille toutes sortes de folies qui me troublaient de plus en plus... À cela s'ajoutait sa subtile odeur de lavande à laquelle je m'identifiais de plus en plus. J'étais incapable de prononcer un seul mot... Je me trompais même de pas en dansant.

Mais où donc étaient passés les sommets des plus hautes montagnes où nous allions chercher refuge et où règnent le sublime et l'absolu? Et quelles pensées pouvaient être les nôtres? Ah! si une autre nuit de Biarritz... Il ne fallait pas susciter des commérages: nous étions trop en vue. Et puis il y avait le règlement. Quant à un hôtel de passe... jamais!

Le temps filait et nous dansions, comme dans

un rêve, nous asseyant parfois un moment pour boire des rafraîchissements.

Quand l'orchestre jouait une rumba ou un tango, les autres danseurs nous laissaient de la place au milieu de la piste. J'étais intimidée, mais Laurín, nullement gêné, évoluait avec beaucoup de grâce, tout en me guidant.

Il se faisait tard... La piste se vidait. Il ne restait que deux couples... les musiciens rangeaient leurs instruments; le garçon empilait les chaises; les lampions s'éteignaient... À regret, il fallait rentrer.

— Nous reviendrons la semaine prochaine, n'est-ce pas?

Sur le chemin du retour, nous aperçûmes une petite plage, déserte à cette heure tardive:

— *Florecíta*, veux-tu qu'on aille s'asseoir pour parler un peu?

Le ciel était piqué de clous d'argent. La nuit était douce. Étendus sur le sable fin, nous faisions des vœux en suivant les étoiles filantes. Laurín prêta l'oreille et me dit tout doucement:

— *Florecíta*... écoute l'océan respirer à nos pieds.

Dans cette paix nocturne, il m'exprimait toute

sa flamme et je lui donnais la réplique. Mais qui disait que «les mots d'amour étaient superflus»? Nous aurions voulu inventer des mots nouveaux. En me serrant amoureusement contre lui, je fondais de bonheur...

Les yeux fermés, il explorait avec ses doigts chaque détail de mon visage et je l'imitais.

— Mon âme, si un jour nous sommes séparés, quoi qu'il arrive, ton doux visage restera imprimé à jamais dans mes yeux.
— Mon Laurín d'amour, c'est exactement ce que je fais, moi aussi...

*

Assise dans la salle commune de la «Villa N° 1», Isabél nous vit arriver. Elle n'était tranquille qu'après le retour de tous et chacun:

— Avec ces écervelés qui conduisent trop vite, un accident est toujours possible.
— *¡Buénas nóches, querída Isabél!* lui lança Laurín.

À la «Villa N° 2», la *mamá* surveillait les retours avec la même anxiété.

*

La semaine suivante, à la nuit tombante, nous

sommes revenus danser. Dans le ciel indigo, un mince filet d'argent ayant la forme d'un croissant nous apprit qu'une lune toute neuve venait de naître...

— *Princésa*, à Cuba les figures célestes ne sont pas les mêmes qu'ici... Là-bas, il y a la «Croix du Sud», de toute beauté.
— Ah! oui, la fameuse constellation multicolore! À quelle époque de l'année on peut la voir?
— Je ne sais pas...
— Comment, tu ne sais pas?
— Dans mon île verte il n'y a pas de saisons: c'est l'éternel printemps...

En me serrant contre lui, il riait:

— Je plaisantais! C'est entre février et avril que la Croix du Sud est visible, mais c'est en mars qu'elle apparaît dans toute sa splendeur.

Il y avait peu de couples... Nous dansions, oubliant le monde entier. Je me laissais bercer dans les bras de mon bien-aimé...

— Où sommes-nous, Laurín, sur le sommet de quelle montagne?
— Nous approchons du mont Everest...
— Et après, où irons-nous?
— Au septième ciel... sur un lit fait de pétales de roses et de jasmin, avec, en guise d'oreillers, des fleurs de magnolia. Est-ce à ton goût, *Princésa*?

Que pouvais-je lui répondre? Il me serrait un peu plus fort contre lui: quelle belle invention que la danse sociale!

Il n'y avait que nous sur la piste... Le garçon nous ramena à la réalité:

— Monsieur, Madame, on ferme...

L'air était parfumé de roses sauvages et de chèvrefeuille. Un oiseau nocturne passa au-dessus de nos têtes. Au loin, quelqu'un chantait en s'accompagnant à la guitare... Laurín se souvint tout d'un coup de sa patrie:

— À Cuba, les rossignols chantent pendant toute la nuit, presque à longueur d'année. Ah! ma patrie, mon île! Elle a la forme d'un crocodile vert, aux yeux d'eau et de pierre.
— C'est beau...
— Elle est entourée de récifs de corail et d'une mer qui a la couleur de tes yeux, mon aimée...
— Tu l'aimes ton île, n'est-ce pas?
— Oh! oui, je l'aime passionnément...

Pouvait-il aimer autrement que passionnément?

Le long d'une haie, faiblement éclairée, les rosiers sauvages aux tiges piquantes nous présentaient leurs fleurs rouge carmin en forme de galettes parfumées. Avec mille précautions, Laurín cueillit la plus belle:

— Je te l'offre, avec tout mon amour...

À chaque soir de relâche nous sommes revenus danser sous la voûte d'un bleu profond, parsemée de diamants, sous l'or du premier quartier ou sous le sourire bienveillant de la pleine lune dans un ciel plus pâle... On dit que la pleine lune aime les amoureux.

C'était devenu une charmante habitude: après la danse, venir goûter le repos sur le sable fin de la petite plage... Et quand la pleine lune, ayant pâli le ciel, ravit les étoiles filantes, en échange, elle fit miroiter des paillettes irisées sur les vagues de l'océan, qui frémissait tout près de nous.

*

Au mois de juillet, il y eut quelques jours de grosse chaleur. Bien qu'étant une fille du Nord, le soleil était mon ami et, chaque année, me faisait cadeau d'une belle peau dorée. Pourtant je n'arrivais pas à rivaliser avec le bronzage naturel de Laurín.

Délaissant momentanément nos randonnées dans les environs, nous allions nous baigner. J'avais beaucoup de plaisir à nager avec Laurín, tant à la piscine qu'en mer. Il nageait le crawl et moi, la brasse coulée. Afin que je puisse le suivre, il évoluait au ralenti, faisant peu de remous. Son goût du risque le poussait parfois à dépasser la limite autorisée. Immanquablement, les gardes ou les maîtres-nageurs le ramenaient de force dans leur barque.

— Oh! excusez-moi, je ne me suis pas rendu compte que je m'étais éloigné autant.

Il devait payer une amende, mais on lui répondait:

— Ça va pour cette fois-ci, mais tâchez de faire attention la prochaine fois!

Sur la plage, Laurín suscitait l'admiration des femmes. Quelques-unes l'invitaient impudiquement à des rendez-vous galants. Impassible, il répondait:

— Excusez-moi, je ne suis pas libre.

En s'approchant de moi, il m'enlaçait tendrement et me donnait un long baiser, auquel je répondais sans me faire prier... C'était bien clair.

Pendant le spectacle, nous devions nous surveiller pour ne pas trop étaler nos sentiments. Un soir, arrivés de justesse sur scène, dans la précipitation, j'avais oublié d'enlever mon alliance. À minuit, à la sortie des artistes, quelques habitués nous attendaient, avec une gerbe de glaïeuls et des roses blanches:

— Félicitations... Vous venez de vous marier, n'est-ce pas?

— Pas du tout, du moins, pas encore! Quelle idée?

— Nous le pensions, parce que madame *Amapóla* porte maintenant une alliance.

Nous eûmes tous les deux du mal à garder notre sérieux. Avec gratitude, j'acceptai les fleurs, sans donner d'explications.

***

La guerre civile d'Espagne prit fin et ce fut le lamentable exode vers la France des soldats et des civils en piteux état. Ils étaient répartis un peu partout, dans des camps d'accueil.

Depuis quelque temps, on remarquait à Biarritz et dans les environs la présence d'hommes insolites, aux cheveux blonds, à la peau claire brûlée inégalement par le soleil et parlant français très fort avec un accent qui ne laissait aucun doute sur leur origine: des Allemands! Que venaient-ils faire ici?

***

Armándo, Laurín, María et moi avons accompagné Isabél et Cárlos à la gare. Elle se rendait au Caire pour organiser notre prochaine tournée en Afrique du Nord. Elle préféra emmener son fils avec elle.

— Mes chéris, vous allez tous me manquer, Cárlos me tiendra compagnie, maintenant il est assez grand pour voyager.

Sur le quai, le cœur gros, nous faisions semblant d'être joyeux. Après les adieux, c'est au bord des larmes que nous laissâmes Isabél et le garçonnet monter dans le wagon. Je me suis retournée, pressée de rentrer à la villa.

— Oh! Válly, il ne fallait pas te retourner... Il ne faut jamais se retourner tant que le train ou le bateau est en vue!
— Mais pourquoi?
— Si on se retourne, on ne reverra jamais les gens qu'on a accompagnés...
— Voyons, mon Laurín! comment peux-tu croire ces sornettes?

Drôle de garçon, épris de modernisme, saluant avec enthousiasme les progrès réalisés dans tous les domaines, Laurín était assujetti aux superstitions ancestrales. Oui, drôle de garçon.

***

Après le départ d'Isabél, nous sommes allés danser pour la dernière fois.

Laurín étendit un plaid* sur le sable de la

---

* *Couverture de voyage en tissu à carreaux.*

petite plage. Ce soir-là, ses propos étaient enflammés et ses baisers avaient une autre saveur... Il avait osé des caresses... Moi, je me laissais gagner par ce jeu grisant.

Soudain des voix et des rires, se rapprochant de plus en plus, rompirent le charme.

De l'autre côté de la route on ne pouvait pas nous voir et l'auto nous cachait. Laurín étouffa un juron espagnol, soupira profondément et, en roulant les «r»:

— Rrrraté!! c'est pas encore pour ce soir...

Il était «moins deux».

***

Le lendemain, pliant armes et bagages à regret, nous quittâmes Biarritz. En route vers la Belgique, via Paris, pour le festival de jazz.

Fernándo nous apprit qu'il venait d'épouser «la femme comme ça»: Gertrude N., une Allemande, dite «Guertie». C'était une belle femme, dans la trentaine, avec beaucoup de métier et de bagout, et une grosse voix excellente pour chanter le jazz. Armándo, subjugué, ne trouva rien de mieux que de l'engager «juste pour la durée du festival». Laurín et Andrés se regardèrent:

— Il ne nous a même pas consultés. Pourtant, en l'absence d'Isabél, tous les deux avons notre mot à dire.

Bien que n'étant pas tout à fait à notre place au festival, Laurín et moi étions très occupés et n'avions plus le temps de nous voir en tête-à-tête. Laurín dirigeait les répétitions, je copiais les arrangements de dernière minute d'Armándo, et tous les deux nous préparions les pièces du répertoire qu'il fallait varier chaque jour. Le souvenir de notre petite plage ne me quittait pas. Laurín m'adressait des regards complices et des petits sourires entendus... Il pensait à la même chose que moi. De temps en temps, il murmurait: «Fichu métier... on n'a même plus le temps de se parler.»

Tout d'un coup, s'assurant que nous étions seuls, il me saisit dans ses bras et me donna un baiser brûlant...

— Ah!... ça fait du bien!

Après un long soupir, il poursuivit:

— De retour à Paris, il faudra qu'on fasse l'amour... chez moi. Tu verras, ce sera fantastique!

Surprise, je n'ai su que balbutier:

— Mon beau Laurín, tu vas être déçu. Mon expérience amoureuse est très limitée...

— Fais-moi confiance, *Estrellíta*, l'amour, ça ne s'apprend pas quand on est doué.

***

Depuis le matin, des bruits alarmants circulaient. On parlait de mobilisation générale, présage d'une guerre imminente. Cependant, personne ne voulait y croire, on espérait encore un miracle. Laurín et moi y voyions une menace pour notre avenir.

— Mon bien-aimé, en cas de guerre, Denis sera mobilisé. Malgré l'amour immense que j'ai pour toi, je ne pourrai pas l'abandonner pour te suivre en Égypte et lui annoncer mon intention de divorcer.

— Oui, ma princesse, j'y ai déjà pensé... Quand même, ayons confiance en notre avenir et prions pour la paix.

À l'hôtel on me remit un télégramme de mon mari: «Appelé à rejoindre mon unité immédiatement.» Dans les bras de Laurín, je pleurais... il buvait mes larmes.

Raphaël reçut un appel téléphonique. Avec une fausse joie, il clamait:

— Les gars, je pars pour défendre la mère patrie!

Nous étions consternés. Armándo cachait son visage dans ses mains. Qu'allions-nous devenir? Laurín essayait de nous réconforter:

— Pas de panique, les enfants, restons calmes. Tant que le premier coup de canon n'a pas été tiré, il y a encore de l'espoir.

— Laurín, qu'est-ce qui va se passer?

— Il nous reste la tournée en Égypte et en Tunisie. Après, on verra.

C'est le cœur brisé que nous avons donné notre concert. À la fin de la soirée, Armándo, resté au piano, Ariél, Ramón et les autres musiciens invitèrent les spectateurs à former une «chaîne d'amour» en se tenant par la main. Cette chaîne fit le tour de la salle et tous ensemble nous avons chanté: «Ce n'est qu'un au revoir, mes frères...»

Les temps difficiles

Un spectateur français offrit à Raphaël et à moi de nous ramener à Paris au cours de la nuit. Nous acceptâmes. Chemin faisant, Raphaël exprima sa tristesse. Orphelin de père et de mère, sans frères ni sœurs, il avait trouvé chez les *Boys* une vraie famille. Les trois ans et demi passés avec eux furent parmi les plus heureux de sa vie.

J'étais en proie à de sombres pensées. Si c'était la guerre, Denis partirait pour longtemps. Cette séparation devenait encore plus dramatique. Mes projets de divorce tombaient à l'eau. Et s'il revenait blessé? Pourrais-je le quitter? Et s'il ne revenait pas? Toutes ces soirées d'études pour rien. Un avenir détruit?

Je rejoignis mon domicile. Denis était d'une humeur massacrante tout à fait compréhensible et restait insensible à mes gestes affectueux. Pour lui changer les idées, je lui proposai de pique-niquer au bois de Boulogne. Il refusa et passa une partie de la journée à téléphoner à des amis, non mobilisables, pour leur faire ses doléances.

Le lendemain, de très bonne heure, je l'accompagnai au point de rassemblement. Au moment des adieux, il se radoucit:

— Prends bien soin de toi, ma petite chatte. Promets-moi de visiter ma mère de temps en temps. Écris-moi.

— C'est promis... Je t'écrirai souvent, mon Denis, je t'enverrai des petits colis. Courage! Dieu te garde!

*

Les *Boys* rentrèrent à Paris non sans difficultés. Les trains étaient bondés: de nombreux Français en vacances en Belgique devaient rejoindre d'urgence qui leur unité, qui leur famille. Les routes étant encombrées, Armándo eut bien des problèmes pour ramener sa voiture familiale à Neuilly.

Le 1ᵉʳ septembre l'Allemagne envahissait la Pologne et se partageait ce pays avec l'U.R.S.S. Le 2 septembre la France et l'Angleterre déclaraient la guerre à l'Allemagne.

Après l'appel sous les drapeaux de Raphaël, la mobilisation de Denis et ma décision de ne pas partir en Égypte, une mauvaise surprise nous attendait au retour à Paris: l'établissement où nous devions nous produire en attendant la tournée en Afrique du Nord était, comme l'indiquait une pancarte griffonnée à la hâte: «Fermé en raison des événements mondiaux, pour une durée indéterminée.»

Une autre surprise désagréable, un télégramme d'Isabél acheva de nous démoraliser: «Tournée annulée, attendre téléphone. Baisers à tous. Isabél.»

Et de nouveau l'inquiétude s'empara de notre grande famille:

— Quelle horreur, la guerre! Il y aura du sang versé. Si notre pays entrait dans le conflit, à part Nicolás, nous serons tous mobilisés. Adieu la musique!

Laurín eut toutes les peines du monde à rassurer les gars.

Nicolás, dont la femme attendait son quatrième enfant pour la fin septembre, demanda la rupture de son contrat pour rentrer chez lui, à New York.

Fernándo et Guertie voulurent retourner en Belgique qui conserverait la neutralité en cas de conflit armé avec l'Allemagne.

Et la cerise sur le gâteau: Andrés, ayant envoyé d'urgence sa jeune femme à Londres, s'engagea dans la *Royal Air Force.*

— Mais pourquoi cet imbécile heureux s'est-il engagé dans l'aviation, lui qui est incapable de tuer une araignée? Il va se faire descendre à la première occasion! grognait Laurín.

— Ce n'est pas pour tuer: il veut être navigateur à bord d'un bombardier.

— Navigateur, mon œil! On ne s'improvise pas navigateur, ça s'apprend... Válly lui a montré une carte de navigation aérienne: il n'a pas su distinguer les cours d'eau des routes! De toute façon, un bombardier, ça ne jette pas des fleurs sur la tête des gens que je sache!

Isabél nous apprit l'annulation pure et simple de la tournée, sans dédommagement, en raison des événements mondiaux et de la citoyenneté des membres de l'orchestre. Nul ne pouvait prévoir quelle serait la position de l'Amérique et de Cuba dans le conflit.

Après avoir parlé à son mari, elle donna des instructions à Laurín concernant María, Lydia et Nancy, ainsi que pour le règlement de toutes les affaires de liquidation. Elle fut très attristée d'apprendre que je renonçais à partir avec Laurín.

Les adieux d'Andrés et de Nicolás à Laurín furent émouvants. Andrés évoqua l'amitié qui les liait depuis leur préadolescence. Quant à Nicolás, il a longuement serré Laurín dans ses bras et, en présence de tous:

— Pendant toutes ces années, tu as été patient et bon avec moi et en retour, je t'ai fait des méchancetés. Je te demande pardon.
— Tu m'as fait des méchancetés, à moi? Je ne m'en souviens pas.

À la suite de la conversation avec Isabél, Laurín, pour la première fois de sa vie, fut pris d'un violent mal de tête «à se frapper le crâne contre un mur». Et chacun de lui conseiller son remède, «une compresse d'eau glacée, un verre d'eau, un comprimé d'Aspirine»...

— Veux pas de ton Aspirine!
— Prends alors un cachet de Kalmine, *ihombre!* Je vais le tremper dans le verre d'eau, ce sera plus facile à avaler.
— Mettez-lui un oreiller sous la tête. Voilà une couverture chauffante, on dirait qu'il a froid.

Ils l'entouraient affectueusement. J'ai réalisé combien les *Boys* l'aimaient. Que de liens créés par sept ans de vie en commun et de travail en équipe, en bonne intelligence!

Il fallait établir l'ordre de priorité. Tout était urgent, tout était important. Par quoi commencer?

Le lendemain matin, complètement remis de son malaise, Laurín, la tête entre les mains, plongea dans son univers secret. Un silence respectueux se fit autour de la grande table. Revenu à la surface, ayant pris de quoi écrire, il détermina en moins de dix minutes l'ordre dans lequel les choses devaient être faites. Il fixa son planning au babillard et réunit un conseil de famille auquel assistaient Lydia, Nancy et moi; en l'absence d'Isabél, je fus désignée comme «femme de tête» responsable de tout ce qui concernait le bon fonctionnement de *La Maison*, y compris la correspondance.

Et pendant que les *Boys* et Armándo passaient le temps en jouant aux échecs, aux cartes ou amusaient María, Laurín avait la charge de résoudre tous les problèmes, seul.

Il avait vendu sa voiture à Biarritz et la pénurie de carburant rendait les déplacements très difficiles. Déjà les premiers véhicules munis de gazogènes apparurent. La location d'une auto à Paris étant hors de question, c'est en métro, en autobus et à pied que Laurín se déplaçait afin de régler le départ définitif des *Boys* et de mettre en vente tout le mobilier de *La Maison* et de l'appartement d'Armándo. La Salle Drouot, spécialisée dans la vente aux enchères des meubles, allait s'en charger. L'avocat et le comptable négocieraient la transaction.

Le soir Laurín revenait épuisé, parfois contrarié. Il fallait le forcer à manger. Lui qui d'ordinaire se contentait de six à sept heures de sommeil, tombait comme une bûche et dormait parfois dix heures. Pas le temps de jouer du piano et pas beaucoup de temps pour nous parler d'amour. Je le consolais comme je pouvais.

Par ordre de la préfecture, il fallait camoufler les lumières de toutes les fenêtres, coller des bandes en croisillons sur toutes les vitres pour qu'elle ne volent pas en éclats en cas de bombardements.

Et, chose incroyable, délaissant María, les échecs et les cartes, les *Boys*, que je considérais un peu comme des mains blanches, d'un commun accord se mirent à l'ouvrage: non seulement les bandes sur les fenêtres furent bien collées, mais le gazon tondu, le gravier ratissé, le grand ménage fait, le linge sale porté à la blanchisserie, l'auto d'Armándo lavée, les rhododendrons et les troènes arrosés.

— Même pour le peu de temps que nous resterons ici, il faut rendre la vie confortable et agréable, disait Ariél.

Certains magasins d'alimentation des environs immédiats étant fermés, nous devions nous approvisionner sur des marchés de plein air, situés assez loin. Pendant qu'il restait un peu d'essence dans la familiale, Ariél, Ramón et la *mamá* allaient acheter de quoi nourrir cette famille, désormais moins nombreuse.

La nuit, les réverbères diffusaient une lumière bleue cadavérique, donnant un aspect draculesque aux visages des passants.

Des masques à gaz furent distribués, mais aux citoyens français seulement. Je donnai le mien à la petite María.

Les fausses alertes étaient fréquentes et la panique s'était emparée de la population, panique entretenue par les médias, qui brandissaient le spectre des bombes à gaz ypérite – ou gaz moutarde – très corrosif.

Le soir, quand nous allions faire une promenade dans le quartier, nous pouvions voir se profilant sur un ciel orangé – retenues par des câbles à environ 300 m d'altitude – se balancer nonchalamment les «saucisses» entourant Paris comme une ceinture, soi-disant destinées à faire un barrage antiaérien.

— Foutaise, tout ça... grommelait Laurín. Comme si ça pouvait arrêter une escadrille de bombardiers! Et nous alors, à Neuilly, à Boulogne et les autres banlieues, sommes-nous protégés?

Anormalement pour la saison, le mois de septembre devenait de plus en plus froid. *La Maison* n'était pas chauffée: on conservait la faible réserve de mazout pour l'eau chaude. Plus question de prendre un bain. Une douche rapide devait suffire.

Dans la remise, derrière *La Maison*, il y avait encore beaucoup de bûches calibrées. À la tombée de la nuit, les *Boys* allumaient un feu de cheminée dans la salle de musique. Assis sur le tapis, blottis les uns contre les autres, ils chantaient à mi-voix des mélopées dans lesquelles je reconnaissais quelques thèmes harmonisés par Armándo, vestiges d'un folklore en voie de disparition.

— Dites-moi, les gars, où se trouve le berceau de ces mélodies?
— Principalement dans le massif de la Sierra Maestra. Aussi à Palma-Soriano, à Bayamo... Ce sont nos grand-mères et nos nourrices qui nous les chantaient.
— Mais la Sierra Maestra, n'est-ce pas aussi l'un des derniers refuges présumés des survivants arawaks, les lointains ancêtres de Laurín?
— C'est probablement vrai. Isabél, elle le sait.

Ces veillées se prolongeaient parfois au-delà de minuit, si aucune alerte ne venait nous déranger. Presque chaque soir, Laurín, très fatigué, s'endormait la tête appuyée sur mon épaule... Je me sentais heureuse et je n'aurais donné ma place à personne.

Tous reconnurent le bien-fondé de l'assurance-chômage souscrite par Isabél. Il fallut d'abord rétribuer ceux qui partaient les premiers. Je ne fus pas oubliée.

Malgré son savoir-faire, Laurín ne réussit pas à avancer le départ des *Boys* par le train. C'est de peine et de misère qu'il put modifier l'itinéraire de leur traversée par bateau.

Il réussit à trouver des locataires pour l'appartement d'Armándo et à leur vendre tout son contenu à prix très avantageux. Paris, qui allait être déclarée «ville ouverte», attirait une certaine catégorie d'hommes d'affaires, qui prévoyaient déjà la possibilité de réaliser de gros profits.

À l'invitation de Laurín et des *Boys*, je m'installai dans *La Maison*, plusieurs chambres s'étant libérées. Armándo et María vinrent nous rejoindre, ainsi que Laurín. À présent, nous n'étions plus que douze.

*

Chaque nuit, entre 5 et 6 heures, on grattait doucement à la porte de ma chambre et, sans attendre la réponse, une petite forme en longue chemise de nuit venait se glisser dans mon lit.

— Tantine, j'ai froid toute seule.
— Viens te réchauffer, petite souris... Pour-

quoi tu ne vas jamais dormir avec Nancy? Sa chambre est moins froide que les autres.

— Parce que tu sens bon... Lorí aussi sent bon, mais c'est un homme.

— Bien sûr... bien sûr... Maintenant, il faut dormir, petite souris. Tantine aura une grosse journée.

Comme personne ne s'occupait de María, elle me suivait partout. Non seulement elle s'ennuyait, mais elle avait peur des alertes. Au gré de son humeur, elle était tantôt un petit chat, tantôt une petite souris.

Avant les grandes vacances, Laurín et moi lui avions fait cadeau d'une belle robe rose saumon avec décolleté bateau, garnie de volants et d'une ceinture dorée. Elle ressemblait beaucoup à sa mère et promettait d'être belle plus tard. Comme dans la journée elle avait la permission d'aller dans ma chambre, je la trouvai un dimanche, après la messe, devant ma vanité, vêtue de sa belle robe, une fleur de soie dans ses cheveux qu'elle venait de brosser, du rouge aux lèvres cyclamen et du fard bleu sur ses paupières, ce qui ne lui allait pas du tout.

— Est-ce que je suis belle comme ça?
— Oui, ma mignonne, tu es belle.

Que pouvais-je dire d'autre, sans la chagriner?

— Ton parfum, c'est quoi?

— Mon parfum, c'est «Lys blanc», parfois «Arpège» de Lanvin.

— Et celui de Lorí, c'est quoi?

— C'est toujours «Lavande», depuis que je le connais.

— Tu sais, quand j'aurai quinze ans, je serai amoureuse de Lorí.

— Pourquoi à quinze ans?

— Parce que à La Havane, toutes les filles tombent amoureuses à quinze ans.

— Mais, ma chérie, quand tu auras quinze ans, Lorí aura le double de ton âge, il sera trop vieux pour toi.

— Lorí, il est amoureux de toi, pas vrai? Je vous ai vus tous les deux vous embrasser, comme au cinéma. Ça avait l'air bon... mmmm!

— Mais, mon petit chat, où tu nous as vus, et quand?

— Dans le bureau de papa l'autre soir, dans son auto et aussi sur le banc du jardin. Il faisait froid... brrr...

— Il faisait nuit...

— Ça ne fait rien: les petits chats ont des yeux qui voient dans le noir.

Oh! la petite chipie... elle nous épiait! Elle n'avait pas encore dix ans. Il n'y avait plus d'enfants!

J'en ai parlé à Laurín:

— Nous devrions être un peu plus discrets, à cause du règlement qui...

Laurín explosa:

— Le règlement? Mais quel règlement? Il n'y a plus de règlement, puisque l'association est dissoute. D'ailleurs, je vais l'enlever du babillard ce «rrrèglement»! Au diable!

— Du calme, p'tit gars, du calme.

— Quant à María, elle vient presque tous les soirs lire dans ma chambre.

— Pas dans ton lit, j'espère?

— Non, non, je ne l'aurais pas laissée faire! Elle me pose des questions sur nous deux, parfois embarrassantes, telle que: «Est-ce que vous jouez à papa et à maman, la nuit?» et je ne sais pas quoi lui répondre.

— Tu n'as qu'à lui dire «pas encore».

— Tiens, je n'y avais pas pensé. Elle a changé depuis quelque temps: ce n'est plus la petite fille secrète et mystérieuse que nous connaissions. As-tu remarqué comment elle regarde les *Boys*, Ramón surtout?

— Rien d'étonnant, après toi et Andrés, c'est le plus beau.

— Elle est précoce, la *Mariquíta*, elle est précoce. Quand je verrai Isabél, je lui en parlerai. Elle risque d'avoir des surprises.

***

La date du départ des *Boys* approchait. Armándo les précéda de quelques jours. Dans sa familiale, il emmena María, Lydia, Nancy, Manuél, quelques instruments, le jardin secret de Laurín, ainsi que les bagages les plus encombrants. Nous nous demandions comment ils pouvaient tous tenir dans la voiture. Armándo avait rendez-vous avec Isabél à Marseille. À présent, nous n'étions plus que sept.

Laurín et moi avons soupiré d'aise: enfin la paix! Depuis qu'il n'y avait plus ni piano ni clavecin, María était désœuvrée. Elle nous suivait partout: pas moyen de rester deux minutes entre nous. Maintenant qu'elle était partie, nous aurions peut-être un peu d'intimité? Hélas! Comme fait exprès, chaque soir une alerte prolongée nous obligeait à rejoindre les autres à la cave.

Le départ des *Boys* était fixé au premier dimanche d'octobre. Il fallait enlever la literie, vider les meubles de leur contenu. *La Maison* devenait inhabitable.

Francisco, un ami argentin naturalisé français, fonctionnaire, disposait d'une fourgonnette et d'essence. Il offrit aux *Boys* de passer la dernière nuit chez lui et de les conduire à la gare, avec leurs bagages, le jour du départ. Laurín voulut passer ces dernières heures avec ses fidèles compagnons.

La femme et le fils unique de Francisco étaient

morts au cours d'une tragique randonnée en ski dans les Alpes. Ayant hérité de la fortune personnelle et de l'assurance-vie de sa femme, il décida de consacrer cette richesse à une bonne cause: possédant un grand appartement à Paris, il offrait le gîte gratuit aux «naufragés» de langue espagnole qu'on lui envoyait.

Le «capitaine» Armándo ayant laissé le navire, c'est le «second» – en l'occurrence Laurín – qui devait quitter le bord en dernier. Il était obligé de demeurer sur place jusqu'à l'arrivée des camionneurs de la Salle Drouot. On lui installa un lit dans l'ancienne salle de musique.

La dernière veillée, les Boys me firent leurs adieux touchants:

— Nous t'aimons beaucoup, *Muñequíta*. Nous regrettons de te quitter.

Et chacun de vanter les beautés de sa patrie.

— Promets-nous d'aller à Cuba. *La Habana*, c'est beau. Il y a des fleurs partout. Des perruches volent d'un arbre à l'autre. Des nuées d'aigrettes tournoient au-dessus des rizières. Va à Camagüey: dans les vastes plaines, il y a des chevaux sauvages, des champs de canne à sucre. Dans les marécages vivent des flamants roses, des caïmans, des iguanes. N'oublie pas d'aller à Bayamo où je suis né. Pense à nous!

— Je vous promets d'aller à Cuba. Je ne vous oublierai jamais, mes amis chéris, mes frères!

Et Laurín, avec son sourire lumineux:

— C'est promis: nous irons vous rendre visite ensemble quand nous serons mariés...

Étonnement général simulé – car «on» s'en doutait bien – mêlé aux félicitations.

*

Après le départ des *Boys*, Francisco ramena Laurín à *La Maison*, désormais déserte.

— Mon beau Laurín, viens passer cette soirée avec moi.
— Voyons, ma Princesse, je ne voudrais plus retourner à Neuilly. Et il faut que je sois sur place dès lundi matin.

Le bon Francisco me déposa chez moi, à Boulogne.

***

Boulogne-Billancourt et Boulogne-sur-Seine, deux municipalités réunies en une seule, portent maintenant le nom de «Boulogne-Billancourt». Par habitude, on appelle chaque commune par son nom. C'est à Boulogne que se trouvait la rue où j'habitais depuis mon mariage, à quelques minutes de marche du bois du même nom.

Une pièce principale, une petite cuisine, un cabinet de toilette avec douche, tel était mon studio, orienté plein sud, avec vue oblique à l'ouest. Et des couchers de soleil glorieux à faire rêver Laurín.

N'ayant aucune nouvelle de lui depuis le départ des *Boys*, je commençais à trouver le temps long et à m'inquiéter, le sachant très fatigué d'avoir fait toutes ces démarches. Puis, deux jours plus tard, alors que je m'apprêtais à me coucher, le téléphone sonna:

— Salut, c'est moi... Peux-tu m'héberger jusqu'à mon départ?
— Quelle question! Bien sûr. Mais où es-tu?
— Chez Francisco... Je ne peux pas y rester plus longtemps. Je t'expliquerai. Je t'aime.

Sa voix était bizarre. Vingt minutes plus tard, je lui ouvrais la porte. Après un long baiser, sans préambule:

— Les déménageurs sont enfin venus à 2 heures. J'ai pris le métro pour porter mes deux valises à la gare et les mettre en consigne. Je suis revenu à *La Maison* chercher mon bagage à main.
— Pourquoi tu n'as pas donné tes valises à Francisco avec celles des *Boys*?

— Tu ne trouves pas qu'il avait suffisamment d'affaires à transporter?

Laurín était à bout de souffle.

— J'ai remis les clés de *La Maison* aux voisins et je suis allé chez Francisco. J'avais froid, je voulais prendre un bain chaud: quelqu'un dormait dans la baignoire. Fatigué, j'ai voulu me coucher tôt: on me donna un plaid sentant la cigarette froide et la crasse. On m'assigna comme dortoir le tapis de la bibliothèque. Alors, en dernier recours, je t'ai demandé asile.

— Imbécile heureux, comme si tu ne savais pas que ma porte t'est toujours ouverte... Va prendre une douche, il y a de l'eau chaude en abondance. Mets-toi à l'aise. Pendant ce temps, je vais réchauffer le dîner. Tu n'as pas très faim? Vraiment? Il faut que tu manges quand même.

Connaissant tellement bien Laurín, je voyais que quelque chose n'allait pas:

— Dis-moi qu'est-ce qui ne va pas?

Et tout d'un coup, il s'effondra: la tête sur mon épaule, il pleura comme un enfant.

— Je suis épuisé. Tu as vu le travail que j'ai fait, seul, pendant tout un mois. J'ai passé une nuit sans sommeil chez Francisco, à cause du vacarme des réfugiés espagnols. De retour à

Neuilly, j'avais dormi deux nuits sous mon imperméable, dans cette maison froide. Le gaz et l'électricité coupés lundi matin et j'en passe...

— Tu ne pouvais pas m'appeler plus tôt et venir ici?

— Je n'avais plus le téléphone...

Laurín, d'habitude si maître de lui, était complètement dépassé par les événements. Je ne l'avais jamais vu comme cela.

— Excuse-moi, je voulais rester digne et j'ai craqué comme un collégien.

— Mon chéri, tu n'as pas à t'excuser, tu n'as pas perdu ta dignité.

Pauvre Laurín: il avait l'air d'un petit garçon perdu. Sa tête était toujours appuyée sur mon épaule. Il passa ses bras autour de moi. Il reniflait. J'ai réussi à sortir le mouchoir de ma poche, essuyé ses larmes, son nez. Je le berçai comme un petit enfant. Il commença à sourire, leva son visage vers moi, ses beaux yeux étaient tout rouges, les paupières gonflées. Après s'être regardé dans un miroir, il éclata de rire:

— Ouais... je ne suis pas beau à voir!

— C'est le moins qu'on puisse dire. Ce n'est pas grave, ça s'arrange.

Je l'installai confortablement, sa tête sur un oreiller posé sur mes genoux. Je lui mis des com-

presses froides sur les yeux. Il riait tout doucement, par petites saccades:

— Tu me fais penser à ma mère.

Allons bon... si je lui fais penser à sa mère, il
ne se passera rien, cette nuit. Dans moins de
quarante-huit heures, le train l'emmènera à Marseille et ensuite *¡hasta luégo!*

J'allai mettre un peu d'ordre dans la cuisine.
Quand je revins dans la chambre, Laurín dormait
profondément dans mon lit. Il n'avait plus son
sourire mystérieux, mais comme un enfant qui a
pleuré longtemps, il était parfois secoué par des
sanglots. Je m'allongeai à ses côtés.

Sous la douce lumière de la veilleuse, ses longs
cils jetaient une ombre sur ses joues. Quelques
mèches de cheveux noirs étaient retombées sur
son front. Je ne pouvais pas détacher mes yeux de
son beau visage. Bientôt mon Grand Amour serait loin. Et moi, je l'aimais à en perdre la tête...

Quand je me suis éveillée, Laurín n'était plus
là.

Quelques minutes plus tard, je l'entendis arriver... Une bonne odeur de café et de croissants
chauds vint chatouiller mes narines. Quand il entra dans la pièce, portant un plateau, je fis semblant de dormir.

— Bonjour, Princesse... Est-ce que Son Altesse royale veut prendre son petit déjeuner en compagnie de son humble Chevalier Laurent?

Je ne me souviens pas d'avoir pris un petit déjeuner aussi délicieux.

Laurín était en grande forme. J'avais peine à croire que la veille, il fût tellement secoué. Il ne faisait pas très clair dans la chambre, il voulut ouvrir les persiennes.

— Non, ne reste pas devant la fenêtre, il ne faut pas qu'on te voie.

— Rassure-toi, on m'a déjà vu... Toute vanité mise à part, avec ma tête d'Indien déplumé, je passe rarement inaperçu.

Et il ajouta:

— *Princésa*, tout à l'heure, j'ai inspecté tes réserves alimentaires: à mon avis, il faudrait les compléter. Je te propose, en guise de promenade matinale, d'aller acheter quelques denrées non périssables. J'espère qu'à Boulogne, vous êtes mieux approvisionnés. À Neuilly, c'est le désert du Sahara!

— Excellente idée! Il y a quelques épiceries ouvertes.

Nous sommes revenus chargés comme des mulets. J'avais maintenant de quoi tenir un siège de longue durée. Dans notre cave, il y avait une grande malle métallique, vide. Nous y entreposâmes une bonne partie de mes réserves. Il y en avait pour une petite fortune. Laurín ne voulut pas que je le rembourse:

— Ma chérie, laisse-moi veiller à ce que tu ne manques de rien, ne serait-ce que pendant quelque temps. Comme ça, si une bombe dégringole sur le septième étage, tes provisions au moins seront épargnées.

Pauvre Laurín, plus tard il devait faire la triste expérience de voir ce qui reste d'un immeuble quand une bombe de gros calibre atterrit dessus!

— Mon étoile d'amour, j'aurai besoin d'une planchette, dont voici les dimensions, ainsi que de 3 mètres de corde d'un cm de diamètre, peut-être moins, et de quoi percer quatre trous. Je verrai les dimensions exactes sur place. Où pourrais-je me procurer tout ce matériel?
— Je connais quelqu'un qui pourra te dépanner. Mais qu'est-ce que c'est encore que tout ça?
— Tu verras... Une idée géniale.

Je l'emmenai chez ma marraine. Elle partageait un pavillon avec «un ami» de longue date, homme distingué et bricoleur. Après les salutations d'usage et les embrassades, je fis les présentations:

— Voici Laurent, mon ancien collègue de travail.

— Ah! c'est donc lui, le merveilleux garçon!

Laurín faisait un effort pour garder son sérieux.

Et pendant que je bavardais avec ma marraine, du sous-sol nous parvenaient les bruits de la scie et de la perceuse, le tout ponctué de rires.

— Il y a bien longtemps que je n'ai entendu Vlad rire d'aussi bon cœur, avoua ma marraine.

— C'est que Laurent a un rire communicatif.

L'objet était une «balancette». Dans le compartiment du train, on attachait les cordes au cadre du filet porte-bagages à la hauteur voulue. On posait les bras croisés sur la planchette et le front par-dessus, ce qui permettait de dormir tout en restant assis. Idéal quand on ne pouvait avoir une couchette!

Conquise par Laurín, ma marraine voulut à tout prix nous garder à souper. Devant ma réticence, elle finit par comprendre que c'était notre dernière soirée avant son départ pour les États-Unis.

Les temps dangereux

Après avoir pris une tasse de thé en compagnie de ma marraine et de son ami, nous fîmes un détour par le bois de Boulogne avant de regagner mon domicile. Les arbres se dépouillaient de leurs feuilles mortes, qui voltigeaient comme des gros papillons dorés. L'air commençait à fraîchir. L'hiver s'annonçait précoce et très froid. Laurín portait sa précieuse balancette sous son bras.

— Ta marraine et son ami me plaisent beaucoup. J'avais l'impression de les connaître depuis toujours. Grâce à monsieur Vlad, je vais voyager plus confortablement en train. Et sur le bateau, j'ai réservé une cabine sur le pont: super première classe! On ne m'a pas fait de cadeau, mais à la guerre comme à la guerre. Et puis, j'ai les moyens!

Mon petit appartement était bien chauffé. Le

soleil était presque couché et le ciel se colora de vin de framboise, strié de fines lamelles noires.

— Il va faire du vent demain, mon beau Laurín.

Je fermai les persiennes. C'était notre ultime veillée... Émus, nous gardions le silence. Assis près de moi, Laurín, me serrant amoureusement, se décida enfin à parler:

— *Florecíta*, il nous reste seulement un peu plus de vingt-quatre heures et après, ce sera fini. À cause des principes surannés et de la morale hypocrite, je me suis conduit comme un imbécile sur les rives du Gave d'Oloron, alors que nous étions prêts tous les deux. Nous avions manqué une belle occasion de nous aimer. Ce soir, c'est notre dernière chance, faisons-nous des souvenirs.

Il se leva brusquement. Sur ses traits se lisait le désarroi. Ses yeux avaient un éclat ardent. Il tournait en rond, comme un jeune lion cherchant à briser les barreaux de sa cage. La dynamite n'étant plus sous contrôle, il ne restait qu'à mettre le feu aux poudres... Au diable la morale, aux orties les jarretières...

Les sommets des plus hautes montagnes s'estompaient alors que très haut, au septième ciel, un lit fait de pétales de roses et de jasmin, avec, en guise d'oreillers, des fleurs de lys blancs, nous attendait... Enfin, enfin, j'allais goûter à l'amour!

Et soudain, m'entraînant avec lui, Laurín s'est retrouvé à 120 mètres au-dessus du niveau de la mer...

— Laurín, qu'est-ce qui se passe?
— Ma bien-aimée, nous n'avons pas le droit, c'est mal...

Il cherchait les mots.

— Et dans le lit conjugal... alors que ton mari est aux armées...

Que venait faire ici mon mari? À ce moment il n'était pas en danger. Il se trouvait loin de la ligne de feu. L'échec de Laurín près du Gave ne lui avait pas servi de leçon... Ce soir, il était «moins une»...

— Je te demande pardon, je ne suis qu'un minable... J'ai honte.

Honte de quoi? D'avoir manqué notre dernière chance? Il avait tellement de peine. Je faisais un effort pour lui cacher ma déception.

— Je n'ai rien à te pardonner: tu as agi selon ta conscience. Ça veut dire que l'amour, ce n'est pas pour nous deux. Voilà... Maintenant, il faut dormir.
— Tu m'en veux, n'est-ce pas?
— Mais non, mais non, je ne t'en veux pas: je t'aime et le Grand Amour excuse tout.

*

Nous ne pouvions trouver le sommeil. Laurín, couché du côté du mur, gardait ses distances... Dehors, une horloge sonnait les quarts d'heure. Le temps précieux s'enfuyait. Cela ne pouvait plus durer.

— Laurín, tu vas partir et laisser une dette d'amour envers moi. Si seulement tu savais le mal que tu viens de me faire: échange de mots passionnés, des baisers ardents et des caresses et puis, plus rien. Pour moi, c'était l'unique chance de connaître le plaisir d'amour. C'est cruel... c'est...

Doucement, il me fit asseoir sur le bord du lit, s'assit à côté de moi, posa ses mains sur mes épaules.

— Calme-toi, ma toute petite, calme-toi mon étoile d'amour... Veux-tu t'expliquer?

Ne pouvant plus retenir mes larmes, je lui répétai ce que j'avais dit à Isabél en y ajoutant quelques détails que lui seul devait connaître. Il resta un moment silencieux, puis, en m'enlaçant tendrement:

— Oui, le plaisir d'amour doit être partagé: l'amour n'est pas égoïste. Si je comprends bien, c'est comme si tu étais vierge?... Alors ça change tout. Ma pauvre petite chérie, je t'ai fait de la peine sans le vouloir, pardonne-moi. Je vais réparer ça. Cesse de pleurer; il faut d'abord sécher tes larmes.

Il avait l'art et la manière de me consoler. Et moi, à son contact, j'éprouvais des sensations étranges.

Enfin... «le point de non-retour»!

Laurín s'acquitta généreusement de sa dette d'amour et cette nuit-là, je suis devenue une femme nouvelle.

*

J'entrouvris les yeux. La lumière de midi se glissait à travers les persiennes, dessinant au plafond des lignes lumineuses parallèles.

Tout contre moi, Laurín dormait, son bras entourant ma taille. À demi assoupie, savourant ce bonheur si longtemps attendu, j'essayais de rassembler mes souvenirs. Tout au long de la nuit, Laurín me dévoilait les mystères de l'amour... Tous ses gestes n'étaient qu'un bouquet de douceur, de raffinement et de passion. Il avait raison: l'amour, ça ne s'apprend pas.

J'osais à peine bouger pour ne pas le réveiller. Tout doucement, près de mon oreille, il murmura:

— Je ne veux pas partir, je veux rester ici.
— Qu'est-ce que tu dis?

Et un peu plus fort:

— Je ne veux pas partir ce soir, je veux rester à Paris...
— Ah! Laurín, tu n'y penses pas?

Il se leva d'un bond et, avec un rire joyeux:

— Je veux rester avec toi, ma belle Válly, mon trésor d'amour, et travailler, voyons!
— Travailler? Dans quoi?
— Comment, dans quoi? Mais dans la musique: j'ai plusieurs cordes à mon arc et un nom dans la profession!
— Aráldo R., nous sommes en guerre! Tu as un passeport américain. Quelle que soit la position prise par l'Amérique, tu es en danger!
— Je ne saisis pas...
— Pourtant, c'est bien clair: crois-tu qu'Hitler va se gêner pour contourner la Ligne Maginot et envahir la France? Il y a eu un précédent, lors de la guerre 1914-18. Alors, tu seras enfermé dans un camp de concentration...
— Mais je n'ai pas l'intention de faire quoi que ce soit de mal, voyons!

Il s'assit à côté de moi.

— Écoute-moi bien, ma princesse: j'ai une carte

d'identité de résident étranger privilégié, valable jusqu'au 31 décembre 1941. En plus de ma date de naissance, il n'y a pas d'autre mention que «Baya-B., Florida», ça peut être n'importe où, en Italie, en Espagne, ce n'est pas très compromettant. Mais après cette nuit magique, comment pourrai-je vivre sans toi?

— C'est vrai, mon Laurín. Pour moi aussi ce sera difficile de me séparer de toi. Nous avons vécu une nuit merveilleuse, mais y a le prix à payer. Pour te donner du courage, souviens-toi que rien ne peut prévaloir contre le Grand Amour...

— Même pas la mort.

Et en riant, Laurín ajouta:

— Après la nuit d'amour, ça peut faire un jeu de mots: «amour-amor»!

— Alors, pars ce soir, va dans ton île, apprends du répertoire, inscris-toi à des concours de piano. Fais-toi un nom aux États-Unis et reviens quand la guerre sera finie.

— Et si l'Amérique et Cuba entrent en conflit avec l'Allemagne, je serai mobilisé. Y as-tu pensé, adorable amie?

— Crois-tu, innocent, que pendant la durée des hostilités la vie artistique normale va subsister à Paris? Tu ne peux pas rester en France... Point!

***

183

Depuis longtemps je me demandais: «Était-ce uniquement parce que j'étais mariée que Laurín avait tant de réticences?» Pendant que nous déjeunions, je lui posai la question. Il allait me répondre et avala sa bouchée de pain de travers. Je retenais péniblement un fou rire... Enfin, retrouvant son souffle, en riant:

— C'est bien fait pour moi. Maman me disait qu'il ne faut jamais parler la bouche pleine... Mais soyons sérieux. Oui, c'est vrai, la morale nous enseignait qu'une femme mariée, c'est sacré; qu'il ne faut pas la regarder, encore moins la toucher. Quant au reste, il ne fallait même pas y songer.

— Ah! la fameuse éducation à l'espagnole.

— C'est ça... Mais il y avait autre chose. Je me souviens de t'avoir avoué, il y a quelque temps, qu'en amour je suis exclusif et possessif: la seule pensée qu'en quittant mon étreinte, encore couverte de mes baisers, tu allais retrouver les bras de ton mari, m'était insupportable. Maintenant je sais... je ne craindrai plus le partage.

***

Les aiguilles de la pendule semblaient tourner à un rythme accéléré. Le compte à rebours était commencé.

Laurín m'emmena à notre petit restaurant d'Auteuil. La patronne nous accueillit très aimablement; nous étions des habitués. Malgré notre chagrin, nous voulions donner l'impression d'un bonheur parfait:

— Nous sommes venus fêter un événement exceptionnel. Je vous présente ma femme, madame Aráldo R.!

Superstitieux comme il était, ne savait-il pas qu'il ne faut jamais présenter quelqu'un comme sa femme ou son mari avant d'avoir été mariés?

Les patrons du restaurant sont venus nous féliciter et, en guise de cadeau de noces, ont débouché une demi-bouteille de champagne.

— Vous partez en voyage de noces?
— Non, je pars seul, ma femme doit malheureusement rester à Paris. Mais nous reviendrons ensemble plus tard.
— Nous resterons ouverts aussi longtemps que nous pourrons nous approvisionner. Bientôt il y aura des rationnements.

De retour chez moi, il fallait penser au départ de Laurín: mettre des vêtements chauds pour voyager confortablement. Nous devions partir assez tôt, pour enregistrer ses valises pour Marseille.

Avant de franchir la porte, Laurín me remit une enveloppe:

— Ce sont des francs français, ils sont à toi.

— Laurín, je ne peux pas accepter.

— Mais si, j'ai gardé juste ce qu'il me faut pour le voyage. Une fois chez nous, je n'en aurai plus besoin. Ne me remercie surtout pas. C'est la moindre des choses que je puisse faire pour toi. Cet argent te servira sûrement.

— Puisque tu insistes, je les prends, à condition de les placer sur mon compte-épargne. Ils feront «des petits», cela pourra servir pour ton retour.

Bousculés, écrasés dans le wagon du métro plein comme une boîte à sardines, Laurín tenant très fort la poignée de sa valise – son bagage à main – nous n'avions qu'une hâte: arriver au plus vite à destination.

Les formalités d'enregistrement effectuées, il nous restait encore un peu de temps. Nous sommes allés au Café de la gare. Autour de nous les gens avaient des visages tristes, soucieux.

L'heure du départ approchait: il fallait rejoindre le quai. Laurín repéra vite le numéro de sa voiture. Il y monta pour déposer son bagage à main dans le filet, puis revint près de moi.

Sur le quai il y avait un monde fou; des adieux plus ou moins déchirants, ponctués de crises de nerfs. Laurín et moi devions être forts, dignes dans ces circonstances.

Le chef de train invitait les passagers à monter dans les wagons:

— En voitures, Messieurs Dames, en voitures, s'il vous plaît!

Dans une étreinte éperdue, nous échangeâmes un dernier baiser.

Se faufilant à travers les passagers entassés dans le couloir, Laurín atteignit, tant bien que mal, son compartiment. Il baissa la vitre, me tendit la main, je lui donnai la mienne... Le train, tout doucement, s'ébranlait, puis accélérait. Je marchais en tenant toujours la main de mon bien-aimé... Ne pouvant plus suivre le train, arrivée presque au bout du quai, je lâchai sa main... Laurín me cria:

— Mon unique amour, ne te retourne pas... Je reviendrai!

Le train, tel un long serpent noir, prenant de plus en plus de la vitesse, quitta la faible clarté de la gare et se perdit dans la nuit. Son bruit rythmé s'évanouit au loin, faisant place aux sons familiers de la ville. Je restais là, entendant encore dans mes oreilles la voix de Laurín: «Je reviendrai!»

***

Sortie du métro à la Porte d'Auteuil, je vis

s'éloigner le dernier autobus: les horaires étaient abrégés en raison du manque de carburant. Naturellement, il n'y avait pas de taxi. Je devrais donc marcher jusque chez moi en empruntant l'avenue de la Porte d'Auteuil. À gauche s'étendaient les serres de la ville de Paris. À droite, le bois de Boulogne, bordé d'un profond fossé. Je n'étais pas très rassurée, car dans cette avenue il n'y avait aucune résidence.

Les réverbères diffusaient parcimonieusement une lumière bleue cadavérique. Brusquement, à mi-chemin entre la Porte d'Auteuil et les premières maisons de Boulogne, une forme surgit du fossé. Un homme me saisit brutalement par le bras, m'entraîna sous la faible clarté... En un éclair je pensai: «Qu'il me tue... je n'aurai plus de tourments.» Il me mit sous le nez une lampe électrique, dont la lumière m'aveuglait:

— C'est pas toi que j'attendais... Fous l'camp d'ici et en quatrième vitesse!

Il me lâcha aussi brutalement qu'il m'avait empoignée et j'ai failli perdre l'équilibre. Je pris mes jambes à mon cou et courus aussi vite que je pus.

Arrivée au rond-point, tout près de mon domicile, j'entendis un cri strident de femme, puis un hurlement de bête blessée, ensuite la pétarade d'une moto en direction de Paris. J'eus froid dans le dos: je venais de l'échapper belle.

Me voilà enfin devant mon immeuble! À partir de 10 heures, l'ascenseur ne fonctionne plus. Je monte les marches de sept étages quatre à quatre. À bout de souffle, avec difficulté, je réussis à ouvrir ma porte. La peur me saisit... Je me barricade chez moi.

J'appelle la police pour signaler ce que j'avais entendu.

— C'est bien, ma p'tite dame, on ira voir.

Il me fallut un moment pour réaliser que j'étais seule désormais. Je me jetai sur le lit défait. Son parfum spécial était resté sur l'oreiller. Ah! Laurín... Une des cravates qu'il m'avait fait choisir était posée sur la table de nuit. Il m'avait dit: «Prends-les toutes, si tu veux, je te les donne.»

Il voulait aussi me donner sa médaille. J'avais refusé.

Seules les larmes pourraient me libérer de la tension. Je devais à tout prix parler à quelqu'un. Maman n'avait pas le téléphone et il était près de minuit. Sachant que ma marraine était une couche-tard, je l'appelai.

— Comme ça, tu as conduit ton galant au train? C'est vraiment un bel homme, et si distingué. D'où est-il?

— Il est de la haute bourgeoisie de La Havane, à Cuba.

— C'est facile à deviner combien vous êtes épris l'un de l'autre. Tu as envie de pleurer? Vas-y, ça te fera du bien.

J'ai passé une très mauvaise nuit, essayant de refaire mentalement le trajet du train: «3 h 15: Dijon... 5 h 20: Lyon...» Je m'endormis entre Lyon et Avignon...

Et j'ai rêvé de la Camargue... Le survol en avion au ralenti, à basse altitude, d'un troupeau de flamants roses qui prenaient leur envol, escortant l'appareil léger, jusqu'au moment où, ne pouvant plus le suivre, ils faisaient demi-tour et retournaient à leur marécage... Et des chevaux sauvages, crinière au vent, qui, au bruit du moteur de l'avion, voyant son ombre sur le sol, galopaient éperdument dans tous les sens... Était-ce en Camargue, ou quelque part à Cuba, dans la vallée du Rio Caúto ou les plaines de Camagüey?

***

Réveillée assez tôt malgré la fatigue, j'avais faim. Il me manquait du pain et du lait. À contrecœur, je descendis. Dans la rue, il y avait un attroupement. Des gens discutaient en gesticulant. Je m'approchai pour écouter les conversations:

— De bonne heure ce matin, au fond du fossé longeant le bois, on a découvert le corps d'une jeune femme, lardé d'une trentaine de coups de couteau, morte au bout de son sang. Près d'elle, une torche électrique était encore allumée. On n'a pas trouvé d'empreintes digitales: l'assassin portait sans doute des gants...

Je me mordis la langue pour ne pas dire: «En effet, l'homme portait des gants.»

— Comment elle était, la jeune femme?

Le policier, mon voisin de palier, en me regardant, me répondit:

— Elle vous ressemblait!

C'était une serveuse de restaurant, qui habitait non loin. Chaque soir, elle manquait le dernier autobus et rentrait à pied. L'assassin – on allait bientôt l'arrêter – était son amoureux, avec qui elle avait rompu dernièrement.

— Ben oui, dit le policier, on a reçu au poste, vers minuit, un appel comme quoi on avait entendu des cris de femme, mais on a pensé que c'était encore une blague. C'est pas la première fois qu'on reçoit des appels comme ça. Et puis, c'est pas not' district: le bois de Boulogne, c'est Paris.

J'ai passé la journée à écouter les disques des *Lecuona's Cuban Boys*, la voix d'or d'Aráldo... Ce soir, le paquebot l'emportera vers le Nouveau Monde: New York, rendez-vous avec Lecuona, Isabél et les autres *Boys*. Puis La Havane, ses parents, ses deux sœurs. Ses anciens amis qu'il n'a pas revus depuis huit ans.

*

Les deux jours qui ont suivi le départ de Laurín m'ont paru interminables et tristes.

Je décidai de rendre visite à ma mère. Je partis à pied. J'étais, et je suis encore, une bonne marcheuse. Malgré le soleil, il faisait froid. L'air vif m'a fait du bien.

Je n'ai pas pu lui cacher ma peine. Nous nous entendions si bien qu'elle me comprenait toujours.

— Maman, je suis perdue sans Laurín. Pourtant, depuis un mois je savais qu'il partirait. Je n'entendrai plus sa voix au téléphone, je ne le reverrai peut-être jamais...

— J'imagine qu'il ne pouvait pas rester à Paris? Mais n'oublie pas que tu as un mari.

— Ne me blâme pas! Oui, j'ai un mari et je ne voudrais pas qu'il lui arrive malheur. Mais qu'a donc fait Denis pour se faire aimer de moi? Tandis que Laurín...

— Ma petite fille, il est temps de te prendre en mains. Tiens, j'ai pris en note un communiqué à la radio, annonçant que le ministère de l'Air et la Croix-Rouge française organisent des stages pour les femmes-pilotes ayant un minimum de cinquante heures de vol pour former des infirmières-convoyeuses...

— Qu'est-ce qu'elles font, les infirmières-convoyeuses?

— Elles donnent les premiers soins aux blessés sur le front et les évacuent. Ça t'intéresse? Non?

— En ce moment, rien ne m'intéresse, à part mon Laurín.

— Ne fais pas l'enfant! J'ai noté le numéro de téléphone. Renseigne-toi et donne-moi des nouvelles.

Sur ce, je quittai maman avec un cœur moins lourd. Oubliant la promesse faite à Laurín, je m'inscrivis à ces cours qui devaient commencer en décembre.

Laurín m'avait laissé une liasse de billets: 8000 francs, une jolie petite somme si on considère que 5 kilos de pommes de terre ordinaires coûtaient 2 fr 50! Je plaçai cet argent sur mon livret de caisse d'épargne.

Il était impossible de trouver du travail. Pour survivre, les épouses des mobilisés touchaient provisoirement une allocation de chômage.

Je m'enrôlai dans la Défense passive. Le service bénévole consistait à surveiller le soir qu'aucune lumière ne filtrât à travers persiennes ou rideaux, qu'il y ait toujours des sacs de sable et des seaux d'eau sur les paliers des immeubles en cas de chutes de bombes incendiaires, à guider les gens – les enfants surtout – vers les abris au moment des alertes. Mon îlot était justement la rue où j'habitais et quelques maisons dans l'avenue voisine.

Le chef d'îlot était un ancien caporal, héros de la guerre 1914-18; bourru, bougon, parfois grossier, mais brave homme. Les heures de service étaient effectuées le jour ou la nuit, selon un horaire étudié.

*

Le temps passait. Plus d'alertes, plus de saucisses dans le ciel parisien. En Défense passive, il n'y avait pas grande activité. La «drôle de guerre» venait de commencer.

L'hiver arriva tôt et fut exceptionnellement froid. La neige tomba en janvier. Les appartements étaient chauffés. La vie semblait reprendre un cours normal et chacun se réinstallait dans son petit confort.

Les stages de formation des infirmières-convoyeuses débutèrent à la mi-décembre. Ils comprenaient, outre le perfectionnement du pilotage, des soins infirmiers de première urgence et la conduite d'une vieille camionnette Renault en guise d'ambulance. M'étant inscrite parmi les premières, par le jeu de l'ordre alphabétique mon tour n'était prévu que pour le début de mai.

Denis m'écrivait des lettres très gentilles auxquelles je répondais avec beaucoup de tendresse. Sous-officier, il était exempté de corvées. Il lisait surtout les revues et jouait souvent aux échecs avec ses camarades. Affecté au transport des troupes, aussi longtemps qu'il n'y avait pas de mouvement de l'armée il était condamné à l'oisiveté.

En mars, le premier ministre, Édouard Daladier, fut remplacé par Paul Reynaud.

Mon entraînement commença au début de mai. Comme coéquipière, on m'assigna une infirmière diplômée. Pilote de peu d'expérience, elle s'inscrivit néanmoins à ce stage. Nous avons sympathisé. Elle s'appelait Élisa, était alsacienne et connaissait très bien l'allemand.

**

Le 10 mai 1940, coup de tonnerre! Avant l'aube, les avions allemands, par milliers, grondèrent au-dessus des lignes de la Hollande et de la frontière suisse. Ce jour-là, à midi, les usines Citroën, en plein Paris, furent bombardées. Il y eut de très nombreuses victimes. Du toit-terrasse de mon immeuble, on pouvait voir les flammes monter à plus de cinquante mètres. La «drôle de guerre» était finie. Toutes les permissions furent suspendues.

Les troupes allemandes, contournant la Ligne Maginot, passant par le sud de la Hollande et les Ardennes, envahirent la Belgique et se dirigèrent sur la France.

Dès lors, la menace des bombardements ressurgit et les masques à gaz ressortirent des garde-robes.

*

Ce fut l'exode des pauvres gens du nord de la France vers le sud: qui traînant une charrette couverte d'une bâche, qui poussant une voiture d'enfant, à pied, un sac au dos, en camionnette chargée de mobilier sommaire, humbles trésors qu'on cherchait à sauver à tout prix. Fleuve humain coulant à perte de vue sur les routes poussiéreuses, sous la chaleur accablante...

Les Parisiens et les banlieusards, également gagnés par la panique, quittaient leurs demeures et se joignaient à cette foule silencieuse se dirigeant vers une destination inconnue.

De temps à autre, surgissait de nulle part, un

avion de chasse allemand. Tel un rapace, il fonçait sur ce troupeau humain sans berger et, le survolant en rase-mottes, l'arrosait de balles de mitrailleuse, semant la désolation et la mort.

Les bruits couraient que dans le nord de la France, des enfants avaient ramassé dans les champs des stylos et des œufs contenant une substance corrosive sentant la moutarde qui, en contact avec la peau, laissait des brûlures profondes.

Les magasins d'alimentation, les pharmacies et les hôpitaux fermèrent leurs portes. Toutes les denrées indispensables avaient disparu. Je bénissais Laurín pour sa prévoyance: cela me permit de dépanner ma mère et ma belle-mère. Dans les jours qui suivirent, des cartes de rationnement alimentaire furent distribuées par les mairies à la population demeurée sur place. Mais où se procurer des aliments? Peu à peu, les épiceries commencèrent à s'approvisionner parcimonieusement. Le marché noir fit son apparition.

Pendant un moment, j'avais éprouvé le désir de ne pas dissuader Laurín de quitter Paris, pour vivre avec lui l'exaltante et dangereuse aventure de la guerre: son goût du risque aurait trouvé pleine satisfaction. À présent, je me félicitais d'avoir été assez persuasive pour qu'il parte vers une destination sécuritaire.

***

En dépit de ces événements, notre stage se poursuivait. À présent, nous étions en constant danger, le lieu de notre entraînement étant un objectif militaire.

Les équipages formés les premiers étaient déjà sur le front, avec le grade de sergents de l'armée de l'Air. Quelques jours avant notre examen, les équipes nouvellement instruites se rendirent à l'Intendance militaire pour ajuster les uniformes féminins. Toutes, nous trouvions cela passionnant!

Enfin, le jour de l'examen arriva. L'avion mis à notre disposition était un *Bréguet-19* biplan, à double commande, vétéran de la fin de la guerre 1914-18, et qui volait encore, appareil que ni Élisa ni moi ne connaissions. L'officier-instructeur nous rassura:

— Sur place, on vous donnera «un zinc étudié pour». Mesdames, à la guerre comme à la guerre!

Dans le fuselage, on avait pratiqué une trappe et un espace fut prévu pour recevoir «le blessé à évacuer». Jusqu'à présent nous ne transportions que des sacs de sable dans la cabine d'un petit avion pour passagers. Ce jour-là, c'est un homme pesant plus de quatre-vingts kilos que nous devions ramasser, poser sur la civière et rentrer dans l'habitacle. Nos deux forces réunies suffirent à peine pour en venir à bout! Et tout cela sous l'œil amusé de l'officier-instructeur, des membres du jury et des autres stagiaires.

Cette disposition déplaçait le centre de gravité de l'avion vers l'arrière: en vol, l'avion devrait «tirer de la queue». Élisa, voulant prendre les commandes, allait s'installer sur le siège arrière. Constatant qu'elle était plus corpulente que moi, l'officier-instructeur lui demanda de s'asseoir à l'avant et de me laisser les commandes afin d'équilibrer autant que possible la charge. Ma coéquipière parut chagrinée. Ayant appris de Laurín qu'il fallait être conciliante, je laissai Élisa piloter, avec la promesse de m'abandonner les commandes «en cas de pépin».

Le décollage fut laborieux. Après une demi-heure de vol, nous devions atterrir. Et c'est à ce moment-là que le drame aurait pu se produire: Élisa, contrôlant très mal cet appareil alourdi entraîné par son élan, allait nous lancer sur les bâtiments situés à l'extrémité du terrain...

Tout s'est passé très vite. J'ai hurlé: «Lâchez les commandes!»

Je mis plein tube et pleine gomme, manche au ventre... L'avion, poussé à bout, se cabra, faillit glisser sur l'aile. Redressé de justesse et son train d'atterrissage évitant de peu le toit du bâtiment, il reprit son vol normal. Conscient du danger, le «blessé» s'agita dans le fuselage, déplaçant encore le centre de gravité. Nous étions sauvés... Il me fallait faire un tour et demi en vol et poser cet appareil peu maniable. Jouant le tout pour le tout, j'effectuai un atterrissage court de toute beauté.

Gênée, j'eus droit à des félicitations, dont je me serais passée. Ma coéquipière pleurait. Moi, je n'avais aucun mérite, m'étant déjà tirée à bon compte au moins deux fois d'une «carafe» (accident). D'un commun accord, Élisa et moi avons conclu que, elle infirmière et moi pilote, «à chacune son métier et les vaches seront bien gardées».

Et c'est à ce moment seulement que je me souvins de ma parole donnée à Laurín après son baptême de l'air...

***

Vêtue de mon uniforme tout neuf, coiffée d'un calot que je portais hardiment, il ne me manquait que les «ficelles» de sergent; je suis allée parader devant mon chef d'îlot, pensant l'impressionner et peut-être mériter un peu plus de considération. L'effet produit fut le contraire:

— Qu'est-ce que c'est que c't'accoutrement?! On n'est pas l'mardi gras! Enlève-moi ça et en quatrième!

De peine et de misère je réussis à lui faire

200

entendre raison. En tant que grade, il me devait le respect!

Les nouvelles étaient alarmantes: les Allemands se trouvaient aux portes de Paris. Affluant du nord et de l'est, l'armée française, dont une partie fut emmenée en captivité, se repliait en se mêlant aux fuyards désemparés qui gênaient considérablement son déplacement. Attaquée sans cesse par les a-vions de chasse allemands, cette armée en déroute tentait de parvenir au sud de la Loire.

La guerre semblait définitivement perdue.

Et brusquement, un après-midi, plusieurs ex-plosions violentes se firent entendre, provenant de Puteaux, ville de banlieue située au nord de Boulogne. Des hautes flammes jaillirent et une épaisse fumée noire s'éleva vers le ciel. Des citer-nes de mazout furent incendiées afin que la ré-serve de combustible ne tombât pas entre les mains de l'ennemi.

Dans le ciel, rapidement couvert par ces volu-tes de fumée, une mouette, telle une blanche colombe, évoluait en cercles gracieux, insouciante du drame qui se préparait. Et à travers ce voile de deuil, un soleil de sang allait se coucher, aban-donnant au noir de la nuit des millions de cœurs ayant perdu tout espoir de paix.

Et cela brûla pendant des jours et des nuits,

couvrant les murs des immeubles d'une couche de suie noire.

***

La remise solennelle des grades devait avoir lieu le dimanche 16 juin.

Horreur! Le 14 juin, les troupes de la *Werhmacht* faisaient leur entrée à Paris par la Porte Maillot!

Aussitôt l'heure d'été fut encore avancée, si bien qu'à 22 heures il faisait jour. À minuit s'était le couvre-feu.

Un appel téléphonique personnel nous enjoignait de quitter nos uniformes et des les remettre dans les plus brefs délais à l'Intendance, en prenant bien soin de ne pas nous faire remarquer par les soldats allemands.

Nous qui n'étions pas encore sur le front, comme par hasard nous nous retrouvâmes toutes, presque à la même heure, dans un café proche de l'École militaire et toutes, comme d'un commun accord, nous fondîmes en larmes... Si nous ne nous sommes pas fait remarquer, c'est encore par pur hasard.

C'est ainsi que se termina ma carrière de «sergent de l'armée de l'Air française»...

***

Désespérément, le premier ministre Paul Reynaud, ayant quitté la capitale, clamait sur les ondes de la radio: «Nous vaincrons parce que nous sommes les plus forts... Tenez bon, nous sommes au dernier quart d'heure...» Paroles d'espoir que personne ne prenait plus au sérieux.

Le 18 juin, depuis Londres, le général De Gaulle adressa son vibrant appel à la résistance aux «Françaises... Français...»

Effectivement, nous étions «au dernier quart d'heure» puisque les soldats allemands, tels des insectes couleur vert-de-gris, se répandaient partout, à pied, martelant de leurs bottes les trottoirs des rues de Paris, scandant des chansons guerrières. Dans le métro, les cafés, les quelques rares cinémas ouverts, on ne voyait que leurs uniformes. Armés jusqu'aux dents, en voitures rappelant les jeeps, ils sillonnaient les artères de Paris et de la banlieue.

Les maisons individuelles et les appartements furent réquisitionnés, les commerces des Juifs identifiés par des pancartes *Entreprise juive*. Et bientôt, au dos des vêtements de certains citoyens respectables furent appliquées des étoiles jaunes à six branches, dites «de Salomon», au centre desquelles figurait un tétragramme imitant les lettres hébraïques «JUDE».

Femmes et hommes se mirent à porter ostensiblement des bijoux de fantaisie en forme de croix pour ne pas passer pour des Juifs.

Depuis la construction du métro parisien, les rampes des escaliers étaient enjolivées par des barres de laiton. Les Allemands les dévissèrent, on se doute bien pour quel usage.

Je passe rapidement sur les événements qui se déroulèrent par la suite: l'armistice le 22 juin, la formation du gouvernement de Vichy, l'État français.

Dieu merci, mon mari, sain et sauf, réussit à passer au sud de la Loire et fut cantonné quelque part en Dordogne. La démobilisation se déroula progressivement et Denis fut libéré fin août 1940.

Sans perdre de temps, il se mit à chercher du travail. En période d'après-guerre, on n'avait pas besoin de géomètre ni de dessinateur.

Denis, une annonce d'offre d'emploi à la main, partit un matin de bonne heure. Arrivé sur place, il vit une cinquantaine de personnes – surtout des hommes jeunes – qui attendaient devant le bureau d'embauche. Au bout de deux heures d'attente, un employé mit sur la porte un écriteau: «Emplois réservés seulement aux candidats ayant travaillé dans un bureau d'architectes.»

Et c'était comme cela à chaque fois. Denis était découragé. Il se présenta au bureau de chômage:

— Vous êtes marié? Vous n'avez pas d'enfants? Alors pas de chômage!
— Mais qu'est-ce que je dois faire?
— Si vous êtes terrassier ou maçon, allez travailler sur le «mur de l'Atlantique».
— Quoi? Travailler pour les fortifications de l'ennemi? Jamais!!!
— Faites attention à ce que vous dites, Monsieur! Ou alors, allez travailler en Allemagne... Il y a des départs toutes les semaines. On payera votre voyage et on vous donnera du travail bien rémunéré.

Pauvre Denis, lui qui, il y avait à peine un mois, fulminait contre les «boches», devrait-il accepter de travailler pour leur compte?

— Ma cocotte, qu'est-ce qu'il faut que je fasse?
— Je ne sais pas... Il me reste un peu d'argent, mais il ne fera pas long feu.

Après d'autres infructueuses démarches, Denis, la mort dans l'âme, se résigna à partir. Juste avant son départ, il apprit que selon le système de la «relève», les travailleurs volontaires* partant pour

---

* *C'est seulement le 4 septembre 1942 que le gouvernement de Vichy institua le Service du travail obligatoire (STO).*

l'Allemagne permettaient à un certain nombre de prisonniers de guerre de revenir dans leurs foyers, ce qui allégea un peu sa conscience.

Dirigé sur Berlin, il fut affecté à une usine fabricant des climatiseurs pour les wagons des chemins de fer. Sa connaissance de l'allemand, appris au collège, lui fut très utile: non seulement il eut un emploi de dessinateur dans le bureau d'études, mais il put rendre de nombreux services comme interprète bénévole auprès des travailleurs français et belges.

***

La vie en temps d'après-guerre à Paris pour une jeune femme seule n'avait rien de rassurant, elle était au contraire pleine de dangers.

Tant que mon mari était «aux armées», j'avais droit à une certaine considération. À présent qu'il était parti travailler en Allemagne, comme volontaire, il était devenu un «salaud, un traître, un collabo, et s'il ne profitait pas de sa femme, qu'au moins les autres en profitent».

Je fus apostrophée et insultée par une femme dont le mari était prisonnier de guerre. Une autre fois, un homme tenta de forcer ma porte. Deux fois, je faillis être violée pendant mon service nocturne de Défense passive... Je dus mon salut à la grâce divine et à mon sifflet de flic. L'œil au beurre noir, couverte d'ecchymoses, j'allai me plaindre au commissariat de police.

— Nous, on peut rien faire, ma p'tite dame. De c'temps-ci, on fait pas d'enquêtes vous comprenez. Allez trouver vot'chef d'îlot. Demandez un changement d'affectation.

Mon chef d'îlot leva les bras au ciel:

— C'est-y pas malheureux... amocher comme ça un si beau brin de fille! Tu seras affectée à la brigade de jour.

Et j'en ai entendu des remarques dans ce genre: «Vous n'êtes pas sans reproche, Madame, pendant que votre pauvre mari risquait sa vie à la guerre, vous receviez chez vous un homme.» Malgré la répugnance à me justifier, je jugeai bon d'expliquer calmement que l'homme en question était un ancien collègue de travail en détresse, étranger se rendant dans son pays. Tous les hôtels étant complets, je lui avais offert tout naturellement l'hospitalité pour quarante-huit heures. Et qu'un bon chrétien qui va tous les dimanches à la messe devrait savoir que la solidarité et la charité sont deux vertus à mettre en pratique, particulièrement en temps de guerre...

Dès la mi-septembre, il a commencé à faire froid. On aurait dit que la nature elle-même se mettait de la partie pour augmenter les misères de l'humanité. Il ne fallait pas compter sur le chauffage central ni sur l'eau chaude, par manque de mazout. Seules les habitations chauffées au charbon, bien que rationné, pouvaient avoir un peu de chaleur pendant cet hiver inhabituel pour notre région, et qu'on prévoyait rigoureux.

Les immeubles modernes n'ayant pas de cheminées, je fis installer, comme la plupart des locataires, un système de chauffage de fortune. Le bon Francisco me fournit un peu de bois de petit calibre. Du côté alimentaire, pour le moment je n'avais pas de soucis: la parcimonie des cartes d'alimentation était compensée par les réserves de Laurín.

***

J'ai essayé de chanter dans une boîte de nuit à Montmartre, mais la perspective de rentrer chez moi par l'avenue de la Porte d'Auteuil en sortant du dernier métro me découragea. De plus, il fallait posséder un *Ausweis* – permis – pour circuler la nuit dans les rues. Malgré cela, deux fois je fus ramassée par les patrouilleurs de la police militaire allemande et condamnée à cirer leurs bottes...«et pas n'importe comment... surtout pas de sabotââââge!!!»

Pendant ce temps, je me réfugiais dans le sommeil. Et des visions fantastiques hantaient mes nuits: «Était-ce la vallée de l'Yvette ou du Rio

Caúto où, aux premières heures de la matinée, les brouillards légers, tels des fantômes blancs, élevaient leurs bras vers le soleil? Étaient-ce les plaines de Camagüey, où Laurín, en costume de *vaquéro* chevauchant un superbe étalon noir au milieu d'un troupeau de vaches, essayait de prendre au lasso un jeune taureau? Brusquement le lasso se transforma en un étendard à mes couleurs: parme et blanc... Et les marécages aux teintes vert pâle, où grouillaient les caïmans apprivoisés, pêle-mêle avec les canards bleus et les flamants roses... où était-ce? En Camargue ou à Matánzas, à Cuba?»

Au réveil, je cherchais Laurín près de moi... la place était vide. Et mon cœur se serrait cruellement.

***

Pour ne pas inquiéter Denis, je lui ai caché la malveillance à laquelle je devais faire face. C'est ma mère qui le mit au courant.

Dans une lettre arrivée en février, Denis, indigné, me demandait de le rejoindre à Berlin.

Ma première réaction fut: «Pas question!»

Ma marraine et maman insistèrent pour que j'accepte sa proposition.

— Avec lui, tu seras au moins en sécurité. C'est ton mari. Et peut-être la guerre finira bientôt...

Le chef du personnel de l'usine où travaillait Denis lui proposa de nous trouver un logement convenable. Quant aux meubles, vu qu'il était impossible de s'en procurer à Berlin, le transport en serait payé par l'usine, remboursable en plusieurs mensualités.

Cette idée mettait Denis et moi mal à notre aise! Mais avions-nous le choix?

Si bien qu'un matin, laissant à Paris des êtres chers, je pris le train pour Berlin. Le convoi étant souvent immobilisé, c'est au bout de quarante-huit heures que je «débarquai» dans la capitale du IIIe Reich, le 24 avril 1941. Ce jour-là, le ciel pleurait avec moi.

À peine les pieds posés sur le sol allemand, mes regards, pleins de larmes, se tournèrent vers ma patrie d'adoption: la France, abattue, humiliée, piétinée par les bottes de la *Wehrmacht*, sans gouvernement, car personne ne voulait reconnaître l'État français qui siégeait à Vichy... Ô pauvre France! pourquoi t'ai-je abandonnée?

*

En attendant le logement promis, Denis et moi étions installés dans un foyer d'accueil pour travailleurs étrangers. Un mois après mon arrivée à Berlin, l'usine nous attribua un appartement situé dans l'un de ses immeubles. Nous partagions le logement avec un veuf d'une soixantaine d'années et sa fille, Hildchen – diminutif affectueux de Brünnhilde –, maman de trois bambins et dont le mari était quelque part sur le front de l'Est. Elle et moi avions le même âge.

L'immeuble se trouvait à quelques minutes de marche de l'usine. Notre logis se composait d'une grande pièce, avec deux fenêtres sur rue, d'un poêle de céramique, d'une cuisine assez vaste. Toilettes communes, sans bain ni douche... Les meubles étaient ceux de Boulogne, avec en plus un sommier d'une place.

La rue était triste et sale. Du crottin de cheval parsemait la chaussée. En raison de la pénurie de combustible, on faisait grand usage d'énergie hippomobile. En arrière des immeubles passaient des voies de chemin de fer, dont une était réservée à une batterie mobile de défense contre avions (DCA).

Presque chaque nuit, une alerte, suivie d'un bombardement lointain, nous tirait de notre sommeil. Mais il fallait s'y habituer.

Pour l'Allemagne la guerre continuait. Les femmes sans enfants étaient obligées de travailler. Les femmes mariées bénéficiaient d'un horaire réduit. Grâce à ma connaissance de l'allemand appris au lycée, j'obtins une place au bureau des commandes, dans la même usine que mon mari. Mon horaire était de 7 heures à midi et de 13 à 15 heures. Denis m'avait promis des leçons de chant avec les meilleurs professeurs berlinois. Hélas! il ne me restait pas assez de temps pour la musique, sinon pour jouer quelques accords sur ma guitare.

Mes collègues: trois jeunes filles et sept hommes d'un certain âge, occupaient un vaste bureau. L'atmosphère de suspicion qui régnait autour de nous rendait parfois nos rapports difficiles. Certains d'entre eux avaient été dépossédés de leurs biens par «Monsieur Hitler». Il fallait garder une attitude neutre et s'abstenir de tout commentaire. On me reprochait quelquefois de faire un travail «non productif». Dans un coin, un homme faisait semblant de travailler. Discrètement on m'apprit que c'était «un Gestapo déguisé en civil». Tous s'en méfiaient...

Un autre personnage nous rendait visite presque chaque jour. Son attitude arrogante trahissait un SS. Il s'asseyait sur un coin du bureau du chef et racontait des histoires cochonnes où les putains étaient toujours des Françaises... Les hommes riaient grossièrement en jetant des regards en ma direction. Les trois jeunes filles étaient scandalisées. Moi, je me forçais à garder un visage impassible.

Cet ignoble individu s'en était pris à moi. Il me guettait. Un matin, me rencontrant dans un couloir, il m'écrasa contre le mur, essaya de m'embrasser, son haleine puait les dents pourries... Il pinça et tordit mes seins... J'étais incapable de me débattre. En entendant des pas s'approcher, il me lâcha. Il partit en proférant des jurons et des menaces.

Ses grosses mains avaient laissé des marques. Denis n'avait rien remarqué: il accomplissait toujours son devoir conjugal dans l'obscurité complète.

Le docteur de l'usine, indigné, remit un rapport au chef du personnel. Au comble de l'indignation, j'allai le trouver. Il tenait encore à la main le papier du médecin. Sans dire un mot, il me tendit un feuillet de calepin sur lequel il venait de griffonner: «Ici les murs ont des oreilles. Je vous attendrai demain à 12 h 45, devant la piscine.»

Il était le premier au rendez-vous. Pour ne pas attirer l'attention, nous marchions nonchalamment...

— Je désapprouve cette attitude et cet abus de pouvoir. Je hais ce régime de violence. Hélas! les Français étant les ressortissants d'un pays vaincu, je ne peux pas effacer l'outrage qui vous a été fait... Je vais prendre des mesures pour que ça ne se reproduise plus. Vous et moi sommes du même bord, ne l'oubliez jamais. Si vous avez le moindre problème, n'hésitez pas à m'en parler, je vous promets mon assistance.

L'affaire a dû suivre son cours puisqu'il fut ordonné à ce répugnant personnage de ne plus fréquenter notre bureau «afin de ne pas choquer les trois jeunes filles, futures mères des futurs héros allemands».

***

Environ six semaines après mon arrivée à Berlin, sortant du bureau à 15 heures, je crus avoir une vision: un homme jeune, divinement beau, aux cheveux noirs, vêtu d'un jean et d'un chandail clair, me regardait avec un doux sourire...

— Laurín... toi ici? Je n'en crois pas mes yeux!
— Válly, mon trésor d'amour! Enfin, je te retrouve! Si tu savais comme je t'ai cherchée! J'aurais retourné le monde entier pour te revoir! Il faut qu'on se parle!
— Allons chez moi, c'est à deux pas d'ici.

Heureux, bras dessus, bras dessous, nous sommes arrivés chez moi. Nous nous regardions émerveillés, osant à peine croire que nous étions de nouveau réunis.

Laurín n'avait pas changé, sauf qu'une certaine tristesse voilait son regard.

Je remarquai à son annulaire gauche une bague toute simple, en or blanc, ornée d'un saphir carré. Il la tournait autour de son doigt, mettant en évidence le côté étroit, qui faisait penser à une alliance. Je risquai une plaisanterie:

— Tu es marié, mon Laurín?
— Ah! la bague? Oui, avec toi, mon unique amour... depuis la nuit de Boulogne.
— C'est un cadeau?
— J'avais rendu un grand service à un ami, alors il me l'a donnée. Il paraît que c'est un porte-bonheur.

Vingt mois s'étaient écoulés depuis la nuit de Boulogne. Privés l'un de l'autre depuis si longtemps, oubliant tout au monde, nous nous sommes aimés avec passion... Tout d'un coup, le remords s'empara de nous: ici même, dans la demeure de mon mari... Dans peu de temps il allait rentrer. Pourrions-nous le regarder en face?

Le calme revenu, Laurín alla vers la fenêtre.

— Que c'est triste ici. Où donc sont passés les magnolias, les massifs de jasmin, de roses sauvages et de rhododendrons? Heureusement, dans cette grisaille de Berlin, je retrouve dans tes yeux la mer des Caraïbes.

Il s'assit à côté de moi, prit mes mains entre les siennes... ferma les yeux, respira profondément:

— Mon amour, j'ai une triste nouvelle à t'annoncer: Isabél et Cárlos sont morts... une catastrophe aérienne dans le Nebraska. Isabél allait probablement chercher quelque travail pour Armándo.

— Ah! pauvre Armándo... pauvre petite María.

— Ce n'est pas tout: Andrés... tombé au champ d'honneur.

— Ce n'est pas possible!

— À sa quatrième mission... Il a suivi assidûment un stage de navigation aérienne. Par une nuit de pleine lune, trois bombardiers prirent leur vol, avec celui d'Andrés à leur tête. Passant à travers le tir de la DCA, il accomplit sa mission. Il faut croire que le navigateur était très bon. Le numéro 2 suivit et atteignit son objectif. Aussitôt attaqué par cinq chasseurs, le troisième, voyant qu'il n'avait aucune chance de réussir, fit demi-tour, larguant ses bombes en rase campagne. Pour faire diversion et laisser filer le numéro 2, le bombardier d'Andrés accepta le combat inégal. Sérieusement touché, il est tombé comme une torche enflammée en territoire ennemi... Andrés...

Laurín ne pouvait plus parler. Il s'essuyait les yeux. Il posa sa tête sur mon épaule et m'entoura de ses bras. Tout en essayant de retenir mes larmes, en caressant ses beaux cheveux noirs, je le câlinais comme un enfant. Après un moment de silence il reprit:

— Je croyais n'avoir plus de larmes pour pleu-

216

rer... Andrés est père d'un petit garçon, Joaquin...
Simone ne s'entendait pas très bien avec ses
parents. Elle ira vivre à Cuba aussitôt la guerre
finie.

Denis fut surpris de voir Laurín, mais lui fit un
accueil aimable.

*

À la première occasion, Laurín me raconta
comment il avait réussi à me retrouver. Ne pouvant plus supporter d'être séparé de moi, il avait
quitté La Havane et après un long voyage à bord
d'un cargo, avait débarqué à Marseille, avec... son
passeport américain. Les dollars, ces clés magiques, lui ouvraient toutes les portes. Utilisant sa
carte d'identité de «résident étranger privilégié»,
il franchit la ligne de démarcation et pénétra
dans la zone occupée par les Allemands. C'est
ainsi qu'il put gagner Paris.

— J'avoue que le Ciel était avec moi, dit-il.

Il rendit d'abord visite à ma marraine qui lui
conseilla d'aller voir ma mère. Il apprit ainsi que
j'étais avec Denis... à Berlin. Déçu et direct comme
d'habitude, il demanda:

— Est-ce que Vàlly n'a pas raté le bateau en ne
demandant pas le divorce dès le retour de son
mari?

217

— Sans doute, lui répondit-elle, mais en temps de guerre, ces choses-là ne se font pas.

Elle lui fit également le récit des attaques auxquelles j'avais dû faire face, une fois Denis parti. Il comprit très bien ma situation.

N'ayant pas encore ma nouvelle adresse, à cause de la lenteur du courrier et de la censure, maman lui montra une des lettres badigeonnée de diagonales bleues afin de détecter une éventuelle encre chimique. La méfiance régnait... Elle lui indiqua le lieu et les heures de mon travail. Laurín, pour la remercier, lui donna tous les cadeaux qu'il avait apportés pour moi. Brûlant d'impatience de me revoir bientôt, il retrouva la joie de vivre.

Utilisant une fois de plus sa carte d'identité, Laurín, le plus vite qu'il put, alla s'inscrire au bureau d'embauche pour le travail en Allemagne. Considéré comme «volontaire», il demanda son affectation pour Berlin. On lui délivra un *Fremdenpass*, ou passeport d'étranger, sans mentionner d'autre pays d'origine que «Paris, Frankreich» et sa date de naissance... Si bien que «Aráldo-Laurín R.» devint citoyen français, pour quelque temps! Il avait conservé précieusement son passeport américain et son certificat de baptême.

Le travail qu'il avait à faire était assez spécial:

connaissant parfaitement l'allemand et l'anglais, il devait traduire et lire trois fois par jour le bulletin des nouvelles à la radio, à destination de l'Angleterre. Il était en réalité chargé d'une mission dangereuse. Tout avait été combiné d'avance.

Son chef, Heinrich, farouche ennemi du Reich pour des raisons personnelles, se prit immédiatement d'amitié pour lui.

— *Laurínchen*, je vois, tu es un gaillard qui n'a pas froid aux yeux... Tu verras, on fera du bon boulot ensemble... Mais ici, les murs ont des oreilles... Allons ailleurs.

C'est en se promenant sur *Unter den Linden* que son chef lui expliqua en quoi consisterait son travail. Il lui remit très discrètement – cachés à l'intérieur d'un magazine – les documents ultrasecrets qu'il aurait à utiliser.

Laurín loua une chambre chez une dame, veuve d'un médecin. Sans rancune, elle le traitait comme son fils, son petit dernier, combattant sur le front de l'Est.

Dans l'impossibilité d'obtenir une voiture pour se rendre rapidement à son travail, Laurín se déplaçait à bicyclette.

***

Les circonstances pénibles ou dangereuses de la vie poussent les gens à se grouper. Dès son engagement au bureau d'études, Denis fit la connaissance d'un ingénieur français, Louis A., venu comme lui travailler de force en Allemagne et qui ne parlait presque pas l'allemand. Leurs bureaux étaient voisins et ils sont devenus rapidement des amis. À nous trois, nous formions une bonne équipe et partagions nos repas et nos loisirs. Parfois, un autre compatriote ou un Belge venait se joindre à nous.

L'arrivée de Laurín fut un bienfait pour nous. Les sept années passées avec les *Boys* lui avaient conféré un solide sens de l'organisation et des responsabilités. Sans tarder, il nous soumit un plan pour mieux faire fonctionner notre «mini-communauté».

Toutes les denrées étaient rationnées. Il fallait donc se rabattre sur le marché noir qui était sévèrement réprimé et pour lequel plus d'un débrouillard ont risqué l'emprisonnement. Laurín, devenu «Laurent», réussissait malgré tout à se procurer des aliments de première nécessité et, comme il prenait presque tous ses repas du soir avec nous, il refusait de se faire rembourser.

*

Laurín et moi, nous avions rarement l'occasion d'être seuls. Quand cela se présentait, il en profitait pour me raconter les événements qui avaient suivi son départ de Paris:

— Quand le train quitta la gare, j'éprouvai soudain une sensation de solitude glaciale: tu n'étais plus là... Très fatigué, je réussis à m'endormir grâce à ma balancette. À Marseille, j'ai flâné dans les rues en attendant l'embarquement. Debout sur le pont, je regardais disparaître les côtes de France: chaque tour de l'hélice du paquebot m'éloignait de toi, mon trésor d'amour, et le sillage laissé sur l'eau était comme mes bras tendus désespérément vers toi...

Une autre fois, Laurín me parla de sa rencontre, dans la maison familiale de Nicolás, avec Lecuona, Isabél, Armándo et les *Boys*, inconsolables depuis la fin brutale de leur association. Chacun évoquait les bienfaits retirés des sept ans de travail en commun, mais tous également avouaient n'avoir pas le courage de repartir à zéro pour mettre sur pied un nouveau groupe musical. Et c'est avec tristesse qu'il se sont tous séparés. Laurín se dirigea vers La Havane. Il avait hâte de revoir «son» île, ses parents, ses sœurs et ses anciens amis.

— À mon arrivée chez mes parents, j'étais désespéré de t'avoir quittée. *Mamacíta*, inquiète de me voir si déprimé, se doutait qu'il s'agissait d'une affaire de cœur. Les mères ont des antennes, n'est-ce pas? Je finis par me confier à elle.

«Avec des mots choisis, pour ne pas heurter ses principes religieux, je lui avouai nos relations de la dernière heure, après tant d'années d'attente. Elle tenta de me sermonner et se résigna, après bien des discussions, à voir son fils amoureux d'une femme mariée.

«Je ne voulais voir personne. Mes petites sœurs, si heureuses de me revoir, avaient été averties de ne pas troubler ma solitude et de ne pas me poser de questions. Ayant perdu le goût de vivre, j'errais dans le jardin, me réfugiant sous les hibiscus.

«Sans le vouloir, je surpris une conversation entre mes parents:

— *Laura, qu'est-ce qu'il lui arrive, à notre beau ténébreux? Il ne parle à personne, même pas à ses sœurs. Il passe son temps sous les hibiscus, entouré de ses* iguanas. *Et quand il se met au piano, il fait vibrer les lustres!*

— *Il est malheureux: il a laissé en France celle qu'il aime...*

— *Aráldo amoureux? Il a toujours méprisé les filles, si je ne m'abuse.*

— *Tu sais bien que ses études ne lui laissaient pas beaucoup de temps pour courtiser les filles. Et peut-être ne trouvait-il personne à son goût parmi nos relations?*

— *Et que fais-tu d'Aníta, qu'il abandonna lâchement le soir de ses noces.*

— *Mattéo, tu sais parfaitement que ces enfants ne*

voulaient pas de ce mariage! D'ailleurs, Aníta a épousé son Miguél.

— Aráldo, amoureux d'une femme... Je n'en reviens pas. J'ai toujours pensé que c'était un homosexuel. Eh bien, il faut lui trouver un emploi au plus vite et le marier.

— Mais non, Mattéo, il veut continuer à se perfectionner pour devenir pianiste.

— À vingt-cinq ans, mais il est fou! Moi, à son âge, j'étais déjà chef d'entreprise et père de famille!

«J'appris au hasard d'une autre conversation qu'à l'occasion de mon anniversaire, mes parents voulaient organiser une grande fête et y convier quelques familles les plus huppées de *La Habana*, accompagnées de leurs charmantes jeunes filles. La moutarde m'est montée au nez. Maîtrisant ma colère, je fis une mise au point:

— Je suis au courant de vos projets matrimoniaux. Sachez que je suis assez grand pour prendre mon avenir en main. Mon choix est fait et personne, sauf Dieu, ne pourra m'en détourner!

«Là-dessus, protestations énergiques de mes parents:

— Mais non, tu n'as rien compris... nous ne voulons que ton bonheur...

— Vraiment? Alors faites en sorte que cet anniversaire de mes vingt-cinq ans se passe dans la plus stricte intimité.

«J'eus gain de cause.

«En sortant du bureau de mon père, j'entendis dans le couloir une galopade et des rires étouffés. Au bas de l'escalier, mes deux sœurs, Márta, quinze ans et Llóna, dix ans, étaient au garde-à-vous:

— *Salut, mon général!... Bravo* hombre, *tu as bien parlé. Ne te laisse pas faire.*
— *Ainsi,* señoritas, *vous écoutez aux portes? C'est du joli!*
— *Ah! tu peux parler... toi qui te caches sous les hibiscus du salon.*
— *Comment elle est, la fille que tu aimes?*
— *D'abord, ce n'est pas une fille, mais une jeune dame. Elle est belle.*
— *Du moment que c'est pas un garçon... Tu l'amèneras ici un jour?*
— *Je l'espère bien, quand nous serons mariés.*
— *Est-ce que tu as déjà couché avec elle?*
— *Llóna! Si nos parents t'entendaient?*
— *Tous les parents sont vieux jeu. À l'école on apprend bien d'autres choses.*

«Il n'y a décidément plus d'enfants... Moi qui à dix ans croyais que les bébés étaient apportés par les flamants roses... Tout d'un coup, une vague de tendresse m'inonda: elles étaient mes sœurs, du même sang que moi, les filles chéries de mes parents, et elles me soutenaient.

«Pendant quelques jours, nous avons fait ensemble du patin à roulettes sur l'Esplanade. Nous avons joué du piano à quatre mains. Márta, l'aînée, c'est le portrait de maman, quant à Llóna, c'est un peu moi à dix ans, mais moins arawak.

«Ne trouvant toujours pas la paix du cœur, dès les premiers jours de décembre je décidai d'aller travailler à la *zafra*, la récolte de la canne à sucre, dans la plantation de mon père. C'était le début de le saison sèche.

*

«On ne s'improvise pas *machetero*, ou coupeur de canne à sucre, c'est un métier très dur qui s'apprend dès l'adolescence. Mais tu connais mon besoin de relever les défis. Maintes fois, j'ai vu les hommes travailler à la *zafra* et, en théorie, je savais comment procéder. Le grand couteau, la *mocha*, est l'unique outil pour ce travail. Quatre opérations sont nécessaires: écarter les feuilles mortes et les herbes, couper la canne au ras du sol, d'un seul coup, étêter la tige, qui parfois mesure 1 m 50 de haut et a l'épaisseur d'un poignet, la dépouiller de ses feuilles, puis la lancer en arrière... Et ainsi de suite, à longueur de journée. Cette gymnastique suédoise ne m'a pas réussi: au bout de deux semaines j'étais courbé comme un vieillard. Mes mains étaient dans un état lamentable.»

— Et que disaient tes parents?

225

— *Mamacíta* levait les bras au ciel. Mattéo riait: «Ah!.. Ah!... tu voulais faire des exercices physiques? Eh bien, champion, tu es servi.»

«Il donna des ordres pour qu'on me mette au chargement des cannes: c'était un peu moins dur. J'ai travaillé ainsi pendant deux mois.

«Ensuite, je fus employé dans un des bureaux de mon père pendant trois mois. Rien que d'en parler, j'en ai la nausée. Après avoir joué du piano dans une boîte de nuit à *La Habana*, dégoûté, je décidai de voyager un peu. Je me suis retrouvé en Californie où j'ai rencontré des gens très intéressants – je t'en parlerai en temps utile. Ils m'ont suggéré d'aller à Berlin. Or, pour aller à Berlin, il faut passer par Paris... Tu me suis?

«Pour finir, je revins à *La Habana*. Et après tout ça, mon cœur était toujours aussi malheureux, ma belle Vǎlly, mon trésor d'amour.»

— Crois-tu que je n'aie pas été malheureuse loin de toi, mon unique amour, étant sans nouvelles durant vingt mois?

— Oui, je te crois, ma chérie. Bref, moi qui suis sobre de nature, un soir je bus deux verres pleins de rhum. Imagine l'effet produit. Quand ma mère me vit dans cet état, elle appela le docteur, me croyant mort. Il la rassura: «Votre fils n'est pas mort, il est ivre mort.»

«Il n'y avait rien à faire: il fallait que je retourne à Paris... Tu connais la suite.»

***

Le contexte berlinois d'alors ne facilitait pas
nos retrouvailles: en ce temps de guerre il n'y
avait pas d'hôtels discrets pour les rendez-vous
d'amoureux. Et même si par hasard il y en avait,
nous ne disposions que de très peu de temps.
Laurín s'était confié à Heinrich, qui avait offert
de lui prêter son appartement de temps en temps,
pour une heure ou deux, en soirée. Mais comment nous libérer en soirée, sans éveiller les soup-
çons de Denis?

Laurín en avait assez de l'amour à la sauvette
dans l'appartement de mon mari. Il désapprou-
vait notre conduite. Son sourire devint triste et
son rire ne sonnait pas comme avant. J'essayais
de le déculpabiliser, mais en vain.

— Écoute-moi encore une fois: le lit conjugal,
ce n'est pas autre chose qu'un sommier pour
dormir... Pour mon mari, je suis toujours une
femme frigide... et moi, il y a longtemps que je ne
suis plus amoureuse de lui. Veux-tu demander à
Heinrich de nous prêter son appartement demain soir, ne serait-ce que pour une heure?

Alors Laurín se révolta. Ses yeux changèrent
de couleur.

— Qu'est-ce que tu dis là! Qu'est-ce qu'on peut faire en une heure? Un après-midi, la moitié d'une nuit... je comprends, mais une heure... franchement!

Le lendemain, dès son arrivée chez nous, Laurín sortit de sa poche un objet qu'il posa sur la table.

— Un compte-minutes! Pour quoi faire?
— Pour quoi faire? Tu vas voir: je remonte le ressort, comme ça: 60 minutes... «Prêts... partez...» Le compte à rebours commence (à ce moment Laurín tourna rapidement l'aiguille et l'approcha de zéro). À zéro, le compte-minutes fait «dring»: alors on s'écrie: «Eh!... On n'a pas fini!!!» Tant pis, on recommencera une autre fois! C'est ça, «l'amour au compte-minutes...» À l'usine, on t'accorde 60 minutes pour ton casse-croûte... Or, l'amour n'est pas un casse-croûte, c'est un festin!
— Alors que faire?
— Cesser toutes relations!
— Tu n'y penses pas, ne plus nous voir!
— Je n'ai jamais dit ça. Trouvons un dérivatif pour ne plus penser à l'amour et retournons sur les sommets des plus hautes montagnes. Comment avons-nous vécu pendant presque trois ans?
— Tu es insensé, mon grand! Avant, ce n'était qu'un amour éthéré. À présent, nous formons une seule et même chair. Ne sommes-nous pas chacun une moitié de la même Orange?
— Moi, je ne vois pas d'autre solution.

— Laurín chéri, tu aurais dû rester à La Havane et revenir seulement à la fin de la guerre.

— Mais, petite tête de colibri, tu ne comprends pas que je ne pourrais pas vivre sans toi! Je suis prêt à accepter tous les sacrifices pour être près de toi!

Le hasard allait se charger de nous procurer un dérivatif.

***

Une fin d'après-midi, laissant Denis et Louis jouer aux échecs, nous partîmes tous les deux à la recherche d'un point de vue pour admirer le coucher de soleil. Passant sous le pont de chemin de fer, nous découvrîmes un quartier agréable et ensoleillé. De coquettes maisons tranchaient avec la tristesse de la rivière la Spree qu'elles longeaient. Sur une place, une église en brique rose avec, en arrière, un petit jardin public.

Les derniers rayons du soleil s'embrasaient sur les fenêtres des maisons... Puis, tout s'éteignit brusquement et l'horizon, teinté d'orangé passant à l'ocre, contrasta étrangement avec le ciel indigo.

Subjugués par ce spectacle, nous n'entendîmes pas tout de suite les chants provenant de l'église toute proche.

— *Estrellíta*, écoute... la *Messe du couronnement* de Mozart... Entrons...

Nous tenant par la main, sur le seuil du portail grand ouvert, nous écoutions avec émerveillement cette œuvre que nous connaissions bien. Une cinquantaine de choristes, les femmes assez jeunes, mais les hommes d'un certain âge, répétaient le *Gloria*... Un des chanteurs fit remarquer au chef qu'il y avait des visiteurs. Se retournant, il nous fit signe d'approcher:

— Êtes-vous chanteurs?
— Oui, Monsieur.
— Merveilleux! Venez vous joindre à nous.

*

Le *Kapelmeister*, un homme d'une soixantaine d'années, ancien professeur de conservatoire, nous invita chez lui, histoire de parler musique. Sa femme nous servit un thé de feuilles de bouleau accompagné de biscuits que seules les dents de Laurín étaient capables de croquer. Notre hôte avait devant lui une grande chope de bière et une bouteille de *schnaps*. Un petit verre de *schnaps*, une gorgée de bière... Sa langue commençait à se délier. Il couvrit le téléphone* avec une poupée

------

* *Précaution prise par toutes les familles anti-nazis, au cas où un micro aurait été installé.*

230

dont la jupe en dentelles était doublée d'un tissu capitonné. Il s'adressa à Laurín:

— Comment se porte la musique en France?

Laurín était embarrassé. Je répondis à sa place:

— Il n'y a plus de musique... Tous les compositeurs français sont interdits, excepté Gounod, à cause de son opéra *Faust*...
— *Ach! Ja... Faust*, Gœthe! notre grand poète national!

Encore un petit verre de *schnaps*, une gorgée de bière...

— Chez nous la musique n'est plus ce qu'elle était. Notre chorale ne peut plus pratiquer dans la cathédrale, maintenant fermée, on ne sait pas trop pourquoi. Nous avons trouvé asile dans cette église de quartier. Presque tous nos chanteurs sont à la guerre. Nous sommes bien contents de vous avoir avec nous comme soliste et vous aussi, petite Madame.

Un peu de *schnaps*, une gorgée de bière... ça donne du courage.

— Nous ne pouvons plus donner des concerts, la plupart des salles sont fermées et le Führer n'aime que les opéras de Wagner. Alors voilà, nous nous réunissons ici. Nous chantons pour le plaisir les œuvres que nous affectionnons tout particulièrement en attendant les jours meilleurs.

Encore un peu de remontant et il continua:

— Je ne comprends pas comment notre peuple qui, il n'y a pas si longtemps, chantait Mozart, Schubert, Schumann puisse à présent hurler *Horst Wessel Lied*? Pour nous, les témoins de la culture allemande, orgueil de l'Europe, c'est dur, vous savez, de voir toutes les valeurs renversées.

La chope était vide et le *schnaps* avait diminué dans la bouteille. Nous prîmes congé de notre aimable chef de chœur.

— N'oubliez pas... demain soir pour la pratique.

La musique n'ayant pas de patrie, deux soirs par semaine, nous allions répéter avec ces gens charmants. Laurín accepta avec joie de remplacer de temps en temps aux répétitions leur pianiste, âgé et fatigué. L'organiste de l'église lui cédait quelquefois son orgue pour accompagner la messe et l'autorisait à venir pratiquer l'instrument. Laurín était comblé et moi, je partageais son bonheur en tournant les pages et en tirant les registres.

Parfois, nous accompagnant tout doucement à l'orgue, nous chantions la complainte *En la plantación*, vestige d'un passé lointain, *Siboney* ou un autre morceau de l'ancien répertoire des *Lecuona's*. Dans ce lieu de culte, ces mélodies chantées avec tant d'amour n'avaient rien de profane.

Nous cherchions un dérivatif: celui-ci était excellent. Portés sur les ailes de la musique, nous sommes vite retournés sur les sommets des plus hautes montagnes, jetant un voile blanc sur la magique nuit de Boulogne et sur nos extases furtives des derniers mois.

***

Le siège de Léningrad avait commencé en juin 1941. Mon cœur saignait, car j'avais un frère, officier – par force – dans l'Armée rouge. Sa femme et son fils d'une dizaine d'années vivaient dans cette ville. Mon Dieu, qu'allaient-ils devenir?

Le 6 septembre, il y eut une attaque aérienne massive sur la banlieue de Berlin. Nous avions l'impression que c'était tout près de notre quartier, tant les vitres tremblaient.

Des jours et des mois passaient. Les alertes et les bombardements des banlieues berlinoises faisaient partie du quotidien. Berlin cependant semblait pour le moment épargné.

***

En arrivant chez nous dans la soirée, Laurín nous annonça joyeusement:

— Mes amis, j'ai quatre très bonnes places pour aller à l'opéra demain soir, entendre *Lohengrin* de Wagner. Louis et Denis accueillirent la proposition plutôt fraîchement. Laurín et moi connaissions quelques extraits de cet opéra, mais n'avions jamais eu l'occasion d'assister à sa représentation.

Le lendemain soir, ayant gagné nos places, nous nous rendîmes compte que la loge voisine était remplie de SS et que dans la loge centrale se trouvait un personnage en uniforme portant une petite moustache «à la Charlot» et dont une mèche de cheveux noirs barrait le front: horreur! C'était Hitler en personne! Denis et Louis se regardèrent, surpris, et Laurín fit une grimace de dégoût. Mais que faire? Allions-nous manquer un si bel opéra à cause d'une présence indésirable et attirer l'attention en quittant la loge?

Avant le début du spectacle, il nous fallut endurer le cérémonial qui accompagne habituellement la visite d'un lieu public par le Führer.

En quelques mots, l'œuvre, *Lohengrin,* se résume ainsi: «Près d'Anvers, un mystérieux chevalier descend sur la terre dans une nacelle traînée par un cygne blanc pour défendre l'honneur d'une jeune fille noble, Elsa. Le chevalier demande la jeune fille en mariage, à une condition: qu'elle ne cherche jamais à savoir ni son nom ni son origine. Elsa en fait serment, mais insistera tellement que le chevalier révélera son nom: Lohengrin, fils de Parcifal. À la suite d'un complot qui suivit le mariage d'Elsa et de Lohengrin et de certains événements dramatiques, ce dernier doit retourner dans sa forteresse, Montsalvat. C'est la colombe du Graal, descendue du ciel, qui emportera Lohengrin, au désespoir d'Elsa.

Denis, qui n'appréciait pas beaucoup l'opéra, partit à la fin du premier acte; Louis nous quitta après l'acte suivant. Que devions-nous faire tous les deux?

— Ne bougeons pas! Il ne faut surtout pas nous faire remarquer.

***

Laurín avait la clé de notre logement. Il empruntait à sa logeuse des livres en allemand et en français qu'il venait feuilleter chez nous, en notre absence. Quand Hildchen faisait sa lessive, il l'aidait à essorer ses draps et jouait parfois avec ses enfants. À son tour, quand elle cuisait des gâteaux au sucre, elle les partageait avec nous. Même Denis fut conquis par sa gentillesse. Plus d'une fois, Hildchen nous lut en pleurant les lettres de son mari. Paradoxalement, nous éprouvions des sentiments amicaux réciproques alors

235

que Franz se battait contre les Alliés, donc contre nous...

Pour décharger Denis, Laurín faisait quelques courses pour nous. Il épluchait les légumes avant mon arrivée, puis partait à bicyclette, beau temps, mauvais temps, traduire et lire le bulletin des nouvelles. Un jour il m'avoua qu'en allant travailler à la station de radio, il n'était jamais sûr de revenir...

Un soir, en faisant la vaisselle, je le surpris à murmurer.

— Qu'est-ce que tu dis?
— Je prie... Je remercie Dieu, car si je fais la vaisselle, c'est parce que j'ai eu quelque chose à manger. Si je n'avais rien eu à manger, je n'aurais pas de vaisselle à faire.

Et un beau sourire éclaira son visage.

Les temps périlleux

Pendant que l'Amérique, Cuba et d'autres puissances latino-américaines, provoquées par Hitler et ses satellites, se joignaient aux Alliés, l'Italie et le Japon grossissaient les rangs de l'adversaire et l'Espagne envoyait des volontaires pour combattre dans les rangs de la *Werhmacht.*

Hitler, se sentant fortement soutenu, voulait réaliser son rêve le plus cher: ne faire qu'une bouchée de l'U.R.S.S., devenue son ennemie.

Quant à nous, mettant en veilleuse le drame sanglant qui se jouait dans le monde, nous vivions dans la pureté et l'absolu, ayant retrouvé la fraîcheur d'âme du temps de notre adolescence attardée. Dans nos cœurs fleurissaient les roses et le jasmin. Nos yeux étaient remplis de couchers de soleil féeriques, de clairs de lune et d'étoiles filantes. Nos oreilles étaient pleines de musique et de chants...

À Berlin, Denis se montra très différent de celui que j'avais épousé. Autrefois renfermé et casanier, il devint aimable et compatissant avec nos compatriotes, qui appréciaient les services bénévoles d'interprète et de traducteur qu'il leur rendait. Même avec Laurín, qu'il avait toujours ignoré, il était très gentil. On aurait dit que cette ambiance dangereuse le stimulait.

Laurín empruntait des livres d'érudition à sa logeuse et les apportait à Denis, qui brusquement se prit d'une passion pour les doctrines des Chinois, des Hindous, laissant de côté ses chers Égyptiens.

***

En rentrant à la maison plus tôt que prévu, je surpris un jour une conversation entre Laurín et mon mari:

— (...) pas un sabotage, Denis!!! Tu déraisonnes! Ne sais-tu pas que tu es surveillé? Nous sommes tous surveillés...

Mon mari, visiblement déçu, baissait la tête.

— Tu paieras de ta vie le moindre geste hostile. Et ceux de ton entourage seront torturés, abattus. Et le pire, jetés dans des camps d'extermination. Et cette pauvre petite Válly... y as-tu pensé?

Ils me virent soudain:

— Ah! tu étais là, toi? Tu as tout entendu? Essaie de dissuader ton mari de jouer les héros. Laissons les spécialistes commettre sabotages et attentats.

***

La radio locale clamait les succès de la *Wehrmacht* sur tous les fronts. Laurín était bien placé pour savoir qu'il s'agissait de mensonges.

Fidèles à la chorale, nous vivions sur les hauteurs infinies, en compagnie de Mozart, Palestrina, Bach et Vivaldi.

Le travail dangereux que faisaient Laurín et son supérieur, Heinrich, les avait rapprochés. Une franche amitié s'installa entre eux. Ils œuvraient pour la même cause.

Heinrich était un ennemi juré du nazisme. Sa fiancée, après avoir été violée par un SS, se jeta dans la Spree. Le second mari de sa mère, journaliste, avait lancé en public une plaisanterie anodine qui lui avait valu l'emprisonnement. Il mourut sous la torture. Tous ses biens furent confisqués. À la suite de ces événements, Heinrich fut hanté par l'idée de la vengeance et, malgré son dégoût, s'infiltra parmi les partisans du régime nazi.

***

Denis travaillait au bureau d'études. Il voulait savoir quelles pièces seraient usinées d'après les gabarits qu'il dessinait. Son chef, agitant son index devant son nez, lui dit en ricanant:

— Vous êtes bien curieux, mon petit monsieur! La curiosité est un défaut... très dangereux!

Louis, spécialiste en climatisation, rassura mon mari: ces pièces étaient vraiment destinées à un système de chauffage des wagons. Denis clama:

— Les wagons! les wagons! C'est pour le transport des troupes... Quoi qu'on fasse, on travaille pour les boches! Saleté d'usine!

La plupart de mes collègues étaient des banlieusards. Les trains les déposaient à la gare de Silésie, proche de l'usine. Quelques-uns avaient remarqué des wagons à bestiaux sur les voies de garage, gardés par des soldats, les portes coulissantes cadenassées. Derrière les petites fenêtres, à travers les barreaux, on apercevait des visages d'hommes et de femmes faisant des signes de la main. Intrigués, ils se demandaient entre eux ce que cela pouvait bien vouloir dire. Le «Gestapo déguisé en civil» les rassura:

— Ce sont des sinistrés, victimes des bombardements des Alliés; ils ont tout perdu. Le IIIe Reich, si humanitaire, prend soin d'eux. On les dirige vers des villes où ils trouveront un gîte et de l'ouvrage. Ne vous en occupez donc pas... et retournez à votre travail.

Un Autrichien voulut en savoir plus et fit des commentaires. Le surlendemain et les jours suivants, il ne se présenta pas à l'usine. Le chef de service nous annonça qu'il était muté. Un collègue se rendit à son domicile: personne. Il fit le tour de la maison: à travers l'une des fenêtres, il put voir qu'un grand désordre régnait à l'intérieur. Les voisins avaient vu, voici quelques jours, Monsieur, Madame et leurs enfants monter dans une fourgonnette en compagnie de quatre messieurs.

— Nous ne savons rien, rien d'autre... Allez-vous-en!

Au sujet des mystérieux convois, Denis n'en savait pas plus.

J'en parlai à Laurín, qui posa la question à son chef, et voici ce qu'il me rapporta:

— Heinrich devint cramoisi... me poussa brutalement dans mon studio, ferma la porte violemment. Il était bouleversé.
— *Laurínchen*, si tu tiens encore à ta peau, ne répète jamais, jamais ce que tu viens de me dire... et dis à ta petite amie *deine Schnautze**!
— C'est donc si grave?

---

* *Ta gueule!*

— Oui, ma chérie, c'est très grave: ce ne sont pas des réfugiés qu'on transporte.

Et tout d'un coup, l'intrépide Chevalier Laurent montra le visage de la peur.

— Válly, mon amour, ma vie est suspendue à un fil d'araignée!
— Qu'est-ce que tu veux dire?
— Ah! il y a tout un réseau clandestin de transmissions par radio de messages codés pour l'Angleterre... Je suis un des leurs... Heinrich en est la tête. Les informations qu'il reçoit viennent de très haut.

Son visage était méconnaissable. Ayant repris son souffle, il continua:

— Si la tête tombe, nous sommes tous foutus.

Me serrant dans ses bras, me caressant, il poussa entre deux baisers ce cri désespéré:

— Ô Válly, je t'aime passionnément. Je ne veux pas mourir maintenant. Je veux que tu sois à moi, aujourd'hui, tout de suite.

La passion folle nous réunit, baignés dans les larmes de la peur.

***

Brusquement, les Alliés lancèrent une attaque aérienne massive contre Berlin. L'alerte sonnait tous les soirs vers 23 heures.

Les bombardements se limitaient aux quartiers périphériques. Mais peu à peu l'étau se resserrait. Ce soir-là nous partions pour la chorale quand la sirène hurla. Et avant que la dernière note ne s'éteignît, un tir enragé de la DCA s'ajouta au grondement des moteurs des bombardiers.

Déjouant la vigilance de la DCA, se déplaçant à basse altitude dans l'angle mort du tir, des forteresses volantes arrosèrent notre quartier d'une pluie de bombes incendiaires. Alors, des lumières dansantes rouges et bleues, se mêlant aux dernières lueurs du soleil couchant, embrasèrent le ciel de Berlin... Aucun doute n'était possible: c'étaient des bombes au phosphore!

Par manque de pression d'eau, les pompiers n'éteignaient, par priorité, que les édifices d'intérêt public.

Les plus fortes lueurs provenant de l'autre côté du pont, une seule et même pensée nous est venue: «notre» église!

Un peu partout, sur les trottoirs, au beau milieu de la rue, des bombes brûlaient encore, projetant leur liquide bleuâtre enflammé... Me tenant par la main, Laurín se dirigeait vers l'église: qu'étaient devenus nos chanteurs?

À la suite du bombardement, il n'y avait plus d'électricité. À tâtons, nous rejoignîmes la crypte: nos amis étaient réunis là, dans l'obscurité complète, blottis les uns contre les autres. Certains n'étaient pas encore arrivés. En raison des circonstances, les activités de cette chorale furent suspendues, selon la formule consacrée, pour «un temps indéterminé».

Par suite des dégâts, l'usine resta fermée pendant quelques jours. La station de radio avait également subi des dommages. Profitant de cette liberté inattendue, nous sommes allés voir ce qu'était devenu l'immeuble où demeurait un de nos amis français, dans la banlieue bombardée.

De l'édifice de sept étages, construit en ciment armé, il ne restait pas grand-chose: des blocs de ciment pêle-mêle, l'armature métallique tordue, le sous-sol éventré... Il n'y avait aucun survivant. Par chance, nos amis ne se trouvaient pas chez eux au moment de l'attaque.

— Pourquoi faut-il, mon Dieu, que ce soient les innocents civils qui paient pour la soif du pouvoir? s'exclama Laurín.
— Mon cher amour, depuis que le monde est monde, les civils ont toujours payé pour la soif du pouvoir; l'histoire le prouve.

Et Laurín, essayant de rire:

— Ouais... dans un cas pareil, les provisions au sous-sol de ton immeuble, je préfère ne pas y penser.

Il n'y avait pas de soir ou de nuit sans bombardements. Quand Laurín se trouvait là, après avoir aidé Hildchen à descendre ses enfants à l'abri, laissant Denis et Louis l'accompagner, nous remontions dans l'appartement.

— À quoi bon. Quand une bombe s'écrase sur ta maison, il n'y a pas grand espoir! Autant mourir ensemble, pas vrai, mon étoile?

Sous le grondement du tir antiaérien, alors que le ciel était balayé par les faisceaux des projecteurs, un peu partout autour de Berlin, les avions alliés tombaient, tels des torches enflammées. Je frissonnais. Laurín me serrait dans ses bras, aussi fort qu'il le pouvait.

— Regarde, mon amour, en ce moment les gars sont encore vivants, dans quelques instants ils seront morts! Andrés, mon pauvre cher Andrés, c'est ça qu'il a vécu...

Tout en déplorant les centaines de victimes civiles, parmi lesquelles il y avait des travailleurs étrangers et des prisonniers de guerre, chacun de nous avait un sentiment de victoire: «Ce sont les

Alliés qui se battent pour nous délivrer du joug ennemi.»

C'est en plein jour que les *B-17*, ces forteresses volantes américaines, attaquaient Berlin.

Puisqu'il n'y avait plus de chorale, nous n'avions plus de dérivatif. Le danger attise le désir... Les sommets des plus hautes montagnes disparaissaient dans la fumée des incendies. Où cacher notre amour? Chez moi? Par respect pour mon mari, nous y renonçâmes. Heinrich nous confia les clés de son logis. Nous y allions deux soirs par semaine. Denis ne soupçonnait rien, puisque c'étaient «les soirs de la chorale».

Depuis quelque temps, Heinrich, craignant de nuire à Telma, son amie de cœur, n'allait plus chez elle, mais l'emmenait dans son appartement. Ne tenant pas compte de notre présence dans la chambre qui n'avait pas de loquet, ils marchaient, parlaient et riaient dans le couloir. Cela devenait intenable et nous faisait perdre tous nos moyens. Laurín soupirait:

— Ah! *Florecíta*, sommes-nous des amants maudits, condamnés à errer d'un lit à un autre? L'amour a tellement besoin d'intimité...

Un soir, par mégarde, Telma faillit ouvrir la porte de la chambre. Heinrich l'en empêcha de justesse.

Laurín soupira:

— Ah, ma chérie, c'est fini pour ce soir... et pour les autres soirs.

Le lendemain, Laurín, avec son sourire paisible, sans dire un mot, tendit à Heinrich une bouteille de *schnaps* achetée au marché noir et lui rendit les clés. Heinrich, ému, le serra entre ses grosses pattes:

— Mon vieux frère, j'aurais voulu faire bien plus pour toi.

Désormais, notre amour devrait chercher refuge sur les hauteurs infinies. Les deux moitiés de l'Orange s'accrochaient l'une à l'autre. Qui oserait les séparer?

***

À cette même époque, une vague d'antisémitisme submergea Berlin. Ce jour-là, Laurín arriva chez nous complètement bouleversé:

— Princesse, c'est incroyable! Les gitans, ou bohémiens, je ne sais pas au juste, des petits artisans tranquilles qui vivent en communauté tout près d'ici, voilà qu'ils ont une étoile jaune dans le dos. Pourtant, ils ne sont pas Juifs que je sache...
— Mais ils ne sont pas de «bons Aryens».

Le physique de Laurín tranchait sur cet océan de bons Aryens. Plus que jamais il attirait l'attention. Il essayait par tous les moyens de passer inaperçu: casquette, lunettes noires... peine perdue.

Quelques jours plus tard, à la station de radio, son «Gestapo en civil» lui demanda s'il était aryen. Il lui répondit par une question:

— Les Amérindiens sont-ils aryens?

Le Gestapo n'a rien compris: il pensait que Laurín était français. Mais il promit de se renseigner, et l'affaire s'arrêta là.

La peur saisit Laurín de nouveau.

— Puisqu'il faut mourir un jour, ça m'est bien égal d'être tué pendant un bombardement, dans un accident d'auto ou d'être fusillé, mais crever dans un camp de concentration, ça non, jamais! Mais toi, mon unique amour, qu'es-tu venue faire dans ce guêpier? Il faut partir d'ici, ma Válly, et le plus vite possible: nous sommes tous les deux en danger.

— Mais en quoi ça me concerne?

— En rien du tout, mais on nous voit trop souvent ensemble.

***

L'Armée rouge, dont le courage surprenait

même les Allemands, se battait, reprenant une à une les villes conquises par l'ennemi. Le siège de Léningrad durait toujours et mon cœur saignait pour mes proches restés là-bas.

Au début de septembre, nous apprîmes que les usines Renault à Billancourt avaient subi un violent bombardement par les avions alliés, faisant une centaine de morts. Or, ma marraine et ma belle-mère habitaient toujours Boulogne. Sans nouvelles, j'étais rongée par l'inquiétude.

Ma santé chancelait, je commençais à craquer, chaque bruit me faisait sursauter. La nuit, je faisais des cauchemars. Mais où donc était passée l'aviatrice téméraire et la courageuse brigadière de la Défense passive? J'étais là, sanglotant sur mon lit, un papier avec en-tête d'un hôpital berlinois – une analyse sanguine – à côté de moi.

Laurín prit le certificat et après l'avoir lu, en fit le résumé:

— Taux des minéraux inférieur à la normale, numération globulaire, diagnostic: très forte anémie.
— Je me fiche pas mal de l'anémie! Ce que j'espérais, c'était mon rapatriement. Tu sais ce qu'a dit le docteur? «L'anémie n'est pas une maladie, 94% de la population civile, les femmes surtout, souffrent d'anémie. S'il fallait dispenser de travail tous ces gens-là, l'Allemagne perdrait la guerre!»

— Regarde, Denis, dans quel état se trouve la pauvre petite. Ça ne peut plus durer. Il faut qu'elle parte d'ici. Agis, c'est ta femme, non?

Denis, hébété, dépassé par ce qu'il venait d'apprendre, promit de faire quelque chose. Or, pour être libéré du travail, il fallait faire certaines démarches souvent très longues.

Sans attendre que mon mari agisse, je me souvins de la promesse du chef du personnel. Je lui demandai conseil. Vu que les murs ont des oreilles, il me fixa un rendez-vous dans le jardinet, derrière l'église. Assis sur un banc, il m'attendait, une demi-bouteille de bière à côté de lui, sur ses genoux une boîte en carton pleine de sandwiches au succédané de pâté de foie.

— En voulez-vous?
— Non merci. Je viens d'avaler une soupe au rutabaga et un dessert au goût de matière plastique, je les digère encore.

À mi-voix, il me donna le conseil suivant:

— Pour obtenir rapidement votre rapatriement, il faut un certificat médical *officiel*: «Madame X, cardiaque, dont l'état de santé ne justifie pas son maintien permanent à l'hôpital, a besoin de la présence de sa fille unique, Madame Y – née X – pour prendre soin d'elle.» Un certificat officiel, ne l'oubliez pas.

Aussitôt dit, aussitôt fait. Les lettres étant lues par la censure et parfois les voyageurs fouillés, je demandai à un Parisien se rendant en permission d'apprendre par cœur mon message et de le répéter à ma mère. Trois semaines plus tard, je recevais de son médecin le précieux certificat officiel.

*

Grâce au certificat médical de ma mère, je fus libérée de mon travail sans difficultés.

Denis, Louis et Laurín avaient droit à une permission.

Laurín, inquiet, demanda à mon mari:

— Et toi, Denis, qu'est-ce que tu comptes faire?
— En restant ici, je pourrai continuer à dépanner les francophones. Il faut s'attendre au pire et se serrer les coudes. De toutes façons, à Paris je ne trouverai pas de travail.

Brusquement, les événements se précipitèrent... Heinrich donna l'ordre à Laurín de quitter Berlin immédiatement. Le pot aux roses allait être découvert. Il signa sa permission et lui délivra un laissez-passer pour le train de Paris.

L'usine mit à la disposition de quelques permissionnaires une fourgonnette que Denis conduirait. J'avais comme bagage une valise et la machine à coudre portative.

Le train devait partir d'une banlieue éloignée à 5 heures du matin. Le rendez-vous était fixé chez nous à 2 heures. À 2 h 10, pas de Laurín, à 2 h 15, personne...

Louis commença à s'énerver:

— Mais qu'est-ce qu'il fabrique, cet imbécile? Il va nous faire rater le train!

Hildchen ne dormait pas: elle pleurait en nous voyant partir tous les deux. Pendant les 30 mois de mon séjour à Berlin, son mari n'était pas venu une seule fois en permission. Sachant que Denis restait, elle se sentait un peu plus rassurée.

Enfin, à 2 h 20, Laurín arriva. Son bronzage naturel arrivait à peine à masquer la pâleur de ses traits. Il avait des cernes sous les yeux.

— Fichons le camp d'ici et en vitesse! On est venu chercher Heinrich chez lui... Je viens de l'apprendre.

L'ultime voyage dans la fourgonnette commença dans les rues sombres de Berlin. Le convoi, sur une voie de garage, toutes lumières éteintes, était prêt à partir.

Pour la première fois depuis presque neuf ans de mariage, j'ai vu Denis sérieusement ébranlé devant notre départ précipité.

***

Au petit jour, alors que notre train roulait lentement en direction de l'ouest, nous avons croisé un convoi composé d'une voiture de première classe, remplie de militaires, et de wagons à bestiaux. Nous avons eu le temps de remarquer qu'à travers les barreaux des fenêtres d'aération, des visages d'hommes et de femmes apparaissaient... Laurín mit sa main devant mes yeux: «Ne regarde pas!»

Le voyage fut long et fatigant. Partis de Berlin à 5 heures du matin, nous n'arrivâmes à Paris qu'après minuit. À cause du couvre-feu, nous devions passer tous les trois la nuit dans la gare, assis sur des bancs durs, essayant de dormir. Mais nous étions à Paris! Laurín m'ayant entourée tendrement de son bras, Louis, qui avait deviné depuis longtemps notre idylle, par un léger signe de tête, me fit comprendre qu'il serait discret... Laurín, dans son sommeil, me serrait très fort dans ses bras, comme pour s'assurer que j'étais toujours là. De temps en temps, il se réveillait en sursaut et jetait un coup d'œil inquiet à la porte de la salle d'attente.

Louis décida de ne pas retourner à Berlin et

de se faire libérer du travail en employant tous les moyens.

Laurín me promit de passer me voir chez ma mère dans l'après-midi. Je n'avais pas eu le temps de la prévenir de mon arrivée. Elle ne serait de retour que vers 18 heures, mais j'avais les clés de son logement.

En arrivant, Laurín avait l'air inquiet. Il m'annonça une nouvelle qui me bouleversa:

— Mon trésor d'amour, la nuit dernière, il y a eu un violent bombardement, une partie du centre de Berlin a été détruite...
— Mon Dieu! Denis... Hildchen!
— Non... ça s'est arrêté à *Alexanderplatz*... la station de radio endommagée.
— Heinrich?
— Heinrich... n'est plus.
— Quoi?
— De grâce! ne me pose pas de questions. En ce moment, à Berlin, il se passe des choses très graves. Est-ce que je peux brûler dans le poêle quelques documents... hum... embarrassants?

Les flammes dévoraient les papiers, jetant sur le visage de Laurín des reflets dansants. Il tournait vivement les cendres avec le tisonnier. Tenant une feuille qui ressemblait à une grille, il chuchota:

— Tu vois, ce papier, s'«ils» le trouvaient sur moi, je serais abattu n'importe où, dans la rue, dans le métro.

— Mais qu'as-tu donc fait de si répréhensible?

Il ouvrit la porte et s'assura qu'il n'y avait personne dans le couloir et, à mi-voix:

— J'ai versé tout mon venin de Scorpion dans la coupe de vin d'Adolf... Les gens que j'ai rencontrés en Californie – tu te souviens? – m'ont chargé d'une mission que j'ai accomplie. C'était le seul moyen de te revoir, ne fût-ce que quelques instants, en passant par Paris, entre deux trains.

La chambre de ma mère ressemblait à une cellule de nonne. Nous regardions son lit.

— Une dernière fois... veux-tu? Elle n'en saura rien.

— Même si elle l'apprenait, elle ne nous blâmerait pas.

Le sobre décor n'inspirait pas une folle passion. L'amour ayant plusieurs facettes, c'est une infinie tendresse qui nous unit, certains que rien au monde ne pourrait prévaloir contre le Grand Amour.

— Il va falloir nous quitter, mon âme. Je dois partir ce soir, mais je ne te dirai pas par quelle gare, au cas où on t'interrogerait. J'ai comme idée qu'en ce moment, la Gestapo s'intéresse un peu trop à moi, tu comprends?

— Ciel! que de mystères! Dis-moi au moins où tu comptes aller.

— Je passerai dans la zone libre. Après, je n'en sais rien. À la grâce de Dieu. Mais, mon premier amour, mon unique amour, attends-moi, je reviendrai... contre vents et marées.

Et avec son doux sourire:

— Tu vois, je fais des vers à présent!

De son annulaire gauche il retira sa bague, toute simple, en or blanc, ornée d'un saphir carré, et la passa à mon doigt. Elle était trop grande pour moi.

— Je n'ai rien d'autre à t'offrir que cet humble bijou. Accepte-le en gage de mon amour. Mais le temps presse, je dois partir maintenant.

Dans une dernière étreinte, au bord des larmes, nous échangeâmes un baiser ardent. Laurín partit une fois de plus. Par la fenêtre entrouverte, dans la demi-obscurité, je le vis s'éloigner, puis tourner le coin de la rue.

Le brouillard commençait à envelopper la ville dans son épais manteau gris.

***

À peine Laurín parti, ma mère arriva. J'étais couchée, arrosant son oreiller de mes larmes.

— Ah! Dieu merci! Te voilà enfin, ma petite chérie! Je t'attendais chaque jour. Il paraît que la nuit dernière à Berlin... Pourquoi Denis n'est-il pas avec toi?

— Il est resté à Berlin. J'espère qu'il est sain et sauf.

— Et ton beau Laurín?

— Il est revenu avec moi, mais il est parti il y a une demi-heure... Ô, maman, maman, je suis si malheureuse!

Ma mère avait tout deviné.

Elle me cajolait comme quand j'étais petite. Du garde-manger, elle sortit de quoi faire un modeste repas.

— Maman, dès demain je vais me chercher un pied-à-terre et du travail.

— Ce ne sera pas facile, nous sommes en pleine crise de logement. Tu peux rester ici, c'est assez grand pour deux. Pour le travail, on verra plus tard. Il faut d'abord que tu te reposes, tu as l'air épuisé et quelle pâleur!

***

Grâce à maman, je trouvai un petit deux-pièces meublé, tout près de chez elle. Je fus engagée comme mannequin dans une grande maison de couture. Vêtue des somptueuses toilettes de chaque nouvelle collection, je paradais aux défilés de mode devant des Parisiennes élégantes. En dehors de ces moments gratifiants, il y avait les essayages dans l'atelier, debout durant de longues heures, pendant que le modéliste étudiait sur moi le tombé des drapés ou l'effet des tissus chatoyants. Parfois, il plantait par mégarde des épingles dans ma chair.

Ma mère, voyant que je n'étais pas complètement remise de l'anémie, insistait pour que je quitte cet emploi.

— Mais qu'est-ce que je vais devenir? Je ne veux pas travailler dans un bureau.
— Vraiment, ma petite fille, ce n'était pas la peine d'avoir appris la couture au début de ton mariage! Tu faisais des robes ravissantes. Pourquoi ne pas habiller les autres en restant chez toi?
— Tout ça, maman, c'est du passé. Je n'ai plus le courage.

Maman ne lâchait pas. Elle plaça dans la vitrine d'un commerçant une annonce qui m'amena ma première cliente et, petit à petit, je me suis fait une clientèle: les femmes achetaient du tissu au marché noir et je leur confectionnais des vêtements à la dernière mode.

On voyait peu d'uniformes allemands dans les

rues. Il nous arrivait parfois d'oublier que c'était encore l'occupation. Paris était devenue «ville ouverte» et je me disais: «Enfin, pas d'alertes, je vais dormir tranquille.» Illusion, illusion!

Je me procurai une petite radio d'occasion. Capter des émetteurs anglais en français était prohibé et réprimé sévèrement. Néanmoins, tous écoutaient ces nouvelles plus optimistes que celles diffusées par les postes français sous contrôle de l'occupant. Ces émissions étaient brouillées par la «friture». Des messages codés à l'attention de la résistance étaient régulièrement transmis, quelquefois dans un langage humoristique, par exemple «Il est assis dans son fauteuil et il ne s'en fait pas», ou encore «Tonton dit bonjour à Tata».

Un après-midi, un message répété plusieurs fois durant l'émission attira tout particulièrement mon attention: «La chapelle au clair de lune» – titre d'une chanson à la mode. Or, au nord de Paris se trouve la Porte de la Chapelle, donnant accès à plusieurs villes industrielles de banlieue, dont Aubervilliers, spécialisée dans la chimie et la métallurgie.

Ce soir-là, il y avait un beau clair de lune. Et voilà que vers minuit une alerte fut sonnée, suivie de peu par de violentes explosions au loin. Aucun doute n'était possible: c'était un bombardement monstre ayant comme cibles le nord de Paris, la

Porte de la Chapelle et... Aubervilliers probablement. Cela dura longtemps. Le ciel tout entier fut embrasé. C'était comme à Berlin!

Bilan: des dizaines et des dizaines de morts, des femmes et des enfants ensevelis sous les décombres, des centaines de blessés, des milliers de sans-abri... Ce fut horrible.

***

Enfin, le printemps fit place au long hiver froid. Les marronniers des boulevards de Paris achevaient de fleurir. Le mois de juin venait de commencer, amenant avec lui de bonnes nouvelles. Le 4 juin, les Alliés avaient libéré Rome. Mussolini avait été fusillé.

Ce matin du 6 juin 1944, le ciel était particulièrement bleu, le soleil chaud. Dans la gouttière du toit d'en face, bouchée et remplie d'eau de la dernière pluie, des merles se baignaient...

En allant faire mes courses, je remarquai une agitation dans les rues. Les gens souriaient en se parlant à l'oreille. Je m'informai auprès de la boulangère:

— Comment, vous n'êtes pas au courant? Les Alliés ont débarqué ce matin sur une plage près de Dieppe! Cette fois-ci, c'est pour de bon!

Ah! l'heureuse nouvelle! Que j'aurais voulu être avec Laurín pour vivre cette journée inoubliable!

Où es-tu en ce moment, mon amour éternel? Qui es-tu, Aráldo ou Laurín? Adolescent attardé au cœur tendre ou amant passionné? Oui, qui es-tu? Je me promets de découvrir un jour le secret de ta dualité.

Ces questions m'assaillaient plusieurs fois par jour ou en pleine nuit, quand le sommeil me fuyait.

***

Les événements se précipitaient. Les Allemands étaient battus sur tous les fronts. Les Alliés se trouvaient aux portes de Paris. Des barricades étaient dressées un peu partout dans les rues.

Au matin du 24 août, une nouvelle s'est répandue comme une traînée de poudre: les soldats allemands quittaient précipitamment Paris en déchargeant au hasard leurs mitraillettes sur tout ce qui bougeait. À la fin de l'après-midi, il n'en restait plus un seul dans la capitale.

Après la tombée de la nuit dans les rues, les gens silencieux, sur le pas de leurs portes, attendaient... Et puis, à 20 h 45, tout d'un coup, résonna un «bommm... bommm» grave et lointain:

le bourdon de Notre-Dame de Paris nous annonçait que la capitale était libérée. On pleurait de joie, on s'embrassait.

Vivrais-je cent ans, je n'oublierai jamais ce soir du 24 août 1944!

*

Le lendemain matin, l'armée du général Leclerc entrait à Paris par la Porte d'Orléans, suivie par les unités alliées, dont des Canadiens.

Pour nous, les Parisiens, les Canadiens étaient des Indiens à plumes ou des grands garçons blonds parlant anglais... Or, ils étaient différents: des gars aux cheveux plutôt bruns, de taille généralement moyenne, parlant un français qui ne nous était pas très familier... C'étaient probablement des aumôniers qui transportaient des objets du culte catholique, tels que calices, ciboires, hosties, tabernacles... Ils devaient être des gens très pieux puisqu'ils invoquaient fréquemment la Viâârge (sic) et le Christ en omettant la dernière lettre...

Pour un régiment de curés, ils étaient trop nombreux et... trop familiers. Sous l'œil indulgent de leurs gradés, ils interpellaient les jeunes filles et les faisaient monter dans leurs camions:

— Hé! toué, la blonde, viens-t'en, viens icitte...

Veux-tu des cigarettes, des bas nylon, du chôcolât, du café en poudde?

C'étaient bien des Canadiens... mais du Québec... et pas des curés!

«Les filles» les trouvaient bien sympathiques et dans l'allégresse générale, on fraternisait et fraternisait... Si bien qu'aux mois de mai et de juin 1945, les maternités de Paris et de la banlieue connurent des heures d'encombrement... Après la guerre, la France n'avait-elle pas besoin d'être repeuplée?

*

La guerre n'était pas encore finie, mais à Paris comme en banlieue, la vie se réorganisait lentement. Des festivités diverses, des bals populaires étaient donnés un peu partout. Le décès en avril 1945 du président Roosevelt passa presque inaperçu.

Il y eut aussi des règlements de comptes et l'assouvissement de vengeances personnelles. On tondait les têtes des femmes qui avaient fréquenté des Allemands et on les faisait défiler dans les artères principales, escortées par les FFI.

Puis un matin, sans avertissement, mon mari arriva après maintes tribulations. La maison où nous habitions à Berlin avait été détruite par un incendie.

Parti avec quelques camarades français, en camionnette, en train, à pied, il réussit à gagner Paris. Il était épuisé, mal vêtu, pas rasé, mais heureux de retrouver enfin sa femme et un foyer.

— Ta mère m'a donné l'adresse. En arrivant devant l'immeuble, j'ai levé les yeux et j'ai aperçu une fenêtre garnie de géraniums. Je me suis dit: ce doit être «notre» appartement...

Un sentiment de pitié s'empara de moi: je me souvins de l'émotion sur son visage au moment où j'allais quitter Berlin, en novembre 1943.

Aucune nouvelle de Laurín, mais mon amour n'avait pas changé et les deux moitiés de l'Orange étaient toujours solidement soudées. Était-il seulement en vie?

Cette guerre avait usé mon énergie et mes nerfs. Notre vie conjugale, après toutes ces années d'épreuves, était-elle appelée à connaître un nouveau départ?

Mon logement n'était pas très confortable, mais il ne fallait pas songer à trouver mieux, car la crise du logement sévissait toujours. Denis entreprit quelques recherches, mais sans résultat. Un soir, rentré fatigué après toutes ces démarches, il explosa de colère:

— Sais-tu que le seul moyen de se procurer un

appartement convenable, c'est d'adhérer au Parti communiste? Tu te rends compte? C'est le comble: après m'avoir expédié chez les boches pour travailler, au risque de passer pour un collabo et d'en subir les conséquences, moi et ma famille, maintenant ils voudraient que je me range du côté des communards! Tout, mais pas ça!

Denis prouva sans difficulté sa non-appartenance aux «collabos». Des camarades qui l'avaient connu à Berlin témoignèrent en sa faveur.

Il eut la chance de trouver rapidement un emploi dans un bureau, comme dessinateur. La vie reprit son cours... loin de Laurín, loin de mes rêves d'amour.

***

Le 8 mai 1945, Berlin capitulait. J'étais dans une clinique privée, après l'ablation des amygdales, à trente ans! Et toute la nuit, dans le Jardin des plantes voisin, un accordéon jouait des airs entraînants.

J'étais enceinte et je ne le savais pas encore. Bientôt l'heureuse nouvelle fut confirmée. Malgré toutes les privations endurées au lendemain de la guerre, je n'aurais donné ma place à personne...

Les temps nouveaux

Quel bonheur de commencer à préparer la layette en attendant la venue du bébé!

En ce temps d'après-guerre, la plupart des textiles manquaient, tels la laine à tricoter, les tissus fins pour confectionner des brassières, de la toile spéciale pour les couches. Tout était rationné et délivré contre les cartes de textiles. Il fallait avoir du génie pour réutiliser des vêtements en bon état et les transformer en petits paletots qui garderaient le bébé au chaud.

Par un beau jour ensoleillé, je rendis visite au bon samaritain des *Boys*, le fidèle Francisco.

Quelle différence avec ce que j'avais connu chez lui tout au début de la guerre: pas un seul émigré espagnol, l'appartement bien rangé! Dans la huche, de la belle vaisselle de Sèvres, des plats en argent. Dans les vitrines, des statuettes en porcelaine de Saxe. Sur les murs, des tableaux, des toiles de maîtres dans des cadres dorés. Trésors exhumés de quelque lieu secret où ils étaient gardés, pendant le temps de l'hébergement des «chiens perdus sans collier».

Une dame d'une trentaine d'années, Consuélo, que Francisco me présenta comme sa gouvernante, veillait à son bien-être. Elle avait un petit garçon d'environ six ans, Raoul.

Par Francisco, j'appris une triste nouvelle concernant Raphaël: un éclat d'obus l'avait blessé tout près du coude droit, le privant ainsi presque totalement de l'usage de son bras. C'en était fait du violon et de la guitare. Avec philosophie, Rafi déclarait à qui voulait l'entendre: «Il est préférable de perdre un bras que de perdre la vie.» Il s'était marié et avait ouvert un magasin de musique quelque part dans le midi de la France.

Ayant pris sa retraite anticipée, Francisco, pour occuper ses loisirs, faisait de l'astrologie scientifique.

Ma visite n'était pas désintéressée: j'avais l'intention d'établir le thème astrologique, ou horoscope, de Laurín pour essayer de comprendre cette dualité qui m'intriguait.

Francisco était heureux de m'apprendre à dresser une carte du ciel, à calculer les positions des planètes, à les placer dans le ciel de naissance, à chercher les aspects et ensuite à interpréter le tout.

Après examen attentif de la carte du ciel de Laurín, Francisco resta pensif. Il reconnut en lui l'un des *chicos*.

— Ce garçon a une carte du ciel très intéressante: sa première maison, très étendue, indique la possibilité d'une longévité au-dessus de la moyenne. C'est une forte personnalité, il a beaucoup de qualités que nous lui connaissons déjà. En outre, sa carte du ciel révèle une double polarité: moitié Scorpion, moitié Verseau*. Ce garçon doit faire face parfois à des affrontements intérieurs intenses.

— Énormes... Qu'est-ce que je peux faire pour lui?

— Le laisser parler, se confier... Je vais te prêter le matériel nécessaire pour faire une étude plus approfondie. Au fait, as-tu dressé ton propre thème pour comparer?

— Non, mais je vais m'en occuper.

Aussitôt dit, aussitôt fait.

Après avoir comparé les deux cartes du ciel, je n'osais pas croire à ce que je venais de voir.

---

* *Soleil en Scorpion. Le début de la première maison, ou Ascendant, signe qui montait au moment de la naissance de Laurín, en Verseau.*

Tels qu'ils sont placés dans son ciel de naissance et dans le mien, le soleil et la lune sont l'indice d'un accord parfait. L'explication des deux moitiés de l'Orange!

Je voulais à tout prix me faire confirmer ce que je venais de découvrir. Sans perdre de temps je me rendis chez Francisco. Après un bref examen des deux cartes du ciel, il émit un long sifflement:

— Çà alors... vous êtes faits sur mesure! J'ai rarement vu quelque chose de pareil! Mais que d'oppositions! Où est Laurín en ce moment?

— Je l'ignore. Il s'est évanoui dans le brouillard, un soir de novembre 1943... et depuis, pas de nouvelles.

***

Pour nous, à Paris, c'était le temps de paix alors que quelque part en Extrême-Orient, on se battait encore. Le 6 août 1945, la bombe «A» explosa à Hiroshima, causant un désastre sans précédent.

Le bébé commençait à se manifester par des petits coups, de plus en plus précis et répétés. Je lui inculquais sans cesse par la pensée toutes les qualités morales de Laurín, son goût de la musique et de la poésie.

Enfin le grand jour arriva: je mis au monde

une adorable petite fille, Sophie. Denis voulait un garçon et mit plusieurs semaines à digérer sa déception. Lorsqu'il me le faisait trop sentir, il m'arrivait d'imaginer Laurín prenant tendrement ma petite merveille dans ses bras.

***

Quatre mois après la naissance de Sophie, se produisit un événement inattendu: ma mère reçut une enveloppe à son nom, avec comme adresse de retour: *Lori A., Poste restante N° XXX – Lausanne – Suisse.* Je reconnus l'écriture; de toute évidence, c'était pour moi.

Les mains tremblantes, les yeux pleins de larmes de joie, j'ouvris l'enveloppe et lus:

Salut, c'est moi. Par la grâce de Dieu, je vais bien. Comment se porte l'Orange? Ainsi que je t'avais promis, contre vents et marées, je reviendrai dès que possible. Attends-moi.

Ton fidèle A.L.R.

P.S.: Écris une seule fois à l'adresse ci-dessous:

« Lori A. – Poste restante N° XXX – Lausanne – Suisse.»

Laurín était vivant! Il allait revenir! J'avais tellement prié pour lui!

Je répondis très discrètement, pressentant qu'il y avait un mystère:

Heureuse d'avoir enfin de tes nouvelles. Je suis maman d'une ravissante petite fille de quatre mois, Sophie. L'Orange tient toujours bon. Je t'attends. Amapóla.

Un mois plus tard me parvenait un colis de la Croix-Rouge suisse contenant une layette pour un bébé de six à douze mois.

Et, en Pénélope moderne, j'ai commencé à attendre le retour d'Ulysse, détricotant des vêtements de laine encore réutilisables pour en faire des chaussons et des paletots pour un bébé qui grandissait vite.

***

Denis, réconcilié avec l'idée d'avoir une fille, prenait au sérieux son rôle de père. Parfois il donnait le bain au bébé et lui faisait boire ses biberons.

Me sentant en sécurité, je commençais à revoir ces trente mois vécus à Berlin, comme un véritable cauchemar. Quel diable m'avait poussée à suivre mon mari? Peut-être aurais-je dû quitter Boulogne, aller vivre ailleurs? Mais où? C'était la crise du logement. Aurais-je trouvé un emploi? Seules les entreprises travaillant pour les Alle-

mands pouvaient en offrir. Où était la différence?
À Berlin, l'amour de Laurín m'aidait à supporter
la tension, la méfiance et la peur.

Pourtant cette ville avait ses attraits: des ave-
nues bordées d'immeubles cossus, des palais et
des églises, des parcs verdoyants, un zoo célèbre,
des musées fameux, fermés... Malheureusement,
ces trésors mal entretenus m'inspiraient plus de
pitié que d'admiration.

*

Je n'avais jamais éprouvé de l'animosité envers le peuple allemand. Les gens avec lesquels
j'ai partagé les angoisses et les privations étaient
différents des bourreaux nazis. Je voudrais pouvoir oublier les sirènes, les bombes, les étoiles
jaunes au dos des braves gens, les wagons à bestiaux avec leurs cargaisons humaines...

Jamais je ne suis retournée à Berlin et je n'y
retournerai jamais... Non, jamais!

***

Les pleurs de ma petite Sophie me ramenaient
à la réalité. La vision de Berlin s'estompait dans la
brume...

Des semaines et des mois se succédaient. Toujours pas d'autres nouvelles de Laurín... Il avait

promis de revenir. Sa parole donnée était une garantie.

À la fin de l'été 1947, ma mère, la seule personne à qui je pouvais parler de Laurín, répondant à l'invitation de l'un de mes frères, retourna en Russie. Il fallait vraiment qu'elle souffrît du mal du pays pour vouloir, à son âge, goûter au régime stalinien. Je reçus beaucoup de lettres les premiers mois. Peu à peu, la correspondance s'espaça et ce fut le silence. Je vécus cette séparation comme un deuil et ne revis jamais maman.

À la même époque, nous nous sommes rapprochés de mon frère qui possédait une petite maison de campagne dans la riante vallée de Chevreuse, à environ 30 kilomètres au sud de Paris. Ce site touristique propice aux longues randonnées est entouré de forêts et dominé par les ruines d'un château du XIe siècle. Un beau terrain d'angle était à louer à Saint-Rémy-les-Chevreuse et le propriétaire laissait entendre qu'il serait un jour disposé à le vendre.

Chaque fin de semaine, nous allions défricher, planter, aménager notre lopin de terre et Denis transforma un cabanon de jardinier en une petite chambre pour Sophie. Le jardinage occupait presque toutes mes pensées.

*

274

Entre-temps, à Paris, nous avions déménagé dans un appartement plus spacieux. En allant un jour au marché, je me suis trouvée nez à nez avec la concierge de mon ancien logement:

— Ah! tiens, justement, il y a quelques jours, une lettre de Suisse est arrivée pour votre mère. On a pensé vous la porter, mais on n'a pas eu le temps...

C'est faux de dire que seuls les oiseaux et les avions ont des ailes... À peine le dernier mot prononcé, je volais déjà vers mon ancienne demeure. J'examinai soigneusement cette lettre: sur l'enveloppe, une écriture bien connue, mais pas d'adresse de retour. À l'intérieur, il y avait une jolie carte postale en couleurs: le mont Blanc. Les yeux brouillés par les larmes de bonheur, je lus:

Salut, c'est encore moi! L'autre moitié de l'Orange se porte toujours très bien et les sommets des plus hautes montagnes nous attendent.

Je reviendrai bientôt.

Toujours ton fidèle A.L.R.

C'était en avril 1949.

***

En cherchant à la radio un poste musical, je suis tombée par hasard sur une entrevue avec un pianiste qui s'exprimait avec un accent espagnol dont la voix m'était familière. Je n'en croyais pas mes oreilles: c'était Armándo! Armándo à Paris! Presque dix ans après notre séparation!

J'eus toutes les peines du monde à le rejoindre. Puis il y eut un appel téléphonique. Armándo était au bout du fil. Par chance, il était libre ce soir-là. Il m'invita dans un grand café, boulevard du Montparnasse. Il avait beaucoup changé. Je ne lui connaissais pas cet air fatigué et ce regard triste: la mort d'Isabél et de Cárlos l'avait brisé.

J'espérais le voir seul, mais il était accompagné d'une femme. Bien connue dans les milieux artistiques parisiens, elle était tour à tour chanteuse, modèle de peintres ou satellite éphémère des hommes en vue du moment. Elle me connaissait, mais n'a pas daigné répondre à ma salutation. Assise en face de moi, elle m'observait, pareille à un cobra se balançant, prêt à attaquer.

Armándo était au comble de l'émotion en me serrant dans ses bras:

— *Muñequita*, tu sais que je t'aimais beaucoup et que je t'aime encore très fort aujourd'hui.
— Moi aussi, mon ami, mon frère, je t'aime aussi fort qu'avant.

Le reptile était prêt à s'élancer pour mordre... Armándo, sentant venir le danger, contre-attaqua:

— Et ton beau Laurín, es-tu toujours aussi amoureuse de lui? Tu m'as dit au téléphone qu'il t'avait écrit et que tu as une petite fille de trois ans.

— Ah! Laurín de mes amours... Oui, malgré l'absence, je l'aime toujours aussi follement. Mais ma petite fille, ce n'est pas ce que tu penses: elle est de mon mari.

Le cobra rassuré, apaisé, s'est lové sur son siège et m'a adressé un sourire fort aimable.

Je tendis la lettre de Laurín et sa carte à Armándo.

— Tiens, il a abrégé son prénom et a pris le nom de jeune fille de sa mère. Toujours aussi énigmatique, ce garçon! Il est en vie et c'est le principal.

Bien que la lettre datât de mai 1946, il nota quand même son adresse, au cas où...

En quelques mots, je lui ai raconté les mois de tribulations vécus à Berlin avec Laurín, son départ précipité et sa disparition depuis la fin novembre 1943.

Armándo ne devait passer que quelques jours à Paris: une tournée éclair en Europe avec un petit orchestre, une pâle copie des *Lecuona's*...

Il me donna quelques nouvelles des anciens membres des *Lecuona's Cuban Boys*. Il me montra une photo récente de María devenue une belle jeune fille de dix-neuf ans. Elle n'a pas oublié Lori, «son premier amour», ni «Tantine Válly» qui lui faisait de si beaux cadeaux... Très douée pour le piano, fiancée à un professeur de violon au Conservatoire de musique de La Havane, elle ne veut surtout pas entendre parler de carrière musicale.

Nous nous sommes quittés en nous promettant de garder le contact. Je ne l'ai pourtant jamais revu.

Les temps cléments

Un soir d'octobre, il devait être 20 heures, je m'apprêtais à coucher ma petite fille quand on a sonné à la porte. Nous n'attendions personne, aussi, sans me presser, suis-je allée ouvrir. Je crus avoir une vision: un bel homme appuyé au chambranle de la porte d'entrée me regardait en souriait doucement:

— Salut, c'est moi...
— Laurín! Ne reste pas dehors, entre! D'où viens-tu?
— De Suisse...

Il me serra dans ses bras comme avant. Il me tenait encore contre lui quand Sophie, attirée par les exclamations, apparut en pyjama dans le couloir. À sa vue, il eut un regard interrogateur.

— C'est ma petite Sophie dont je t'ai parlé dans ma brève réponse à ton message.

— Ah! oui, c'est vrai. Dans la joie de te revoir, j'ai tout oublié! Elle est magnifique: une vraie poupée.

Laurín la souleva et lui donna un gros baiser. Sophie passa spontanément ses petits bras autour de son cou et l'embrassa. Mon mari se montra à son tour et à la vue de cette scène, il eut un regard que je n'oublierai pas de sitôt.

— Denis, le reconnais-tu? C'est Laurent...

Ayant déposé la fillette sur le plancher, Laurín s'avança vers Denis, les bras ouverts. L'accueil fut plutôt froid: mon mari lui tendit simplement la main. À la vue de ce bel homme, ne venait-il pas de comprendre ce qu'il représentait pour moi? Denis lui posa une question qui nous surprit tous les deux:

— Euh... À quand remonte votre dernier séjour à Paris?

Sans hésiter, Laurín répondit:

— Au 23 novembre 1943... Pourquoi?

Denis parut rassuré.

Cependant, il fallait rompre la glace et Laurín s'en chargea. Avec son radieux sourire, il rétablit la situation. Pendant que je mettais Sophie au lit, les deux hommes échangèrent quelques propos et mon mari s'efforça d'être aimable. Puis, il s'excusa de nous laisser:

— Vous comprenez, moi, demain, je travaille! dit-il en guise d'au revoir.

Nous avons échangé un regard complice: ce n'est pas l'amabilité qui étouffait Denis. Il semblait avoir oublié les épreuves partagées à Berlin. Mais c'était sans importance, nous étions réunis.

Pour parler en toute tranquillité, j'emmenai Laurín à la cuisine. Il remarqua que je portais sa bague et cela lui fit visiblement plaisir.

— *Estrellíta*, je te raconterai une autre fois ce qui m'est arrivé, c'est une longue histoire. J'ai roulé toute la nuit. Une fois à Paris, j'ai pris rendez-vous avec mon ami Marcel. Par chance, il avait un pied-à-terre pour moi. C'est tout près d'ici. C'est seulement après que je suis parti à ta recherche. Est-ce que tu me pardonnes?
— Bien sûr, mon cœur, quelle question!
— Je pensais bien que je ne trouverais personne à l'adresse que je connaissais. Ton ancienne propriétaire m'ayant appris que ta maman avait quitté Paris, me dirigea vers une dame qui savait où tu logeais. Elle ne voulait absolument pas me le dire. J'ai fini par l'apitoyer et obtenir ton adresse.

«Ensuite, je me rendis à mon appartement.

Tout était prêt pour mon arrivée. Épuisé par les événements de la veille, je me suis couché et j'ai dormi comme une bûche une partie de l'après-midi. Après avoir retrouvé une apparence décente, me voici!»

— Toi, tu dois avoir faim.
— On ne peut rien te cacher.
— Alors, p'tit gars, à la fortune du pot: tu mangeras des restes!

Je l'observais. Qu'y avait-il de changé en lui depuis six ans? Pas grand-chose. Sa voix était plus grave. Il paraissait avoir plus de carrure. Ses cheveux, comme avant, étaient coupés au rasoir et divisés par une raie sur le côté gauche; quelques petites mèches rebelles retombaient sur son front et augmentaient son charme. Dans ses beaux cheveux noirs, quelques fils de platine lui donnaient un air distingué. Son visage au teint cuivré était toujours aussi beau, les pommettes peut-être un peu plus saillantes. Deux légères lignes verticales parallèles entre les sourcils laissaient supposer qu'il avait dû souffrir. Les petites rides aux coins des yeux témoignaient de son habitude de rire souvent. Ses yeux bruns étaient comme avant, de velours de soie et ses sourcils avaient conservé leur courbe harmonieuse. Et sa bouche... Il allait avoir trente-cinq ans dans deux semaines, mais paraissait beaucoup plus jeune.

Puisqu'il n'avait pas eu le temps de s'acheter des

provisions, je voulus lui donner de quoi le dépanner pour un jour. Il s'y opposa énergiquement.

— Alors, mon Laurín, viens prendre le petit déjeuner avec moi demain vers 9 heures.
— O.K. J'apporterai des croissants chauds.

Il se faisait tard. Laurín était fatigué. Il se retenait pour ne pas bâiller. Avant de nous quitter, nous n'avons pas pu nous empêcher d'échanger un baiser passionné: le premier depuis six ans!

Je ne dormis presque pas de la nuit: Laurín, mon meilleur ami, mon conseiller, mon Grand Amour, mon merveilleux amant était de retour... En ce moment, il dormait à environ un kilomètre de chez moi et son baiser brûlait encore mes lèvres. Denis grogna dans son sommeil parce que je ne faisais que remuer dans mon lit.

*

À 9 heures Laurín sonnait à ma porte.

— Salut, c'est moi... Personne à la maison?
— Denis est parti à Saint-Rémy faire du jardinage.
— Et Sophie?
— Elle est à la garderie de l'école maternelle. Je la laisse là-bas les jours de semaine et les samedis. À la belle saison, nous l'emmènerons à la campagne. Tu vois, ici c'est sombre. La garderie

est ensoleillée, bien aménagée et Sophie aime y retrouver ses petites amies.

— C'est vraiment une belle petite fille... Tu voulais avoir un enfant; eh bien! maintenant tu l'as.

Je regardais Laurín craintivement. Était-il déçu ou jaloux? Apparemment, il n'a pas perdu le don de lire dans mes pensées:

— *Florecíta*, je ne suis ni déçu ni jaloux... Le père, c'est Denis, n'est-ce pas? C'est très bien comme ça: quand nous serons mariés, nous aurons un enfant tout fait.

— Tu parles sérieusement?

— Plus que jamais! Sinon, pourquoi serais-je revenu?

— Tu ne penses pas qu'il faudrait d'abord que je divorce?

— Ma Válly d'amour, je ne cesse d'y penser. Mais chaque chose en son temps.

Tout en conversant, nous savourions le café et les croissants chauds: notre premier petit déjeuner depuis si longtemps.

Je lui ai raconté ma brève entrevue avec Armándo. Non, il n'a pas écrit à Laurín.

La dure épreuve subie par Raphaël l'attrista beaucoup:

— Pauvre Raf, il était si doué pour le violon et

la guitare. Je le plains sincèrement, mais lui au moins, il est resté en vie.

Après un court moment de silence, Laurín retrouva son sourire:

— Sais-tu que pendant six ans je n'ai pas parlé espagnol, sauf avec mes parents au téléphone? J'ai commencé à l'oublier...

En Suisse, j'ai parlé surtout français et italien.

— Comment peut-on oublier sa langue maternelle? Je commence à être rouillée moi aussi. Alors, si nous recommencions à converser en espagnol? Qu'est-ce que tu en penses?

Ma proposition fut accueillie avec joie.

Laurín m'examinait attentivement:

— Válly, mon trésor d'amour, tu as changé, mais en mieux: la maternité t'a rendue encore plus belle, plus désirable, plus femme... À présent, je n'oserai plus t'appeler «fillette».
— Tant que tu ne me dis pas que je suis devenue vieille.

Il se mit à rire.

— Oh! quelle idée! Mais raconte-moi ce que tu as fait pendant tout ce temps-là.

— Rien de bien intéressant, à part bien sûr Sophie. Raconte-moi plutôt, toi, ce qu'il t'est arrivé pendant tout ce temps-là.

*

Et Laurín commença son récit.

— Te souviens-tu de notre arrivée à Paris, en novembre 1943? J'avais rejoint aussitôt, avec mille précautions, le commando clandestin de la Résistance. Là on m'a appris que mon chef et ami, Heinrich, avait été fusillé. Imagine le coup dur. Dieu merci, il n'avait pas parlé. Il m'a été ordonné «de me mettre en sommeil» immédiatement.

— Je ne comprends pas comment on a osé te confier une mission aussi dangereuse, avec la tête que tu as.

— Les gens que j'avais rencontrés en Californie sont tellement habitués au type amérindien qu'ils n'ont pas pensé que je jurerais dans le décor à Berlin.

— Incorrigible Laurín! C'est toujours ton goût du risque...

— Eh! oui... Après trois jours dans la zone libre, j'ai voulu gagner le maquis, mais n'ayant pas de contacts, je pourrais me faire prendre.

— Quelle folie, le maquis!

— Que veux-tu, mon amour? Quand on est pris là-dedans, on continue à faire des folies. Alors, j'ai eu l'idée d'aller faire un petit tour en Italie: mon grand-père était originaire de Turin. Le goût m'est venu subitement de retrouver une partie de mes racines. Et puis je me suis dit que l'Italie étant un pays de musique, peut-être j'y trouverais quelque travail... J'aurais mieux fait de me casser une jambe ce jour-là!

— Mon Laurín, tu ne changeras donc jamais?

— À la frontière italienne, deux militaires remplaçaient les douaniers. Le train était presque vide. À force d'entendre dire que je suis doté d'un «charme irrésistible», j'ai voulu l'expérimenter. Je racontai qu'à la suite d'un bombardement à Berlin, j'avais perdu tous mes papiers, sauf mon *Fremdenpass*. Ce document produisit une excellente impression: de toute évidence, il remplaçait un visa. J'ajoutai qu'étant chanteur, le soleil d'Italie me ferait le plus grand bien... Pendant que je baratinais le premier militaire, l'autre était hors de portée... Il ouvrit ma valise et, sous mes chemises, au milieu des revues et des livres, il découvrit une pochette en cuir qui contenait mon passeport américain et mon certificat de baptême cubain! L'Amérique et Cuba étant déjà en guerre contre l'Allemagne et ses satellites, de *signore, signore*, je devins un *porco americano*.

«Menottes aux poignets, je fus jeté dans une sorte de cachot. On a gardé ma valise, pris ma montre et tout mon argent. Je n'avais aucune notion du temps. Il ne me restait plus qu'à prier. À la nuit tombée, on me poussa dans une camionnette avec quelques hommes menottés comme moi, les yeux bandés. Je fus enfermé avec mes compagnons d'infortune dans quelque chose qui devait être une prison. Je n'ai pas tardé à apprendre que nous étions tous des criminels de guerre. Parmi nous se trouvaient un avocat connu, un politicien, des journalistes et des militants antifascistes. Et c'est là que mon calvaire a commencé.»

— Mon pauvre chéri, dans quel guêpier tu t'es enlisé! Repose-toi un peu avant de continuer ton histoire. Je vais aller chercher Sophie à la maternelle, c'est tout près d'ici.

Quand je suis revenue avec la petite, la table était mise. Laurín eut droit à un compte-rendu minutieux des activités matinales de Sophie, puis il continua son récit.

— Aucunement maltraités, on nous témoignait même un certain respect. Nous n'étions au courant de rien de ce qui se passait à l'extérieur: ni radio ni journaux. Des revues datant de plusieurs années, à volonté, mais ce n'était pas facile de lire sans éclairage. L'obscurité nous donnait l'impression d'être déjà dans une tombe.

«Le manque d'hygiène, la mauvaise nourriture, l'eau infecte... de quoi nous mettre le moral à zéro. Les plus âgés et les moins résistants commencèrent à souffrir de dysenterie. La maladie me gagna à mon tour. Il y eut plusieurs décès. Très atteint, je fus transféré à l'infirmerie, mais je ne reçus aucun soin spécial. Apparemment, on n'y installait que les moribonds.

«Je trouvais que mourir à vingt-neuf ans c'était trop tôt. Qu'au moins je te revoie une fois, ô mon unique amour... Posant mes doigts sur mes yeux fermés, peu à peu je commençais à voir ton visage, puis ton corps, mes mains affaiblies te cherchaient vainement près de moi... Je revoyais les glorieux couchers de soleil du temps de nos amours. Cela me consolait et je sentais à peine mon mal. Puis tout s'estompait. Après m'être adressé à Dieu, mon seul recours, je me mis à attendre. Quoi? Un miracle? Peut-être.»

— Mon pauvre Laurín.

En l'écoutant, je pleurais.

— Mais pourquoi, imbécile heureux, as-tu mis tes papiers personnels dans ta valise?
— Oh! tu pleures, mon trésor d'amour... Il ne faut pas: je suis ici, avec toi pour toujours.

Il essuya mes larmes et poursuivit.

— Je ne pouvais pas les mettre ailleurs, nous étions fouillés. Ils étaient bien cachés et ne devaient pas être découverts... La fatalité.

«Tout était brouillé dans ma tête, je ne savais pas si je délirais: je nous voyais toi et moi, nous rouler, pareils à de jeunes poulains, dans l'herbe verte et soyeuse – comme celle près du Gave d'Oloron...

«Et tout d'un coup j'entendis, à côté de moi, la voix d'une femme.

– *Mon nom est Alix R. Je suis une déléguée de la Croix-Rouge suisse. Aráldo R., je vous ai connu au temps des* Lecuona's Cuban Boys...

«Sûrement, je délirais... Elle me connaissait, et après! qu'est-ce que ça pouvait bien me faire, puisque j'allais mourir. Je fis un effort pour ouvrir les yeux et je lui demandai où se trouvaient les Alliés.

– *Les Alliés? Vous crèverez certainement avant que les Alliés ne viennent vous délivrer. Épousez-moi et je vous ferai sortir d'ici.*
– *Vous épouser???*
– *J'ai bien dit: épousez-moi et je vous ferai sortir d'ici.*

«Cette brève conversation m'avait complètement épuisé.

«Je ne sais pas ce qu'elle a aimé en moi: j'étais maigre, sale, puant, j'avais les cheveux longs et on ne m'avait pas rasé depuis plusieurs jours. Je fis un signe de tête qui voulait dire «d'accord».

«De mes objets personnels, on n'a récupéré

que ma Bible, mon passeport américain, mon certificat de baptême et le *Fremdenpass*.

«Ensuite, tout s'est passé très vite. La femme me tenait la main et me disait:

— *Tu as la tête de quelqu'un sorti d'une icône byzantine... Lavé, regonflé et habillé, tu feras un mari très présentable.*

«Autour de moi il y avait l'aumônier, l'infirmier et d'autres personnes. J'eus à peine la force de prononcer «si». Alix me glissa un anneau de rideau, trop large pour mon doigt amaigri. Je me demandais si mon mariage était vraiment légal. Après ça j'ai perdu connaissance. C'était le 16 juin 1944. Alix «avait oublié» de me dire que le 4 du même mois, les Alliés avaient libéré Rome et que Mussolini avait été fusillé. Quand, beaucoup plus tard, je l'ai appris, j'ai eu envie de l'étrangler!

«Je me suis réveillé dans un hôpital à Rome. Alix était près de moi et me tenait la main:

— *Eh bien, Aráldo, tu ne voulais plus sortir du coma?*

«Après ma sortie de l'hôpital, elle m'installa dans une maison de repos, en montagne. J'avais tout le loisir de remercier Dieu et de penser à toi, mon trésor d'amour.

«Un mois avant la fin de ma longue convalescence, Alix me fit transporter dans sa maison et, le soir même, comme une pieuvre, elle se glissa dans mon lit... Ce soir-là, tu penses bien que le cœur n'y était pas.»

L'heure avançait. En questionnant Laurín, je compris qu'il avait pour toute fortune une auto neuve, le plein d'essence et... 300 francs français; en riant il ajouta: «Même pas des francs suisses, juste de quoi payer un mois de mon loyer!»

Le lendemain matin, laissant Sophie avec Denis, j'emmenai Laurín au marché en plein air de mon quartier.

C'était un dimanche ensoleillé, chose rare en cette avant-veille de la Toussaint. Ce marché se tenait trois fois par semaine, dont le dimanche. Bousculés par la foule des acheteurs, nous prenions notre temps et regardions les copieux étalages de légumes et de fruits qui nous changeaient des années noires.

Soudain, un clochard surgit devant nous:

— Charité, «s'y-ou-plaît», Messieurs Dames...

Tranquillement, Laurín sortit de sa poche un billet de dix francs et, le tendant au clochard:

— Tenez, mon brave...

J'ai explosé:

— Tu es tombé sur la tête! Tu ne vois pas que c'est un ivrogne? Regarde, il se dirige déjà vers le bistrot pour boire ton argent alors que toi, tu as à peine de quoi manger!

Brusquement Laurín s'arrêta et, indifférent aux passants, il se planta devant moi. Me regardant dans les yeux, il dit:

— Ivrogne ou pas, ça m'est égal. L'argent que je viens de lui donner ne m'appartient plus: qu'il en fasse ce qu'il veut. Je préfère donner dix francs à un ivrogne plutôt que de laisser crever de faim un malheureux dans le besoin.

Quelle bonne leçon de charité! Puis Laurín reprit sa marche à côté de moi:

— Alors, on les fait, ces courses?

De retour à la maison, j'ai proposé à Denis d'aider Laurín à s'installer dans son nouveau logis et de prendre Sophie avec nous. Mon mari a préféré la garder:

— Il fait beau, je vais l'emmener chez ma mère.

L'appartement de Laurín était situé à quelque cinq minutes de chez nous en voiture, au 6ᵉ étage d'un immeuble de construction d'avant-guerre, avec ascenseur. Orienté à l'ouest, avec la perspective de beaux couchers de soleil, il consistait en une grande cuisine, une salle de bains, ce qu'il y avait de plus moderne, trois pièces spacieuses, dont une aménagée en «auditorium» avec un beau piano à queue, le tout meublé avec goût. En bas de l'immeuble il y avait un jardin public et, non loin, un lycée pour jeunes filles où Sophie rêvait d'entrer «quand je serai grande», disait-elle.

Marcel avait hérité de son père deux immeubles de rapport. Cet appartement avait été son logis de célibataire. Mélomane, il possédait une collection très importante de disques 78 tours. Il avait fait insonoriser le salon. Quand il se maria, ce logement devint trop petit. Il déménagea et après avoir apporté des améliorations à son studio, commença à le louer à des artistes de passage, sur recommandation. Pour Laurín, c'était l'idéal.

La gardienne de l'immeuble, madame Lebon – elle portait bien son nom – au courant des difficultés momentanées de Laurín, lui proposa de faire son grand ménage et de lui préparer ses repas du soir. De son côté, Laurín lui promit de la rétribuer largement dès qu'il aurait des contrats... En somme, tout s'arrangeait pour le mieux.

Restés seuls, Laurín me serra contre son cœur... Ses lèvres cherchaient déjà les miennes. Ses intentions étaient claires. Je n'avais pas envie de lui résister... Mais nous souvenant des lendemains pénibles, à regret nous avons renoncé.

*

— Mon beau Laurín, que comptes-tu faire dans les jours qui suivent?

— Quelle question!.. Je vais chercher un engagement. Après-demain j'ai rendez-vous avec Suzanne, notre ancien impresario.

L'entrevue avec Suzanne fut décevante. Quand Laurín lui soumit la liste des œuvres de son répertoire, elle lui répondit:

— Ce n'est pas suffisant. Il faut quelque chose qui accroche. D'ailleurs, vous arrivez au mauvais moment et vous êtes trop vieux.

— Comment ça, trop vieux? Je vais avoir trente-cinq ans dans quelques jours!

— Avant la guerre, avec votre talent et votre physique, j'aurais pu faire de vous, en moins d'un an, un autre Edwin Fischer. Les temps ont changé et même si vous avez évolué...

— Merci pour votre encouragement. Mais je ne lâcherai pas!

Radoucie, elle lui recommanda de se mettre au travail au plus vite et de préparer un répertoire plus complet.

J'étais consternée:

— Qu'est-ce que tu vas faire sans argent et sans travail? Pourquoi ne téléphones-tu pas à *mamacíta* pour qu'elle te dépanne?

— Petite tête de colibri! Je n'ai rien à moi là-bas, pas un *centavo*! Tout est à mes parents! Je ne suis que l'héritier. J'aime l'argent vivant, celui que je gagne. De plus, je leur ai déclaré que je tenais à gagner ma vie à la sueur de mon front et je n'ai qu'une parole... Point!

— Mais, mon Laurín d'amour, ce n'était qu'une gageure d'adolescent. À présent, c'est sérieux... Mais j'y pense: en quittant Boulogne en 1939, tu m'avais remis 8000 francs. Je les avais placés sur mon compte épargne. En dix ans ils ont fait «des petits». Cet argent est à toi.

— Jamais de la vie!... Il est à toi. Je ne reprends jamais ce que je donne. Re-point!

— Calme-toi et accepte au moins les intérêts.

— Bon, d'accord... juste les intérêts.

Le surlendemain, avec fierté je lui remis 4000 francs.

— Ne me remercie surtout pas. Avec ça, tu peux tenir quelque temps. Et puis, il reste encore 8000 francs de capital qui sont toujours à toi. Alors, que penses-tu de ta «petite tête de colibri»?

Pour toute réponse, il me serra follement dans ses bras et couvrit mon visage de baisers.

***

J'étais curieuse de savoir comment il avait vécu toutes ces années avec Alix, une femme belle et riche dont les mauvaises langues disaient que c'était une dévoreuse d'hommes. Quand elle a «épousé» Laurín, elle avait environ quinze ans de plus que lui. Ils devaient former un couple assez disparate. Intuitif, il lut dans mes pensées.

— J'ai pardonné à Alix de m'avoir menti. Peut-être, sans son intervention, je serais mort.
— C'est vrai... je n'ose y penser!
— Je n'éprouvais envers elle qu'une très profonde reconnaissance, car c'est toi que je n'ai cessé d'aimer, ma douce princesse... J'avais follement envie de toi, je te cherchais près de moi... mais c'est elle qui se trouvait là. Alors je m'accrochais à l'autre moitié de l'Orange comme à une bouée de sauvetage.
— Moi aussi, je m'accrochais à l'autre moitié de l'Orange. J'avais accepté de vivre avec Denis, mais je t'aimais toujours... Si tu savais! Si tu savais...
— Ah! ma chérie. Pour avoir la paix, je devais céder à tous ses caprices. Quelquefois je me révoltais.
— C'est dur à admettre, mais tu ne devais pas te refuser, elle était ta femme.
— Ne l'appelle jamais comme ça!!! Je n'ai qu'une seule femme: Toi!
— Ah! Laurín, si c'était vrai. Hélas! je suis

toujours la femme... frigide de Denis. Que cela ne te fasse pas de peine.

Il eut un sourire amer.

— N'y pensons plus, veux-tu, c'est du passé.

Il resta silencieux un moment. Se leva, caressa les touches du piano, puis revint s'asseoir près de moi.

— Elle m'avait habillé des pieds à la tête et me traînait partout, paradant à mon bras aux réceptions mondaines.
— Elle devait être fière d'avoir un beau mari comme toi.
— Je suppose... Mais j'étais traité comme un gigolo. Moi, je n'aspirais qu'à une chose: travailler. Je n'avais pas un traître sou; elle me refusait l'argent de poche.
— *De l'argent de poche? me disait-elle. Quelle idée! Tu n'en as pas besoin. Il te suffit de claquer dans les doigts pour avoir tout ce que tu veux.*

«Sorti d'une taule, je me suis trouvé dans une cage dorée. Alors je demandai un piano à queue, des partitions, un magnétophone professionnel et des bandes magnétiques.

— Eh! quelle générosité!
— N'est-ce pas... Elle fit restaurer un orgue dans une petite église des environs, m'acheta un

canot à rames, une bicyclette et l'équipement de ski. Je pense que si j'avais demandé la lune, je l'aurais obtenue...

«Finalement, elle accepta de me donner de quoi m'acheter mes livres et mes revues. Ça me permit de gratter un peu d'argent.»

— Eh bien, jeune et beau prince, on dirait un conte de fées!

Tout en parlant, il arrangeait mes cheveux, me donnait des tendres baisers.

— Oui, j'avais tout, sauf la liberté. Alix écoutait mes conversations téléphoniques, surveillait mon courrier. Pendant des heures je pratiquais le piano et de jour en jour j'améliorais ma technique. Malgré cela je m'ennuyais: tu me manquais tellement, mon amour...
— Toi aussi, tu me manquais, mon Laurín...
— Pour me distraire, elle me demandait de la conduire de temps en temps à Lausanne et à Genève pour ses affaires d'immobilier. C'est ainsi que je réussis à t'envoyer mon message. Récemment, elle m'a acheté une voiture, celle que j'ai maintenant.

«Mais la cerise sur le gâteau, ce fut quand, ayant préparé un répertoire, je lui ai parlé d'une deuxième carrière.

— *Mon pauvre garçon, tu déraisonnes:* les Boys, c'est fini...

— *Mais ce n'est pas avec les* Boys, *voyons! Je voudrais être pianiste virtuose... Maintenant j'ai un répertoire, je suis prêt.*

«Elle était furieuse.

— *Ah! voyez-vous ça! Pianiste virtuose! Mais tu es trop vieux et tu n'as pas de nom! Et puis, je n'ai pas le temps de discuter avec toi. Au revoir.*

«Profitant de son absence de quelques jours, elle me trompait alors.»

— Oh! elle avait osé?
— Oui, ma chérie... elle avait osé. Puisque j'avais une voiture personnelle, je me rendis à Genève, je fis renouveler mon passeport et ajouter mon pseudonyme. Un nom? Je l'avais! Il faudrait maintenant le faire connaître.

«En possession de ces précieux documents, j'exposai une fois de plus à Alix mes projets de deuxième carrière. J'eus droit à un accueil froid:

— *Aráldo, je t'ai déjà dit que c'est trop tard. De quoi tu te plains? Tu as tout ici.*
— *Je veux travailler... Point!*
— *Cesse de faire l'enfant... Tiens, veux-tu que je t'achète la Bugatti sport que tu as essayée la semaine dernière?*

300

– *Je ne veux pas de ta Bugatti! Je veux jouer du piano!*

«Alors elle se fâcha:

– *Écoute-moi bien, mon garçon, pour te remettre les idées en place, je vais confisquer tout ton matériel. Et puis, je n'ai pas le temps de discuter avec toi, j'ai un rendez-vous d'affaires... Je ne rentrerai pas pour dîner.*

«Furieuse, elle sortit en claquant la porte.»

– Franchement, elle exagérait. Elle aurait pu te donner au moins une chance!
– Eh bien, quand on confisque à un petit garçon de huit ans son vélo, il n'a qu'à se soumettre. Mais un homme de trente-cinq ans, il ne le prend pas comme ça!

«Dès qu'elle eut le dos tourné, je fis mes valises et les mis dans le coffre de ma voiture. Il me restait un peu d'argent. Je lui laissai un mot...»

– Qu'est-ce que tu lui as écrit?
– Que je la remerciais pour ses bienfaits, que je reconnaissais mes torts, qu'elle pouvait entamer une procédure en divorce. N'ayant pas un sou pour payer un avocat, qu'elle devait s'en charger. Ensuite, je glissai dans l'enveloppe mon alliance, la vraie cette fois-ci... En post-scriptum, je m'excusai de prendre ses deux plus belles valises. Et je partis. Il faisait presque nuit.

Pendant que j'écoutais le récit de Laurín, le fou rire s'emparait de moi. Surpris, il me regardait sans comprendre:

— Eh bien, qu'est-ce qu'il y a de si drôle?
— Tu fiches le camp avec ses deux plus belles valises et c'est elle qui paiera les frais. Ah! P'tit gars... tu ne l'as pas ratée!

À son tour, il réalisa le comique de la situation et, entre deux éclats de rire:

— Elle, Alix, me considérait comme un gigolo... J'ai donc agi comme un gigolo. Elle n'aurait pas compris autrement.
— La fuite de chez Alix a quelque similitude avec celle de chez tes parents.
— Oh non! C'était différent: j'avais beaucoup de peine de les quitter, ainsi que mes grands-parents.
— Mais pourquoi es-tu resté si longtemps avec cette femme? Pourquoi n'es-tu pas revenu plus tôt?
— Mon trésor d'amour: je mourais d'envie de te revoir, mais avant tout, je devais songer à ma carrière: c'est la seule condition pour notre avenir. Je n'avais même pas de quoi prendre un train pour Paris. J'avais perdu beaucoup de ma technique. En vivant chez Alix, je pouvais tranquillement préparer ma seconde carrière. La preuve, maintenant je serais capable de me lancer. J'ai fait un choix, peut-être pas le bon.

J'ai eu un pincement au cœur: Laurín, un profiteur? Après tout, non: il n'avait rien demandé à Alix, il voulait gagner sa vie en travaillant. C'est elle qui l'avait mis dans la position de gigolo.

J'allai chercher son thème astral et le posai devant lui, avec les notes d'interprétation que j'avais faites.

— Ton ciel de naissance révèle une double personnalité: Soleil en Scorpion, Ascendant en Verseau, ce qui explique les tensions intérieures, parfois pénibles. Des choix à faire, et pas toujours les bons... À cause de la position des luminaires – soleil et lune – dans nos thèmes, j'ai des points communs avec toi, mon Laurín d'amour.

Alors, je superposai les deux cartes du ciel, la mienne étant reproduite sur du papier calque. Laurín les examina très attentivement, se reportant sans cesse aux notes écrites sur une feuille annexée:

— Est-ce l'explication des deux moitiés de la même Orange?
— Oui, c'est la seule et l'unique...

*

Je sentais que Laurín était préoccupé par quelque chose. Je ne m'étais pas trompée.

303

— *Estrellíta*, je suppose que tu n'as pas eu le temps d'aller revoir *La Maison*. Veux-tu m'accompagner un de ces jours?

Le lendemain matin, nous partîmes en direction de Neuilly. *La Maison* n'existait plus. Les deux chênes étaient coupés. Sur le muret en ciment dépouillé de sa clôture, était installée une palissade portant une affiche: «Bientôt, à cet emplacement, sera construit un petit immeuble moderne.» À travers les planches disjointes, nous pouvions voir les vestiges de cette demeure naguère si chaleureuse: seules les fondations subsistaient. Ni troènes, ni rhododendrons, ni portique aux balançoires...

— Allons voir l'immeuble d'Isabél et d'Armándo...

Nous fîmes le parcours à pied.

— Que veux-tu revoir au juste? Isabél, dans son paréo multicolore, ses beaux cheveux défaits sur ses épaules, nous ouvrant la porte. Armándo me caressant la joue. Ou María brodant au point de croix un petit napperon et Cárlos se jetant dans nos bras. C'est ça que tu voudrais revoir, mon pauvre cher Laurín d'amour?

La façade, autrefois blanche, était noircie par la suie provenant de l'incendie des citernes de Puteaux.

— Tiens, la maison d'Isabél est en deuil...

Dans le vestibule, la concierge – ce n'était pas la même – achevait de laver le solage de marbre. Elle leva sur nous un regard interrogateur. De toute évidence, nous n'avions pas l'air de quémandeurs.

— Excusez-nous, Madame, avant la guerre, nous habitions ici: Monsieur et Madame O., 5ᵉ face gauche.

— Ah! oui, ce nom me dit quelque chose, j'ai dû le voir dans mes anciens livres.

— Nous sommes en quête de souvenirs... Nous aimerions monter juste pour voir la porte de l'appartement. Nous ne dérangerons personne.

Laurín était pathétique.

— Montez donc, si ça vous fait tellement plaisir.

Arrivés au 5ᵉ étage, Laurín s'arrêta devant la porte, caressa le bois peint en blanc, comme avant. Et à mi-voix:

— Isabél, ô, Isabél! Pourquoi toi?

Je le pris doucement par le bras:

— Allons... viens, mon Laurín... c'est du passé.

Dehors, il commençait à pleuvoir. Des nuages gris déchiquetés, poussés par le vent, déferlaient sur un ciel couleur de soufre.

Dans la voiture, avant de démarrer, Laurín me serra très fort contre lui pendant quelques minutes.

— Et à Boulogne, y a-t-il quelque chose à voir? Et à Auteuil? À Toussus-Paris?

— Mon pauvre chéri, c'est perdre notre temps... Ma marraine est morte l'an dernier, Vlad est parti vivre à Londres chez sa fille. Roger a quitté Toussus. Quant au terrain, on a commencé récemment à l'aménager comme aérodrome pour avions de tourisme.

*

Laurín me demanda comment je gagnais ma vie.

— Je fais du secrétariat à domicile. Je tape des âneries à la machine: des rapports, des comptes rendus. C'est mal payé mais cela me permet d'être à la maison et de m'occuper de la petite.

Il m'offrit de l'assister à la mise au point de son répertoire, en particulier des concertos. Aussi longtemps qu'il n'aurait pas d'engagement, il serait en dette envers moi, mais, bien entendu, par la suite, je serais largement rétribuée. Je trouvai l'idée emballante et j'en fis part à Denis. L'accueil fut réfrigérant:

— Combien il va te payer?
— Rien pour le moment: il n'a pas de travail.
— Il n'a qu'à s'en chercher.
— C'est ce qu'il fait, mais il n'en trouve pas.
— Il n'a qu'à acheter un journal: dans les «petites annonces» il y a plein d'offres d'emploi.
— Laurent est pianiste. Il ne va tout de même pas vendre des aspirateurs ou balayer la rue!
— Et pourquoi pas ? Quand on veut gagner sa vie honnêtement, on ne crache pas sur un emploi. Moi par exemple, pour nourrir ma famille, je fais un travail bien au-dessous de mes qualifications. Si tu n'as rien d'autre à faire, va donc recoudre le bouton de mon veston!

Ayant quitté l'agence de secrétariat à l'insu de mon mari, je n'ai plus reparlé de la proposition de Laurín; Denis pensait sans doute que j'y avais renoncé. Il ne s'intéressait à mon travail que dans la mesure où cela rapportait de l'argent.

Depuis son retour à Paris, Denis avait commencé à changer... Peu à peu il perdait son amabilité que nous appréciions tous à Berlin. Il devenait maussade. Apparemment, son travail ne lui donnait pas beaucoup de satisfaction. Il se plongeait de nouveau dans des livres d'érudition. Par moments sa fille semblait l'agacer.

Sentant que sa présence indisposait Denis, Laurín décida de ne plus venir chez nous. Cela lui faisait de la peine de ne plus voir Sophie avec qui il chantait des chansons enfantines. Pour l'amuser, il parlait de former un «Trio vocal Fifi-Vally-Lori». Il offrit à Sophie un petit livre de solfège qu'elle a conservé longtemps. Ne voyant plus «Tonton Lori», la petite ne tarda pas à l'oublier.

*

La date de l'anniversaire de Laurín approchait. Je décidai d'organiser, pour lui seul, une petite fête. Dès son retour, j'avais remarqué l'absence de son délicat parfum de lavande. Je m'empressai de lui acheter un grand flacon de vraie lavande... de Londres.

La veille, j'avais commandé un gâteau, acheté 35 petites bougies et une demi-bouteille de champagne d'une des meilleures marques. Rien n'était trop beau pour mon Laurín...

Mon mari savait que je prenais tout mon temps à l'occasion d'un anniversaire ou d'un événement quelconque de mes amis. C'était une de nos conventions. Ce 11 novembre, jour férié, nous décidâmes de faire la petite fête l'après-midi. Denis fut prévenu que je rentrerais dans la soirée et que je lui confiais la garde de Sophie.

Après un repas frugal, ce fut le tour du gâteau

et du champagne. Laurín ne savait pas comment me remercier pour son *English Lavender*, dont il s'est immédiatement aspergé.

— Est-ce que je sens bon, maintenant? Tu sais, *Florecíta*, que depuis dix ans, c'est la première fois que quelqu'un me fête et c'est merveilleux, grâce à toi, ma chérie! À *La Habana*, pour mes vingt-cinq ans, mes sœurs avaient fait un arrangement floral sur la grande table. Comme nous étions cinq, devant chaque convive elles avaient placé cinq bougies torsadées au milieu des fleurs, cela faisait vingt-cinq bougies. Elles avaient de l'imagination. À Berlin, le 11 novembre était un jour interdit.

— Et Alix n'a jamais souligné ton jour anniversaire?

— Alix? Elle avait bien trop peur de vieillir pour fêter un anniversaire!

— Est-ce qu'elle était au courant pour nous?

— Bien sûr, je lui avais tout raconté, et en détail!

— Laurín, il ne fallait pas... Tu as dû lui faire mal.

— Lui faire mal? Penses-tu, ça l'a amusée. Elle ne m'aimait pas. J'étais ni plus ni moins que son joujou préféré, son toutou en peluche. Après l'accouplement...

— Laurín, je t'en prie!

— Je dis bien, après l'accouplement – parce que l'amour, c'est avec toi, ma petite chérie – je devais lui jouer du Chopin.

Après un moment de silence, il continua:

— C'est une veuve noire, une mante religieuse, une Messaline...
— Laurín! Elle t'a sauvé la vie.
— Si tu la connaissais, tu me comprendrais... J'étais son troisième mari... Oui, elle m'a sauvé la vie, mais c'était pour m'accaparer, pour mieux me détruire.
— Tu n'exagères pas un peu?
— Non, pas du tout... Elle avait jeté son dévolu sur moi avant la guerre, lorsqu'elle fréquentait le milieu du spectacle. À ce moment-là, je t'aimais déjà... C'est une araignée: les lambeaux de sa toile collent encore à ma peau.

Dans la salle à manger, il marchait de long en large: un lion enchaîné, cherchant à rompre ses entraves...

Que de rancœur! Je ne l'avais jamais vu comme ça. Laurín si indulgent, si prompt au pardon et à l'oubli des offenses! Était-ce l'effet du champagne?

Une bourrasque s'abattit sur la ville: la pluie tambourinait sur les vitres. À présent, une cascade coulait le long des fenêtres.

Brusquement, Laurín s'arrêta. Il paraissait très calme. Les chaînes s'étaient rompues.

— *Florecíta*, il faut que je me fasse exorciser. Je veux faire l'amour avec toi.

Je brûlais d'amour pour lui, mais j'essayais de le raisonner:

— Mon Laurín, voyons, as-tu songé aux conséquences?

Et j'invoquai les lendemains qui nous désorientaient, les heures précieuses de travail perdues... Lui, impassible, m'écoutait. Puis, d'un ton suppliant:

— Aujourd'hui seulement, ô, ma chérie, rien qu'aujourd'hui! Ne refuse pas... Je te promets que dès lundi nous nous mettrons sérieusement au travail.

Que pouvais-je dire, que pouvais-je faire? C'était moi la lionne ligotée...

Les yeux de Laurín étaient pleins de paillettes. D'habitude ses mains tendues avaient des gestes d'amitié, d'offrande. Cette fois-ci au contraire, elles attendaient de recevoir. Alors, il eut recours à un argument auquel il m'était impossible de résister:

— Ma bien-aimée, comme cadeau d'anniversaire, offre-moi un après-midi d'amour...

Et la lionne, aussitôt libérée, se laissa emprisonner tendrement par les bras de celui qu'elle aimait le plus au monde.

Laurín, après avoir été exorcisé, pardonna les offenses d'Alix et me promit de les oublier.

La nuit était tombée. N'ayant aucune notion de l'heure, dans l'obscurité complète, nous vivions en dehors du temps. Il fallait que je rentre, le délai normal d'un anniversaire était écoulé depuis longtemps. Et ce fut le moment de l'arrachement.

*

Nous avions deux jours pour nous remettre les idées en place. Dès lundi après-midi, nous nous mettions au travail. Laurín, distrait, se trompait dans les mesures et moi, je m'embrouillais dans les pages de la partition.

***

Depuis que je connaissais Laurín, je l'avais rarement vu sans le sourire. Aujourd'hui, son expression était grave. M'ayant tendrement serrée contre lui, il se décida enfin à parler:

— Ma belle Válly, je sais bien que tu n'es pas heureuse avec ton mari... Nous serions si bien ensemble, sans être obligés de nous quitter chaque fois après l'amour. Fais donc ta valise, prends Sophie par la main et viens...

Il hésita un instant:

— Et viens chez moi.
— Mon pauvre chéri, il n'y a pas de place chez toi pour un enfant. As-tu pensé au choc pour Sophie de quitter son père, elle qui n'a pas encore quatre ans? Et nous deux, sans travail.
— Justement, j'ai pensé à tout.

Et se levant vivement, Laurín prit sur la table une lettre et me la tendit:

— Tiens, *Florecíta*, lis ça, s'il te plaît et dis-moi ce que tu en penses.

Je lus la lettre. Elle était très bien écrite: Laurín demandait à son père de lui avancer une partie de son héritage. Bien qu'étant momentanément sans engagement, il envisageait dans un très proche avenir de fonder une famille avec la femme qu'il aimait depuis toujours. Pour terminer, il sollicitait humblement le pardon d'avoir contrarié les plans de son père en rompant son mariage avec Aníta, il y avait de cela environ dix-sept ans.

— Eh bien, mon amour, qu'est-ce que tu en penses?

Je lui répondis:

— Génial. Un chef-d'œuvre...

Et je la déchirai en quatre morceaux.

— Mais, qu'est-ce que tu fais-là? J'ai mis un temps fou à la rédiger, en pesant chaque mot.
— Cher Laurín, pour rien au monde je n'accepterais d'être la cause de ton humiliation devant ton père. Un jour il te rappellera ton mariage rompu, ton geste inconsidéré.

La tête entre ses mains, il répétait sans cesse:

— Que faire? mais que faire?

Je le câlinais doucement, sans trouver de mots. Nous avions tous les deux tellement de peine! À partir de ce jour, il me surnomma sa «conscience».

***

Le temps pressait. Si Laurín voulait présenter à Suzanne – dans les plus brefs délais – un répertoire convaincant, il était urgent de faire un choix judicieux parmi les œuvres qu'il connaissait déjà et qui avaient besoin d'être améliorées. Nous étions impatients de commencer quelque chose de nouveau. D'un commun accord, nous choisîmes le concerto Nº 21 en do majeur de Mozart. Laurín avait la partition et l'enregistrement sur ruban magnétique d'un grand orchestre symphonique. Le piano enregistré sur une autre piste, il suffisait de l'éliminer pour ne conserver que l'accompagnement d'orchestre.

Pour commencer, il fallait passer à travers la partition. Laurín ne déchiffrait pas, mais lisait, comme dans un livre, les deux mains à la fois, d'abord lentement. Le tout mémorisé, commençait alors le travail méthodique de chaque main.

Mon rôle consistait, pour le moment, à tourner les pages, à compter les mesures et, la partition sous les yeux, à suivre la progression du travail, demandant à Laurín de refaire, si nécessaire, chaque passage dix fois, vingt fois pour obtenir un résultat excellent.

Quand Laurín m'avait offert de collaborer avec lui, il s'était rappelé que je venais écouter les *Boys* pendant les séances de musique de chambre et parfois, je faisais des remarques sur le tempo de certains passages. Au début, quand «on» me voyait arriver, «on» disait: «Voilà l'inspectrice des travaux finis.» Avec le temps, les musiciens s'étaient aperçus de la justesse de mes commentaires et me demandaient d'apporter mes suggestions. Armándo et Isabél en avaient conclu que j'avais une connaissance intuitive de la musique.

Docile et patient, Laurín acceptait mes remarques et suivait mes directives. En peu de temps, il se rendit compte des résultats encourageants de cette collaboration.

Il attendait fébrilement le moment de jouer avec l'accompagnement de l'orchestre. Je mis le magnétophone en marche et, retenant notre respiration, nous nous préparions pour le moment précis où le soliste devait intervenir. Quelle émotion! Et c'était seulement l'*Allegro*! Pauvre Laurín, au risque de gâcher son plaisir, je l'interrompis à plusieurs reprises pour lui demander de reprendre un passage.

Le travail avançait et Laurín commençait à porter davantage son attention sur les ponctuations, les nuances, ce qui ne nuisait nullement à sa technique. Il prenait beaucoup de plaisir à pratiquer de cette manière, moins classique mais moins fastidieuse.

Puis ce fut l'*Andante*. Laurín avait travaillé chaque trait, chaque ponctuation, chaque accord avec soin: tout devait être parfait. Il était contre les ajouts de fioritures: «Nous, les serviteurs de la musique, nous devons conserver à l'*Andante* sa pureté céleste. Seul Mozart avait le droit d'altérer ses œuvres», disait-il. Nous veillions à ce que la note finale de ce mouvement – un fa – tombât comme une petite larme. Là-dessus, nous étions en désaccord: une petite larme ou une petite goutte d'eau? Nous avions conclu que c'était «une petite larme»... de Mozart. Cet accord fut scellé par un tendre baiser.

Dans cet *Andante* qui fut rendu célèbre voici

quelques années par le film *Elvira Madigan*, Laurín a mis tout son talent, son lyrisme, sa tendresse, son amour au service de la musique.

— *Princésa*, en jouant ce mouvement, j'ai l'impression de voguer sur un nuage tissé avec des cheveux d'ange. Veux-tu venir avec moi?

Et puis, l'*Allegro vivace assai* fut mis en chantier. Une entente parfaite facilitait notre travail. Dans ce mouvement joyeux, Laurín s'amusait comme un enfant, «au fond de la mer des Caraïbes, avec des poissons irisés... au milieu des coraux et des anémones marines».

Enfin arriva le jour où notre «premier né», dont les cadences étaient de Mozart et de Lori A., fut prêt pour un concert.

J'admirais la classe dans le jeu de Laurín. Son visage était détendu, parfois un sourire mystérieux flottait sur ses lèvres. Quelle précision dans les accords plaqués: sa main gauche, puissante, demeurait presque tout le temps près du clavier! Sauf dans le *finale* d'un *allegro*, ses mains, d'un geste élégant, s'envolaient, comme des oiseaux libérés.

Laurín pratiquait le piano huit heures par jour. Il avait un horaire très étudié. Il accordait le piano et à 7 heures du matin il commençait ses exercices, mais d'abord, il soufflait sur ses doigts et frottait ses mains l'une contre l'autre pour que ses doigts soient «autre chose que de la mécanique perfectionnée», disait-il. Jusqu'à 11 heures, il défrichait les sonates avant de me les soumettre dans l'après-midi. Je lui réservais de quatre à cinq heures par jour, du lundi au vendredi, laissant Sophie à la garderie. J'arrivais chez lui un peu avant 11 heures. Nous partagions notre dîner. Puis Laurín nous servait un excellent café dont il avait le secret. Sans perdre de temps, nous nous mettions au travail. Je le quittais un peu avant 16 heures pour récupérer ma fille.

Les premiers temps, il endurait un vrai martyre: mal au dos, aux épaules, dans la nuque, crampes aux mollets, aux avant-bras. Il fallait le frictionner avec de l'alcool camphré et le forcer à se reposer. Le lendemain, quand j'arrivais, je le trouvais en grande forme. Il prenait grand soin de ses mains, ses outils de travail.

*

Il fallait manger pour vivre. Suzanne ne donnait toujours pas signe de vie. Un de ses nouveaux amis lui proposa de le remplacer à l'orgue de temps en temps à la messe. Un violoniste l'engagea comme pianiste-répétiteur en vue d'un concours; Laurín, habitué avec les *Boys* à ce genre de travail, était très à son aise. Il acceptait ces «miettes» comme une manne céleste:

— L'hiver, les miettes permettent à l'oiseau de survivre jusqu'au printemps... Pas vrai, ma Vàlly?

Brusquement lui revint en mémoire qu'après sa fuite de la maison paternelle, ses parents avaient ouvert à son nom un compte à la banque et, pendant quatre ans, y avaient déposé son argent de poche. C'est en arrivant à La Havane, en octobre 1939, qu'il l'avait appris. Il n'avait jamais touché à cet argent.

— *Princésa*, c'est fantastique... Comment n'y avais-je pas pensé plus tôt? Alors, qu'est-ce que je fais?
— Téléphone au plus vite à *mamacíta*. Cet argent t'appartient, récupère-le.

Il fut dépanné pour un bon moment. Et comme un bonheur n'arrive jamais seul, pendant que nous étions absorbés par le travail, le téléphone sonna.

— Au diable! Je n'ai pas le temps...
— Réponds donc, et vite! On ne sait jamais.

Son sourire s'épanouit. C'était Suzanne! Il me passa l'écouteur: elle avait un récital pour lui dans un mois à la Salle Gaveau. Il croyait rêver.

Fiévreusement commencèrent la sélection des œuvres et le minutage.

— Qu'est-ce que tu en penses, mon Laurín

d'amour: Mozart, Scarlatti et, pour finir, l'*Appassionata* de Beethoven? Pour les rappels, une ballade de Chopin, le *Clair de Lune* de Debussy, que tu jouais si bien du temps des *Boys*, t'en souviens-tu?

— Bien sûr, mon étoile, je m'en souviens... Mais depuis le temps, je l'ai amélioré.

Les temps d'espérance

Paris allait enfin connaître Lori A.!

Le lendemain du récital, Laurín me raconta l'après-midi qui avait précédé son concert.

— Vers 14 heures, je me rends à la Salle Gaveau. Le piano est sur la scène, complètement désaccordé. Je m'assieds devant. Un homme en salopette se plante devant moi. Je lui dis:

— *Je suis le pianiste, je vais jouer ce soir. Le piano est complètement désaccordé.*
— *Il sera accordé pour ce soir. Vous n'avez rien à faire ici! Allez-vous-en!*

«L'homme s'en va, me laissant là. La moutarde me monte au nez... Je demande à parler au directeur de la salle: il est absent; son adjoint, lui, est chez le dentiste. D'une cabine téléphonique, je tente d'appeler Suzanne: pas moyen d'avoir la communication. Essayant de garder mon calme, je fais plusieurs appels pour trouver un studio où je puisse pratiquer, ne serait-ce qu'une heure, sur un grand piano, histoire de me dégourdir les doigts.

«J'ai trouvé finalement ce que je cherchais... alors, je me suis défoulé: je n'ai pas ménagé le pauvre piano! Avoue que ça avait commencé plutôt mal!»

***

Parmi la garde-robe qu'Alix lui avait fait faire sur mesure, il y avait un ravissant smoking bleu nuit, en tissu léger, garni d'un jabot et de manchettes en dentelle, tout à fait de «style Mozart». Non conformiste, Laurín n'acceptait pas de porter une queue de pie noire: «Quelle horreur... jamais!»

Je promis à Laurín de rester dans les coulisses pour l'encourager. Suzanne, Marcel et sa femme Hélène, ainsi que deux autres amis, allaient être mes yeux et mes oreilles dans la salle.

Dans sa loge, nous fîmes une courte prière. Il souffla sur ses doigts et frotta ses mains l'une contre l'autre.

Avant d'entrer en scène, Laurín me dit à l'oreille:

— Je te dédie ce récital, ma belle princesse...
Je t'aime.

Il avança, plein de confiance, encouragé par les applaudissements qui l'accueillirent. Il salua le public avec beaucoup de grâce.

Un nocturne de Chopin, deux sonates de Mozart. Enfin, ce fut la pause... Lori avait chaud, il était heureux. De nouveau sur la scène et se sentant en confiance, il joua une sonate de Beethoven et pour terminer, son opus 57, l'*Appassionata*... Là, il donna sans effort la pleine mesure de ses mains puissantes. Le public fut conquis. Trois rappels, un vrai succès... Les Parisiens venaient de l'adopter.

Après le récital, Laurín déclina poliment l'invitation de Suzanne de finir la soirée au restaurant. Il était fatigué après cette dure épreuve. Habitué avec les *Boys* à fournir un gros effort au cours des soirées de travail, il était soutenu par toute l'équipe. Ici, il se trouva seul et sous une tension inaccoutumée, «comme un naufragé».

De retour chez lui, pour se détendre, Laurín voulut écouter le Quatuor à cordes de Borodine, mais dès les premières mesures, il s'endormit en chaton sur le canapé. Il avait son léger sourire sur les lèvres et paraissait heureux... Après avoir glissé un oreiller sous sa tête et l'ayant couvert d'un plaid, je quittai son appartement à regret.

*

Le lendemain, en lisant les journaux, je fus surprise par l'accueil mitigé des critiques musicaux: «Lori A., ce pianiste américain, a certes une technique impeccable, mais nous ne savons pas qui il est, ni d'où il vient...»

Nous ne comprenions rien. Laurín, lui, n'avait pas l'air d'être particulièrement contrarié:

— Ce qui compte, c'est le public. Les critiques? Je m'en fiche!

Quelques jours après le récital, je pris rendez-vous avec Suzanne. Elle me connaissait bien: souvent elle rendait visite à Isabél, à *La Maison*, et s'attardait pour écouter jouer Laurín.

— Alors, Suzanne, que pensez-vous de Lori?
— Extraordinaire! Il est bourré de talent. Et quelle présence sur scène!
— Alors, pourquoi cet accueil de la part des «vieilles barbes» ?

Elle respira profondément. Puis, après un moment de silence:

— Après la guerre, à Paris, les gens sont devenus très méfiants envers les personnes qui ne parlent pas de leur passé. Tout le monde est suspecté d'avoir été au moins un «collabo» ou un ancien Nazi, ou encore un tortionnaire. Or, Lori ne veut pas dévoiler son expérience avec les *Boys* et, en cela, je le comprends un peu.

— Moi aussi, je le comprends. «Le chanteur d'un petit orchestre à la mode dans les années trente veut, en 1950, se lancer dans la carrière de pianiste virtuose», ça ne fait pas très sérieux.

— Le *show-business* n'est plus ce qu'il était avant la guerre. C'est devenu dur pour nous aussi. Dans notre métier il n'y a pas de place pour le sentiment. Lori arrive au mauvais moment, même s'il est encore jeune. Dites-lui de ne pas se décourager: je ferai tout ce que je pourrai pour lui. Je sais qu'il aimerait mieux jouer avec un orchestre plutôt qu'en récital. Mais allez donc mobiliser un orchestre avec son chef pour un illustre inconnu!

— Mais il faut faire quelque chose pour qu'il devienne connu!

*

Quand vers midi j'arrivai chez Laurín, il me regarda dans les yeux:

— Mon petit doigt m'a dit que tu as rencontré Suzanne... Alors?

— Suzanne ne m'a rien dit que tu ne saches toi-même. Elle reconnaît que tu as un talent monstre. Ne te décourage pas, elle s'occupera de toi.

Laurín ne fut pas satisfait et prit rendez-vous avec Suzanne pour nous deux.

— Alors, Suzanne, à quoi je dois m'attendre à Paris?

— Ce n'est pas bien compliqué: vous devriez mener une vie mondaine, paraître aux réceptions.

— Vous savez bien que Válly ne peut pas m'accompagner.

— Il faudrait user de votre charme auprès des personnes influentes. Avec toutes les femmes qui vous courent après, ce serait facile.

— Pas question!

— Suzanne a raison: tu devrais sortir sans moi, rechercher des appuis.

La couleur de ses yeux commençait à changer. Il explosa:

— Alors toi aussi, tu es de son côté? Ah! C'est le comble!

— Je suis de ton côté, mon Laurín, mais je ne vois pas d'autre solution, si tu veux réussir.

— Et c'est toi, Válly, toi qui parles comme ça. Vous devriez savoir toutes les deux que je ne suis pas à vendre! Je veux être reconnu pour mon talent!

Il continua à tenir tête à Suzanne, mais je ne l'écoutais plus: il était magnifique dans sa colère. À travers sa beauté sauvage, j'entrevoyais Caligáno, prince arawak, aux prises avec les Karibés.

Il se calma, s'excusa de s'être emporté. Suzanne lui donna un verre d'eau. Il ne tarda pas à retrouver son sourire.

Nous avions failli vivre notre première querelle.

***

Laurín célébra ses trente-six ans. Nous avons fait le bilan de l'année écoulée. Il se maintenait toujours au bon niveau de ses engagements. Les deux moitiés de l'Orange tenaient tellement bien qu'on pouvait à peine distinguer la trace de la soudure.

La tête et les oreilles remplies de musique, nous lisions les Psaumes et apprenions par cœur *Jocelyn* de Lamartine et chantions l'*Exsultate, jubilate* et l'*Ave Verum* de Mozart.

Un de nos auteurs préférés était Saint-Exupéry. En tant que pilote d'avion, j'avais des affinités avec lui. Nous avions lu presque tous ses ouvrages. L'auteur met souvent l'accent sur le don total de soi, sur l'amitié, l'échange. Cela nous faisait réfléchir tous les deux.

— Un don est toujours volontaire. Peut-on exiger de celui qui reçoit quelque chose en retour?
— Certainement. Sans cela, il n'y aurait pas d'échange. Seul l'échange crée un mouvement perpétuel.

***

Laurin partit en montagne pour une dizaine de jours pendant les vacances de Noël. Ayant laissé son équipement de ski chez Alix, il avait dû s'en louer un. Cela ne pouvait lui faire que du bien.

Dès le début de l'année 1951, Suzanne commença à envoyer Laurín dans le nord de l'Europe par intervalles irréguliers, pour des récitals ou avec un orchestre de chambre, comme claveciniste. Il était ravi, lui qui avait fait tant de musique de chambre au conservatoire et avec les *Boys*! Son succès s'affirmait et les critiques scandinaves reconnaissaient unanimement son talent. Il se sentait plus en sécurité, mais il attendait patiemment le jour où il donnerait un concert avec orchestre à Paris.

Sa patience fut récompensée. Suzanne lui dit d'être prêt dans deux mois, pour un concert avec orchestre, au Théâtre des Champs-Élysées. D'un commun accord nous avions choisi le 21e concerto de Mozart.

Laurín allait jouer en Belgique et au Luxembourg. Il était partagé entre la joie de gagner sa vie et la tristesse de me quitter. À son retour, il me tendait chaque fois son chèque en me disant avec fierté:

— Ma Válly d'amour, regarde ce que «nous» avons gagné!

Quand il partait, je me sentais seule, comme au temps des *Boys*. Mais pour me consoler, j'avais ma poupée vivante, ma Sophie, maintenant âgée de cinq ans. J'avais les clés de l'appartement de Laurín et je pouvais y aller pour me détendre.

Dès son retour, il fallait revoir le «21» pour que tout soit parfait.

Enfin, l'avant-veille du grand jour arriva. Il rencontra le chef, un Français, homme aimable dans la cinquantaine et très apprécié dans le milieu musical. Laurín lui avoua humblement que c'était la première fois qu'il jouait avec un orchestre symphonique. Le chef, un peu surpris, le rassura: «Vous n'aurez qu'à jouer à votre tempo, selon votre force, sans vous occuper du reste. Moi, je vous suivrai et tout ira pour le mieux.»

On ne perdait pas de temps: le lendemain matin ce fut la première répétition, une entente parfaite entre le soliste, le chef et les musiciens. Avant de commencer, Laurín remarqua, assis dans un coin, un inconnu, une partition posée sur ses genoux. Intrigué, le chef lui demanda:

— L'avez-vous invité?
— Moi? Je ne le connais même pas.
— Moi non plus, je ne l'ai pas invité. Il n'a rien à faire ici sans autorisation. Voulez-vous que je lui dise de partir?
— Laissez-le. Il n'a peut-être pas les moyens de

se payer un billet pour le concert de demain soir!

***

«Lori A.» devait jouer après l'entracte. Une courte prière dans sa loge; un baiser... et, à mi-voix: «Mon amour, je jouerai l'*Andante* rien que pour toi.» Avant d'entrer en scène, il souffla sur ses doigts et frotta ses mains l'une contre l'autre.

Cette fois encore je restai dans les coulisses. Dans la salle, Suzanne, sa famille et quelques-uns de nos fidèles amis devaient observer notre soliste.

Précédant le chef, c'est avec assurance que Lori A. fit son entrée dans «la cage aux fauves». Les applaudissements chaleureux qui l'accueillirent étaient d'un bon présage. Et c'est avec naturel et simplicité qu'il salua le public.

L'introduction de l'orchestre me parut interminable. J'étais incapable de compter les mesures. Enfin, le piano! Et le trille d'une telle légèreté! Lori était imprégné du concerto.

J'ai maintes fois entendu le 21e concerto, mais jamais personne n'a joué l'*Andante* comme lui. On aurait dit qu'un ange planait dans la salle. Et le dernier fa est tombé, comparable à une petite larme, pure comme de l'eau de roche... Lori resta immobile pendant un moment. Enfin, il fit un signe discret au chef de commencer.

Non, il n'avait pas eu de trou de mémoire: simplement il devait revenir d'une autre dimension et laisser au public le temps de récupérer. C'est ce qu'il m'expliqua après le concert. Merveilleux Laurín, il savait ménager ses effets!

Dans l'*Allegro vivace assai*, Lori s'amusait follement. Son enthousiasme se communiqua au chef et à l'orchestre. Le succès fut énorme. Il conquit le public. De retour dans les coulisses après le concert, il m'étouffa dans ses bras:

— *Princésa*, ça y est, on les a eus!

Laurín avait hâte de rentrer chez lui.

Avant d'aller au concert, j'avais prévenu mon mari que je rentrerais tard. J'avais couché Sophie, elle m'avait promis d'être sage. Très autonome pour son âge, elle était capable de se lever la nuit si c'était nécessaire. Je pouvais partir l'esprit en paix.

Il n'était pas encore 23 heures quand le taxi nous déposa au domicile de Laurín. Il me demanda de monter. Naturellement, il n'avait pas faim. Pendant qu'il prenait son bain, comme une vraie mère je lui préparai une légère collation, sortis son pyjama, défis le lit. Il n'avait qu'à se coucher et faire de beaux rêves...

— *Estrellíta*, je voudrais te demander une faveur: voudrais-tu t'étendre à côté de moi en attendant que je m'endorme?

— Pas d'objection, mon pianiste préféré.

Au comble du bonheur, étendue à côté de Laurín, tout en caressant ses cheveux, je lui chantai tout doucement une berceuse corse. Il n'arrivait pas à dormir. Ensuite, ce fut la *Berceuse* de Brahms. Il ne s'est pas endormi... moi non plus.

Arrivée à la maison, je trouvai mon mari ronflant à faire trembler les vitres. Il ne se rendit même pas compte de l'heure tardive de mon retour. Décidément, Denis était ou naïf, ou complètement indifférent.

Pour Laurín et moi, le «lendemain de l'extase» fut pénible.

*

Une fois de plus, la critique fut réservée. Je ne comprenais pas pourquoi le talent de Lori n'était pas plus apprécié. Comme à la suite de son récital, il ne parut nullement déçu.

— Mais pourquoi ton charme n'agit-il pas?
— Quel charme? Ce n'est pas une question de charme, c'est autre chose... Ne cherche pas à comprendre, ma princesse. Le public est le meilleur juge. Point!

Suzanne voyait juste: il arrivait trop tard. C'étaient les années de gloire de Clara Haskil, de Wilhelm Kempf, d'Arthur Rubinstein, d'Edwin Fischer et d'autres brillants pianistes.

Lori refusait de faire la cour aux critiques qui faisaient à Paris la pluie et le beau temps.

***

Au début de septembre 1951, Denis et moi avons enfin acheté notre terrain de Saint-Rémy. À peu près à la même époque, Laurín m'annonça que son père venait de céder sa plantation et sa résidence principale à un trust américain et de déposer le produit de la vente dans une banque aux État-Unis. Il en fut très contrarié:

— Voilà comment les richesses de mon pays s'en vont aux mains des étrangers.
— Mon Laurín d'amour, ne critique pas ton père: il l'a fait pour toi et tes sœurs. Tu m'as dit que le régime est instable. Il est prévoyant, c'est tout.

En novembre, Laurín apprit que son divorce avait été prononcé «aux torts réciproques». Alix ne voulut pas accepter sa part des frais et honoraires, lui faisant un cadeau de liberté rendue.

***

Puis ce fut l'année 1952. Nous avions des grands espoirs pour la carrière de Laurín, qui me confiait ses rêves les plus chers:

— Tu sais, *Florecíta*, j'aimerais tellement jouer au Festival de Bergen... Et aussi au *Mozarteum*, à Salzbourg... Et plus tard, j'envisage d'interpréter deux concertos, et peut-être trois, dans la même soirée au *Carnegie Hall*, à New York. Et puis faire mon premier disque: deux concertos de Mozart... et pourquoi pas une intégrale? Qu'est-ce que tu en penses? C'est fou, non?

— Mais non, ce n'est pas si fou que ça et c'est peut-être pour très bientôt.

— Ah! mon trésor d'amour, je sais que j'ai perdu beaucoup de temps. Parfois je reconnais que Suzanne a raison. Malgré tout, j'ai confiance...

Amoureusement, il me prenait dans ses bras et sur les hauteurs infinies, nous faisions des rêves d'avenir.

Dans la dernière semaine de février, Laurín devait se produire à Copenhague. Voulant profiter du temps libre qui lui resterait après le récital, il eut l'idée de faire un peu de tourisme au Danemark; je l'encourageai vivement tout en souhaitant son retour le plus rapidement possible.

Quand le téléphone sonna, je pensais que Laurín m'annoncerait joyeusement son retour à Paris. Sa voix était méconnaissable:

— Mon trésor d'amour, il faut que tu viennes. Il m'arrive une catastrophe. Un télégramme: mon père est décédé d'une congestion cérébrale à la suite d'une insolation!

— C'est incroyable!

— Oui... Incroyable... Lui qui a passé toute sa vie au soleil. Il avait seulement soixante-trois ans! Si j'avais su, je serais rentré tout de suite après le concert. Je partirai par le premier vol.

En ce temps-là, les transports aériens n'étaient pas aussi rapides qu'aujourd'hui. Quand Laurín arriva à La Havane, cela faisait trois jours que son père était enterré. Sa tombe était recouverte d'un monceau de fleurs déjà fanées.

— Ah! ma chérie... Si tu savais comme je m'entendais bien avec mon père, comme je l'aimais... Je regrette de ne pas le lui avoir dit plus souvent. Si c'était à refaire... Mais il me reste *mamacíta*. Elle a été très courageuse.

*

Le 10 mars de la même année, le colonel Batista, ancien président de la république de son pays, qui séjournait aux États-Unis depuis 1944, reprit le pouvoir en dictateur, ce qui ne présageait rien de bon pour l'avenir de Cuba. Le père de Laurín avait eu du flair... Heureusement, depuis peu, *mamacíta* s'était installée avec ses filles dans sa maison, en Floride.

— Dis-moi, mon Laurín, que vont devenir les propriétés privées?

— Je suppose qu'elles seront confisquées.

— J'ai toujours voulu savoir comment ton grand-père, un Italien, a hérité de la plantation de tes aïeux?

— C'est une histoire d'amour. Alessandro R. est né à Turin, en Italie. Il étudia l'agronomie et s'intéressa en fin de compte à la culture sucrière. Après maintes péripéties, il arriva à Cuba. Charmé par ce pays, il décida de mettre sa science à son service. Il finit par échouer dans la plantation de mon arrière-grand-père, qui avait trois filles. C'est l'aînée, Terésa, qui devait prendre la relève pour diriger la plantation. Pour une femme, la tâche s'avérait difficile.

«Alessandro, devenu Alejándro, bel homme, était très épris de la jolie petite Indienne Terésa. Ce sentiment était partagé. Il pensait que Terésa n'était qu'une assistante de son patron. Quand il apprit la vérité, ne voulant pas passer pour un coureur de dot, à regret il cessa de fréquenter la jeune fille. Terésa était au désespoir.

«Son père ne se doutait de rien, mais voyant en son agronome un digne successeur, il demanda Alejándro en mariage pour sa fille. C'est comme ça qu'Alejándro R. hérita de la plantation de mes aïeux.»

— On dirait un conte de fées.

***

La disparition de son père l'ayant plongé dans une profonde méditation, Laurín commençait à se poser des questions sur la mort. Le seul moyen de savoir la vérité était de recourir aux Saintes Écritures.

Laurín possédait une très belle Bible en espagnol qui lui venait de Terésa. Par chance, ses geôliers italiens la lui avaient rendue.

Nous avions vite trouvé «que la poussière retourne à la terre, comme elle y était, et que l'esprit retourne à Dieu qui l'a donné». Ayant confronté plusieurs versets, nous avons conclu que la mort n'est qu'un long sommeil au bout duquel il y aura une glorieuse résurrection et la vie éternelle.

— *Florecíta*, c'est rassurant n'est-ce pas? À la résurrection des morts, toi et moi serons réunis pour l'éternité.

Satisfait, Laurín retrouva la sérénité.

***

Après une longue période d'abstinence, Éros revendiquait ses droits.

Ce jour-là, c'était visible que Laurín avait autre chose en tête que le travail.

Il vint s'asseoir tout près de moi. Son regard m'enveloppait, ses bras m'emprisonnaient. Enjôleur, il chuchota:

— Tu veux bien, dis?

Je m'abandonnais à ses baisers au goût de miel.

Il fallait s'y attendre: le lendemain nous étions complètement déboussolés. Les notes dansaient sur les portées, les pages de la partition étaient toutes mélangées... Découragé, Laurín ferma le piano.

— *Estrellíta*, comment font les autres? Après l'amour, ils se quittent, oubliant les moments vécus il y a si peu de temps. Ils ne connaissent pas nos lendemains. Et pourquoi nous, les jours qui suivent, nous vivons dans le brouillard, étourdis, nous tendant les mains désespérément, soupirant à fendre l'âme au moment de nous quitter? Nous nous entendons si bien, c'est l'accord parfait. Pourquoi, mais pourquoi Nous?

— Parce que, mon bien-aimé, étant chacun l'autre moitié de la même Orange, nous connaissons des émotions sublimes et nous en payons le prix qui, à certains moments, nous paraît élevé.

Et Laurín, me lançant un regard espiègle:

— À propos, combien coûte un kilo d'oranges sur le marché en ce moment?

Pour retrouver la paix intérieure, fallait-il que notre passion, une fois de plus, ne s'exprime que par la musique? Portés sur ses ailes, nous avions retrouvé le refuge pour notre Grand Amour. Sur les sommets des plus hautes montagnes, les neiges éternelles fondaient sous nos pas...

J'avais offert à Laurín, pour son anniversaire, *Citadelle* de Saint-Exupéry, œuvre énorme et inachevée qui, à la place de l'intrigue, offre une série de méditations et de paraboles mythiques et bibliques. Chaque jour, nous lisions plusieurs pages et, dans sa recherche de Dieu, parfois il y trouvait des réponses.

Après ces lectures édifiantes, nous revenions à la musique. Notre préférence allait toujours à Mozart. Laurín avait des affinités avec ce compositeur: il comprenait sa manière d'agir non conformiste, ainsi que ses révoltes contre l'injustice des grands de ce monde. Une fois Isabél m'avait dit qu'il semblait se dédoubler quand il jouait Mozart...

Quant il s'asseyait au clavier, les portes de l'infini s'ouvraient et le studio se transformait en un jardin féerique. Les murs s'envolaient alors vers la voûte céleste et la lumière remplissait la pièce... Mille soleils dansaient au son des notes magiques. Poussés par une brise légère, des nuages vaporeux déversaient une pluie de perles fines. Des buissons de jade se miraient dans un lac d'argent. Des échos mélodieux répondaient aux notes cristallines. Dans cet univers sans commencement ni fin, les larmes se transformaient en diamants et l'amour plongeait dans l'éternité.

Après le dernier accord, tout disparaissait et nous revenions sur la terre. Laurín me souriait:

— C'était beau... pas vrai?

***

Au début de l'année 1953, Lori A. donna un autre concert à Paris, avec orchestre. Notre choix s'arrêta sur le concerto N° 20 en ré mineur de Mozart. À la première répétition, j'avais constaté avec plaisir une sympathie née spontanément entre le jeune chef, le charmant soliste et les musiciens.

Cette fois-ci, les critiques furent un peu plus généreux dans leurs commentaires: «(...) dans l'*Allegro* du ré mineur dramatique et passionné... plein de tendresse dans la Romance (...) a terminé le Rondo dans une explosion de joie, entraînant avec lui le chef, les musiciens et le public (...)»

***

Le 26 juillet, Fidel Castro et ses partisans attaquèrent la caserne de *La Moncáda*, à Santiago de Cuba. C'était le présage d'une révolution. Cette nouvelle, annoncée à la radio, nous bouleversa tous les deux:

— Ma Válly chérie, l'histoire de mon pays est écrite avec du sang et des larmes: des révoltes, des guerres, des assassinats, des insurrections, des massacres... Un pays où il ferait si bon vivre.

— Pourtant, tu m'avais dit que les très pauvres côtoyaient les richissimes et qu'il n'y avait pas de juste milieu.

— C'est vrai... Mais que ne fait-on pas au nom de la liberté: *¡Libertad o muerte!* Si je ne t'avais pas, j'irais me battre aux côtés de Fidel!

— Attention, p'tit gars! Mon pays a connu une révolution et, crois-moi, ce n'est pas bien joli... Tu ferais mieux de ne plus y penser. D'ailleurs, comment irais-tu te battre? Tu n'as jamais tenu d'autres armes dans tes mains que ton arc et tes flèches?

Il resta pensif un moment.

— Si chacun bâtissait sa pyramide, toutes les pensées s'élèveraient vers Dieu. Alors, il n'y aurait jamais de guerres ni de misère ni d'injustice.

Son regard se perdit au loin.

— Vois-tu, *Estrellíta*, la vie est une pyramide. La base et les premiers degrés sont longs à édifier. Plus on s'élève, plus il faut d'efforts pour y transporter les matériaux. Puis, on ne sait comment, tout devient facile et la montée se poursuit tranquillement. Mais qui réussit à parvenir au sommet?

— Laurín! Je viens de me rendre compte que je bâtis ma pyramide à côté de la tienne!

— Oui, je le sais depuis longtemps, mon trésor d'amour.

— Mais toi, tu as plusieurs degrés d'avance sur moi.

— Qui sait si un jour ta pyramide ne s'élèvera pas plus haut que la mienne? Qui vivra verra.

Laurín pouvait se permettre de réduire ses heures de pratique du piano et il nous restait un peu de temps pour nous consacrer l'un à l'autre. Pour une question de répertoire, il n'avait pu participer à un festival de musique en ce juillet 1954.

Sophie avait maintenant huit ans et demi. Pour la première fois, à sa demande, nous l'avions envoyée dans les Alpes en juillet, dans une colonie de vacances dirigée par son professeur de piano.

***

Denis n'étant en congé qu'au mois d'août, j'allais passer tout le mois de juillet toute seule à Saint-Rémy. Mon mari venait me rejoindre le vendredi soir et, comme bon nombre de résidants de fin de semaine, repartait pour Paris le dimanche par le train de 20 h 45. En raison de l'éloignement, il ne revenait jamais le soir en semaine.

Quoi de mieux à faire que d'accepter l'invitation de Laurín d'aller vivre trois à quatre jours par semaine chez lui, à l'insu de tous? Seule madame Lebon, en nous voyant passer, demandait très discrètement: «Faut-il préparer à manger pour deux ce soir?» Et le clin d'œil complice de Laurín voulait dire: «Oui, s'il vous plaît.»

Chaque vendredi j'attendais Denis avec un bon souper et le sourire. Le lendemain, je faisais sa lessive de la semaine qu'il m'avait apportée. Je jardinais en attendant dimanche soir... Une heure après son départ pour Paris, la Simca bleu nuit de Laurín s'arrêtait discrètement non loin du jardin et m'emportait pour Cythère... jusqu'au vendredi matin suivant.

Quel enchantement que les jours et les nuits passés avec Laurín! C'était un avant-goût de notre vie en commun plus tard. Était-ce le fait de vivre ensemble, nous ne connaissions pas les pénibles lendemains de l'extase.

Nous étions en vacances tous les deux. Laurín jouait quotidiennement ses exercices et ses gammes et nous prenions le temps de revoir une sonate ou un mouvement d'un concerto. Parfois il improvisait une fantaisie ou un adagio élégiaque et me demandait:

— Devine de qui c'est.
— Je ne sais pas. D'Albinoni, d'un fils de Bach?

— Ah! tu n'y es pas: c'est de ton humble Chevalier Laurent. Tu ne trouves pas que ça ressemble à notre amour?

Un soir sur deux, à la nuit tombée, nous allions arroser mon jardin. Pendant que dans un léger froissement le tourniquet dispensait l'eau aux plantes assoiffées, étendus côte à côte sur le gazon, nous étions en contemplation devant le firmament étoilé. Dans ce silence, troublé parfois par le cri d'un oiseau nocturne, Laurín, osant à peine respirer, dévorait des yeux ces merveilles qui s'offraient à nos regards.

— *Princésa*, vois-tu palpiter les étoiles, on dirait des cœurs qui battent. Et la Voie lactée, ce grand voilier d'argent, nous emporte dans une croisière sidérale... sans retour.
— Dis-moi, mon beau Laurín, la Voie lactée, ne serait-ce pas le chemin qui mène à Dieu?
— Ma bien-aimée, le chemin qui mène à Dieu est tracé dans l'Évangile de saint Jean, chapitre 14, verset 6.

Nous partagions les mêmes émotions, les joies et les peines. À quoi tient le vrai bonheur? Aux deux moitiés de la même Orange? La rosée tombait et nous devions partir.

De retour chez Laurín, l'univers se réduisait aux dimensions de sa chambre, un nid d'amour... Comblé, heureux, il s'endormait paisiblement tout près de moi. Sous la lumière tamisée je ne me lassais pas de le regarder, jusqu'à ce que le sommeil m'envahisse à mon tour. Et le matin au réveil, Laurín avait le sourire. Jamais maussade, d'humeur égale, toujours prévenant.

Le 14 juillet étant un jour de semaine, Denis n'avait pas jugé utile de faire l'aller-retour dans la même journée. Cette nuit-là, il y avait un clair de lune; on dansait un peu partout dans les rues. Nous avons trouvé un bal populaire sur un des quais de la Seine.

Nous souvenant tout d'un coup du dancing sous les étoiles, près de Biarritz, nous décidâmes de profiter de notre liberté provisoire, comme disait Laurín, pour aller dans une guinguette à Robinson, près de Paris, ou sur les bords de la Marne, nous mêlant aux couples d'amoureux anonymes. Et on ne sait comment, nous avons gagné deux bouteilles de champagne à un concours de danse.

Nous vivions dans la félicité. Pourtant, j'éprouvais une certaine inquiétude.

— Mon Laurín, ne crains-tu pas que le quotidien et la routine à la longue puissent tuer notre amour?
— Non, ma chérie, le quotidien peut être varié; avec de l'imagination on peut changer la routine en de nouveaux défis. Ce qui tue l'amour,

c'est la pauvreté et la misère qui transforment le quotidien en cauchemar et la routine en dégoût. C'est la raison pour laquelle je ne t'avais pas demandé de divorcer et de m'épouser en 1937, ni en 1938.

— C'est dommage... Tu aurais dû.

— C'est vrai, j'aurais dû... Je me sentais capable d'assumer le rôle de chef de famille malgré mon jeune âge, mais je n'avais aucun statut, aucun avenir. J'étais conscient de la fragilité des *Lecuona's Cuban Boys*. Et en cas d'échec dans ma deuxième carrière, je n'aurais rien eu d'autre à t'offrir qu'une mansarde dans le vieux Paris. *Princésa*, tu mérites mieux.

— Et pourtant, mon amour, en 1937 et 1938 rien ne s'opposait à mon divorce, sinon le scandale tant redouté par Armándo. Pour vivre avec toi j'aurais accepté la misère. À présent, je ne sais pas comment je devrais m'y prendre pour aborder le problème du divorce. Denis est tellement replié sur lui-même depuis son retour de Berlin, je ne devine pas ses pensées. Quant à Sophie, comment réagirait-elle? Elle ne se souvient pas de toi.

— Y aura-t-il un jour des réponses à ces questions, mon étoile?

Comme nous l'avions prévu, notre «demi-lune de miel» se termina avec le mois de juillet.

Et pour la sauvegarde de notre paix intérieure, nous devions chercher de nouveau le refuge sur les hauteurs infinies.

Sophie, bronzée et fortifiée par le grand air des Alpes, retrouva avec joie ses camarades à Saint-Rémy. Au début du mois d'août, Denis s'installa pour ses vacances dans la maison de campagne.

***

À environ huit kilomètres de Saint-Rémy se trouvait le village de Saint-Lambert-des-Bois. Sophie et ses petits amis me demandèrent un jour d'y aller en promenade pour assister à une fête enfantine.

Profitant d'une des mes escapades à Paris, j'en parlai à Laurín, qui me proposa de préparer l'itinéraire par les raccourcis et, en même temps, de repérer les arrêts de l'autocar sur la route pour le cas où les enfants seraient fatigués de marcher sur le chemin du retour.

Laissant la voiture à l'ombre d'un bosquet, nous partîmes à pied. Le village cerné de forêts portait bien son nom. Son église, avec son orgue historique, était entourée d'un cimetière datant du début du XIXe siècle. Malheureusement, l'orgue était en réparation et l'église fermée. Par contre, le fossoyeur, à la demande de quelques familles, effectuait «une réduction des corps», c'est-à-dire vidait les tombes anciennes de leurs ossements.

Cela intrigua Laurín, qui se trouvait pour la première fois confronté avec cet aspect de la mort. Il interrogea le fossoyeur:

— Pourquoi vous faites ça?

L'homme lui expliqua que depuis un certain temps, la population de la localité avait augmenté, que le cimetière n'était plus assez grand et qu'il fallait faire de la place pour les nouveaux venus.

— Ah! Ça faisait combien de temps que ces os étaient là?
— Environ trente ans.
— Et ceux-là?
— Une quarantaine d'années, un peu plus peut-être...
— C'est ça qui restera de moi dans trente ans? Et qu'est-ce qu'on en fait ensuite?
— On les dépose dans la fosse commune.
— Quelle horreur! Plutôt me faire incinérer que de finir comme ça!

Laissant Laurín discuter avec le fossoyeur, j'allai lire les épitaphes sur les pierres tombales. Quelques tombes dataient du début du XIXe siècle. Classées comme monuments historiques, on n'y toucherait pas. Puis je rejoignis les deux hommes.

En jetant un dernier regard à ces crânes, à ces os et débris de bois pourri, à ces restes de cercueils éparpillés, pêle-mêle sur les monceaux de terre noire, Laurín déclara avec assurance:

— De toute façon, que je retourne à la poussière ou que je sois réduit en cendres, Dieu me ressuscitera par la puissance de Son Esprit au dernier jour...

Et, me prenant par la main, il dit tout doucement:

— Viens, ma Válly, on s'en va.

***

Laurín venait d'avoir deux fois vingt ans. Avait-il changé en franchissant cette nouvelle dizaine? Quand on voit quelqu'un presque tous les jours, on ne remarque pas les transformations. Dans ses beaux cheveux noirs, il y avait quelques fils de platine, surtout sur les tempes, mais cela lui donnait encore plus de distinction. Les petites rides aux coins des yeux s'étaient accentuées, signe qu'il riait beaucoup. La ligne harmonieuse de ses sourcils n'avait pas changé. Il était toujours aussi beau. Et quelle silhouette! Comme au temps de sa jeunesse, il faisait rêver les femmes. Des admiratrices, il en avait!

En décembre, Laurín profita de quelques semaines de répit dans son agenda de tournées pour aller en Floride voir sa mère et ses deux sœurs. Il revint contrarié: deux ans et demi après la mort de Mattéo, Laura n'était pas encore tout à fait remise. Ses sœurs s'étaient mariées et il avait trouvé ses deux beaux-frères antipathiques. De plus, le fait d'être si près de son île verte et de ne pas pouvoir y aller lui avait donné le cafard.

— *Estrellíta*, j'ai beaucoup pensé à nous deux pendant ces ternes vacances et j'ai pris là-bas des dispositions pour transférer à Paris une partie de ma fortune personnelle. Si tu veux divorcer, nous nous marierons et nous prendrons Sophie avec nous. Il y a plein d'appartements à vendre à Paris. Je vais en acheter un.

— Mon chéri, mais ces appartements ne sont pas libres! Des locataires les occupent. Pour avoir le droit de reprise, il y a mille démarches, longues et compliquées à faire. Demande donc à Marcel qu'il t'explique.

Sur les traits de Laurín se lisait le dépit; il y avait quelque chose de brillant dans ses yeux, comme des larmes.

— Mais quoi, enfin? Il n'y aura donc jamais moyen de vivre en famille? Qu'avons-nous fait pour que le bonheur d'être ensemble nous soit refusé? Oui, nous commettons l'adultère à temps partiel. Ce n'est ni par convoitise ni par vice, mais parce que nous sommes faits l'un pour l'autre! Mon Dieu, Tu sais combien nous nous aimons. Fais quelque chose pour nous selon Ta volonté!

Ça ne peut plus durer: il faut que ça change! Oui, il faut que ça change!

Comme un petit garçon malheureux, Laurín se blottit contre moi. Je ne trouvais pas d'autres paroles que des mots d'amour pour apaiser sa peine. Et retrouvant le sourire, il se leva:

— Assez de pleurnicheries, je vais faire du café.

***

Laurín avait maintenant un répertoire impressionnant et je me demandais comment il pouvait emmagasiner tout cela, sans confondre une pièce avec une autre, surtout que chez Mozart il y avait parfois des «brèves rencontres». Il lui suffisait de revoir chaque œuvre l'une après l'autre et de maintenir au plus haut niveau sa technique pianistique.

Pour son troisième grand concert à Paris, nous choisîmes une œuvre riche en contrastes, le concerto N° 22, en mi bémol majeur, de son compositeur préféré, qu'il avait commencé à travailler du temps d'Alix. Il aimait la noblesse qui se dégageait de l'introduction du premier mouvement et l'embrasement progressif de l'*Andante*, à la fois suppliant et théâtral. À la fin du dernier mouvement, il écrivit à même sa partition: «Et les petits soldats de plomb, au son de la trompette, à la retraite s'en vont...» Un critique musical mentionna «qu'il avait des clochettes au bout de ses doigts.»

Laurín avait mûri. Le côté tour à tour dramatique, mystérieux ou enjoué de son interprétation subjuguait le public. Ses doigts extirpaient du clavier les sentiments profonds, douloureux ou pleins d'espérance du compositeur, me donnant plus que jamais l'impression qu'il s'identifiait à Mozart.

***

Grâce à l'argent que Laurín me donnait pour ma collaboration, Denis et moi avions pu commencer et continuer des travaux de construction d'une petite maison en brique creuse sur notre terrain à la campagne. Mon mari n'avait pas l'air de s'inquiéter d'où venait l'argent. Il croyait certainement que je continuais à m'user la santé à taper des âneries à la machine ou à coudre des robes pour quelques voisines. Cependant, je ne lui avais pas caché que je voyais Laurent de temps en temps.

Au printemps de 1955, je fus touchée par une nouvelle inquiétante: mon frère – notre voisin de Saint-Rémy – m'apprit qu'il avait un cancer à la gorge. Laurín qui partageait mes joies et mes peines m'aidait à trouver les paroles consolatrices. Il fallait absolument que mon frère conservât une attitude positive: un cancer pris tout au début pouvait être enrayé, ou du moins avoir une rémission.

Quelques mois plus tard, j'eus le chagrin de perdre ma mère et ma belle-mère, presque en même temps.

***

Le 2 décembre 1956, Che Guevara se joignit à Fidel Castro et ses partisans. À bord du yacht *Gramma*, ils débarquèrent sur la côte sud-est de Cuba, au pied de la *Sierra Maestra*. C'était la formation du premier foyer de la guérilla et les premiers échos de tueries, de massacres et de tortures. Laurín ne savait plus que penser:

— Si seulement c'était un début de la libération de mon île, pour qu'elle soit rendue à son peuple. Mais quelque chose me dit que ça se passera difficilement.

Il avait raison: la lutte ne se terminerait que dans les derniers jours de 1958.

Depuis plusieurs années déjà, les Américains se battaient au Vietnam et l'Algérie s'agitait... mais c'était loin, bien loin de nous. Et puis, n'avionsnous pas eu notre part d'épreuves pendant la guerre de 1939-45?

Le 4 octobre 1957, le premier *Spoutnik* fut mis

sur orbite. Laurín salua ce formidable exploit avec un enthousiasme déchaîné:

— Te rends-tu compte, *Princésa*, un petit «bidule» qui a échappé à l'attraction terrestre, qui gravite autour de la terre en faisant «bib-bib». C'est formidable. La liberté et le progrès sont deux choses qui méritent qu'on se batte pour elles!

Après avoir repris son souffle:

— Galilée, au risque de sa vie, avait soutenu: «Et pourtant elle tourne.»

***

Les engagements de Laurín prirent un rythme plus régulier: Suzanne, saisie de scrupules, lui organisait des itinéraires de tournées moins astreignants. Heureusement, car malgré sa résistance physique exceptionnelle, il commençait à donner de légers signes de fatigue.

Marcel avait vendu sa collection de 78 tours à un amateur et commencé à acheter des long-jeu. Il installa dans l'appartement de Laurín une chaîne stéréo sur laquelle il pouvait brancher son magnétophone et agrémenter ses pratiques avec les enregistrements de l'orchestre. Cet appareil était équipé d'un changeur de disques, ce qui donnait deux fois deux heures d'écoute.

Les amoureux ont des ruses de Sioux. Pour passer quelques soirées par semaine à écouter la musique avec Laurín, j'inventais toutes sortes de prétextes: répétition à la chorale... veillée chez une ancienne amie de ma mère percluse de rhumatismes... conférence au Palais de la découverte... réunion de parents d'élèves, activités que Denis évitait scrupuleusement. Laurín était dépassé par la facilité avec laquelle je mentais, lui qui ne savait dire que la vérité.

— Qu'as-tu raconté à ton mari pour ce soir?
— Une conférence au *Planétarium*... sur la planète Vénus!

Denis n'y voyait que du feu. Sophie aussi, mais je lui accordais le maximum d'attention, me souvenant de la tristesse qu'éprouvait María, la fillette d'Armándo et d'Isabél, devant le manque de disponibilité de ses parents. Laurín n'aurait jamais accepté que je néglige ma fille à cause de lui.

Sophie devenait une enfant secrète, qui tenait de son père le caractère réservé et le goût de la solitude. Elle triait sur le volet ses amis, filles ou garçons, si bien qu'elle en avait peu. Depuis qu'il ne venait plus à la maison, Laurín se désolait de ne plus la voir. En grandissant, elle l'avait complètement oublié. Elle allait au lycée, non loin de chez lui et, à la sortie des cours il s'asseyait sur un banc d'une allée du jardin public, faisait semblant de lire son journal, et attendait qu'elle passe:

— Je l'ai vue, elle était avec une camarade et ne m'a pas remarqué.

À plusieurs reprises, nous nous sommes trouvées au même endroit que Laurín: à un concert d'orgue, au *Planétarium*, à l'observatoire des Sociétés savantes où, mine de rien, il me poussait devant l'oculaire de la lunette astronomique pour que je puisse observer les anneaux de Saturne:

— Madame, mettez-vous là pour mieux voir...

À la sortie, il s'éloignait. Je demandais à Sophie:

— As-tu vu le beau monsieur brun qui était à côté de nous?
— Non... quel monsieur brun?

Laurín s'était vite rendu compte qu'il n'avait aucun succès auprès de ma fille. Il prit le parti d'en rire:

— Pourtant on dit que je ne passe pas inaperçu. Qu'en penses-tu, ma Válly?

Et c'était ainsi à chaque fois. Il est vrai que Denis avait enseigné à Sophie à ne pas faire attention aux beaux messieurs. Un jour, elle me dit que moi, je regardais bien trop souvent les «beaux messieurs bruns»... La petite coquine!

***

Les derniers jours de cette année 1958 avaient marqué la prise du pouvoir à Cuba par Fidel Castro. Le meilleur cadeau du nouvel an pour les Cubains opprimés fut la fuite précipitée du dictateur Batista.

Laurín soupira d'aise: «Ah! enfin!»

Les temps ultimes

Au début de l'année 1959, Suzanne décrocha pour Laurín un important engagement à Toulouse:

— Vous allez jouer dans une fosse aux lions: à Toulouse on n'applaudit que les célébrités. Vous êtes prévenu, lui avait-elle dit.
— Eh bien, on m'applaudira, moi! Point.

Notre choix s'était arrêté sur le concerto Nº 24 en do mineur, œuvre particulièrement dramatique de Mozart. Laurín devait jouer avec un orchestre dirigé par un très bon chef, mais qui, selon certaines rumeurs, ne ménageait pas les solistes.

L'avant-veille du concert, Laurín éprouva une certaine inquiétude: il voulait donner le maximum de la force de ses mains, décidé à se surpasser et à faire une surprise à Suzanne. Pour cela, il fallait faire jouer la bande magnétique de plus en plus fort. Persiennes et fenêtres closes, les deux portes du studio fermées, le travail commença dans la pénombre:

— Encore, encore plus fort, l'orchestre: il faut qu'on m'entende, *Estrellíta*! Je dois jouer encore et encore plus fort, sans abuser de la pédale! *Fortissimo*!

— Mais, mon chéri, c'est au maximum, c'est à la limite de la saturation. On t'entendra sûrement. Mais tu as de la fièvre: ton front est bouillant.

— Non, non, c'est l'énervement, rien de plus.

Parfois une ombre tragique passait sur son visage...

Heureusement, dans le *Larghetto*, il pourra exprimer toute sa tendresse et ménager un peu ses efforts.

Dans le dernier mouvement, Laurín donna encore le maximum de sa force: il était très satisfait du résultat et avait retrouvé le sourire.

D'habitude ces sortes de prouesses pianistiques l'apaisaient. Cette fois, il était survolté. En vain, je lui rappelai que le lendemain il prendrait l'avion et qu'il devrait garder la pleine forme pour affronter «les fauves». Aucun raisonnement ne pouvait le calmer.

— Ma conscience, ne dis plus rien, laisse-toi faire. Aujourd'hui, rien ne doit compter, hormis l'amour!

Ah! Laurín, comment pouvais-je lui résister? La passion, une fois encore, l'emporta sur la raison...

*

Pour tous les deux le lendemain était pénible. Distrait, Laurín allait oublier de faire enregistrer sa valise et faillit se tromper de porte d'embarquement...

Saurait-il retrouver la maîtrise de soi pour le concert? Comment l'accueillerait le public? Sur ces pensées, je regagnai la grisaille domestique. J'étais inquiète et impatiente d'avoir de ses nouvelles.

À la fin de la matinée qui suivit le concert, le téléphone sonna:

— Salut, c'est moi! Mon étoile d'amour, je prendrai l'avion... Attends-moi dans l'après-midi... Si tu veux, appelle Suzanne, dis-lui «que les lions se sont couchés à mes pieds et ont mangé dans ma main...» Je t'aime et je t'embrasse, à plus tard...

Dans sa joie, Laurín ne m'a même pas laissé le temps de le féliciter. J'appelai Suzanne: elle n'en revenait pas!

*

Ces succès encourageaient Laurín à mieux envisager notre avenir. Jamais il n'excluait Sophie de ses projets.

— Pourquoi attendre que Sophie obtienne son deuxième bac dans quatre ans? Pourquoi ne partirais-tu pas avec elle en Floride maintenant? Maman serait ravie de vous accueillir et moi, je vous y rejoindrais plus tard. Une fois là-bas, tu demanderas le divorce. Bien entendu, je me chargerai de tous les frais et...

— Attention! Denis nous fera sûrement des difficultés, car Sophie n'a que treize ans. Pour passer la frontière, il faut l'autorisation paternelle. Sinon, c'est un délit de rapt d'enfant puni par la loi.

— Je te répète que je le dédommagerai largement pour sa compréhension et ensuite, nous nous marierons.

— Denis n'est plus le même qu'à Berlin. La guerre l'a blessé moralement. Il fait un travail au-dessous de ses qualifications, ne fait rien pour s'en sortir et envie tous ceux qui réussissent. Rien que pour se venger, il serait capable de provoquer un scandale.

— Tu crois?

— Oui... Imagine les manchettes ou les pages couvertures des magazines à commérages: «Lori A., un pianiste américain, enlève la femme et la fille d'un brave père de famille...»

— Pourtant, on dit que pour réussir à Paris, il

n'y a que le scandale. Mais moi, je ne mange pas de ce pain-là! Crois-tu qu'il se doute de quelque chose?

— Mais non! S'il s'en doutait, il me rendrait la vie impossible.

— Si tu préfères, attendons encore quelque temps, nous avons l'habitude d'attendre. Sophie pourrait alors continuer ses études en français au Canada: à Montréal ou à Québec, où nous sommes allés jouer avant la guerre. C'est une belle ville, une cité historique: le Vieux-Québec est entouré de remparts, comme dans les vieilles légendes. Et le beau fleuve qui coule à ses pieds porte le même nom que moi: le Saint-«Laurent». Les Canadiens de Québec sont un peu réservés au début, mais quand ils t'ouvrent la porte de leurs demeures, ils t'ouvrent aussi leur cœur.

Cette conversation me laissa pensive. Entre Denis et moi, le fossé s'élargissait. Partager son lit m'était devenu intolérable. Depuis quelque temps déjà, à mon grand soulagement, il avait perdu tout intérêt pour les «corvées conjugales». Je cherchais l'occasion de lui proposer de faire chambre à part; elle ne tarda pas à se présenter. Ayant participé aux travaux de construction de notre petite maison, j'avais un terrible mal de dos. Je ne pouvais pas dormir sur le côté au bord du lit et je lui demandai d'aller coucher dans une autre pièce. Il accepta; apparemment, c'était ce qu'il voulait.

Serait-ce aussi le moment de lui parler de divorce? Malgré tout, j'hésitais.

***

Ce jour-là, pour la première fois, Laurín m'appela par le surnom donné par les *Boys*:

— Tu sais, *Muñequíta*, jusqu'à présent, je n'ai jamais vécu vraiment chez moi. Avant c'était chez mes parents. Ensuite à Auteuil. Maintenant, chez Marcel. C'est du luxe, mais ce n'est pas chez moi. Serons-nous un jour enfin chez nous?

Mon Laurín me serra très fort sur son cœur. Et ses beaux yeux se remplirent de paillettes.

Chaque fois que j'allais faire du shopping dans les grands magasins du boulevard Haussmann, Laurín, s'il était libre, m'accompagnait. À peine j'avais fini mes achats qu'il m'entraînait dans les rayons de meubles, de l'électroménager et de divers articles pour la maison afin de nous faire une idée de ce que serait notre futur foyer, à Paris... ou ailleurs. *¡No importa!*

***

Laurín, en tournée en Hollande, était absent depuis quinze jours et je trouvais le temps long. J'avais les clés de son appartement.

Je m'étais couchée dans son lit. Cette douce ambiance m'inspirait; je pensais à lui. Il était tour à tour un grand enfant, relevant tous les défis, et un homme conscient de ses responsabilités. Les mois passés à Berlin l'avaient mûri. Voyant sa vie suspendue à un fil, il connut la peur. Le séjour en prison en Italie, la vie dans la cage dorée d'Alix l'avaient marqué. Ayant beaucoup souffert, il était devenu encore plus rempli de compassion.

En vain je lui cherchais des manies. Sans doute avait-il des défauts, mais je ne les voyais pas.

Avait-il des faiblesses? Sa beauté virile? Il n'en tirait aucune vanité: «La beauté, c'est un don de Dieu, je dois l'accepter», disait-il. Ah! oui: le sexe! Son tempérament passionné le prédisposait à devenir un séducteur impénitent et aurait pu lui causer de sérieux problèmes. Mais il rencontra l'autre moitié de l'Orange, qui devint l'unique objet de son amour. Il était possessif. J'entends encore son cri de victoire: «Tu es à moi seul... je ne te donnerai à personne, jamais!»

Sachant garder l'équilibre entre le Scorpion et le Verseau, bien dans sa peau, sa compagnie était très appréciée par ses amis et ses collègues de travail. Ceux que sa «perfection» dérangeait s'éloignaient d'eux-mêmes de lui.

Laurín, pendant ce temps, tranquillement bâtissait sa pyramide...

*

Les retrouvailles furent joyeuses. Dans un emballage spécial, Laurín apporta deux douzaines de tulipes encore en boutons. Le récit des succès remportés fit rapidement place à un dialogue d'amoureux et, sans savoir comment, nous nous sommes trouvés dans sa chambre... Cet après-midi de printemps se passa en beauté.

Mais le lendemain, après une nuit sans sommeil... dans le premier mouvement du concerto de Grieg, il tomba à côté. Il voulut recommencer, laissa passer quinze mesures... eut un trou de mémoire. Agacé, il ferma brusquement le piano.

— Pas la peine d'insister. Aujourd'hui, on ne fera rien de bon!

Les tulipes en s'ouvrant répandaient un parfum suave. La stéréo diffusait en sourdine un *Divertimento* de Mozart. Laurín vint s'asseoir à côté de moi. À travers ses longs cils filtrait une douce lumière. Il murmurait des mots tendres. Déjà il m'emprisonnait dans ses bras et, tout près de mon oreille:

— Et si on recommençait... comme hier? Hein?

Charmeur! Pouvais-je lui dire non?

***

Depuis quelque temps, Laurín semblait sou-

cieux: il plongeait souvent dans son univers secret, s'y attardait mais n'en ramenait rien de nouveau. Dès qu'il sentait mon regard posé sur lui, il
m'adressait un sourire rassurant. À la suite à ces
brefs moments de recueillement, il manifesta à
plusieurs reprises le désir de rendre visite à sa
mamacíta, mais à cause de ses contrats il ne pourrait le faire qu'au mois d'août.

Le printemps s'achevait dans une apothéose
de floraison de lilas, de lys et de jasmin. Pendant
mon séjour avec Sophie à la campagne, Laurín
passerait le mois d'août en Floride. Cela ne pourrait lui faire que du bien. Je lui demandai si, se
trouvant tellement près de La Havane, il n'irait
pas y faire «un p'tit tour». Pour toute réponse, il
hocha la tête.

À chaque période de vacances estivales, je me
partageais entre le bonheur de vivre dans cette
maison à demi construite et la tristesse d'être
séparée de Laurín. Je trouvais divers prétextes
pour passer, de temps en temps, une journée
avec lui à Paris. Cet été-là, j'attendis avec impatience son retour.

Fin août, Denis était reparti pour Paris. Je
restai avec Sophie en attendant la rentrée des
classes. Ce matin-là elle faisait de la bicyclette
avec ses copains. Très absorbée par le nettoyage
de mes rosiers, j'entendis une auto s'arrêter et, à
travers la clôture, une voix familière me parvint:

— Pardon, Madame, pour aller à Chevreuse, s'il vous plaît?

— Vous lui tournez le dos, Monsieur. Prenez à gauche deux fois, ensuite, le petit pont...

En guise de remerciements: «Je t'aime!»

Le petit pont qui enjambait l'ancienne voie de chemin de fer aboutissait à une route de terre qui se perdait dans la forêt. Laurín avait compris mon message et il m'attendait dans sa voiture. Ma joie égalait la sienne et il me serra très fort dans ses bras. Le soleil du sud lui avait bien profité.

— Ô, mon trésor d'amour! comme tu m'as manqué! Je suis arrivé à Paris ce matin et me voici!

— Raconte-moi vite, comment ça va là-bas, ta maman, tes sœurs?

— Tu sais, je me trouvais si près de *La Habana*... Hélas! Aráldo R. ne peut plus y mettre les pieds: il est de la race des capitalistes, ennemis du peuple, qui ont vendu tous leurs biens avant qu'on ait eu le temps de les confisquer.

— Et Lori A.?

— Ce n'est guère mieux: c'est le nom des parents de maman, des capitalistes également, tu comprends. J'ai déjà passé six mois en taule, je ne tiens pas à y retourner. Cette fois, j'y laisserais ma peau, je ne suis plus assez jeune!

— Mon pauvre vieux, va! Ce n'était pas la peine de nous répéter que tu ne vieillirais pas!

Il eut un petit sourire en coin que je ne lui connaissais pas: je le lui fis remarquer.

— Ah! ma princesse d'amour: le «petit sourire en coin»? C'est une goutte de fiel dans un pot de miel.

Qu'était-ce donc? Des pressentiments concernant sa mère?

— Mon beau Laurín, demain je passerai la journée à Paris pour faire quelques achats. Sophie est invitée par les enfants de nos voisins. Veux-tu qu'on se voie?
— Oh! oui, je ne demande que ça!

Et nous nous sommes séparés sur un baiser ardent jusqu'au lendemain.

***

En cette chaude journée du début de septembre, Laurín avait pris la précaution de fermer les persiennes dès le matin pour conserver la fraîcheur des pièces. Dans cette ambiance d'intimité, nous écoutions *La Passion selon saint Jean* de Bach.

— En Floride, j'ai revu mes deux sœurs pour la première fois depuis trois ans. Elles ont changé: encore plus belles toutes les deux, mariées et mères de famille: Llóna a une petite fille. Márta, l'aînée, n'a plus que trois enfants; juste avant mon arrivée, elle a perdu son petit Bobby, âgé de six ans. Je n'ai pas osé demander à *mamacíta* de quoi il était mort. Elle a dû lire dans mes pensées puisqu'elle m'a regardé attentivement et, après un silence:

— *Aráldo, j'espère que tu n'as pas l'intention de faire un enfant à ton amie?*

«Je l'ai rassurée. Mais je ne sais pas ce qu'elle a. Elle s'est fait teindre les cheveux en «auburn», son visage a rajeuni; elle va danser deux soirs par semaine, épuise son cheval à galoper... nage comme une jeunesse. Même moi, j'avais du mal à la suivre. Elle a osé me dire: «Aráldo, mon fils, tu vieillis!» Elle est increvable pour ses soixante-sept ans, mais semble parfois essoufflée.»

— Mais il faut t'en réjouir. Pourquoi vieillir avant l'âge? Tu devrais savoir que c'est normal d'être essoufflé après un effort.

— Laura m'a présenté à un homme un peu plus jeune qu'elle, Hispano-Américain, très distingué, veuf. Il a des enfants et des petits-enfants. Elle dit qu'il est riche. Je ne sais pas si c'est son amant, ils font comme nous deux: ils se regardent et ils rient. On dirait qu'elle s'est consolée de la disparition de papa. Sa mort l'avait pourtant profondément affligée. Ils s'entendaient très bien. Je ne sais pas si c'était le Grand Amour, mais en tous cas, un mariage d'amour.

— Veux-tu me raconter?

— Maman, Verseau, est non conformiste, comme moi. Elle était passionnée d'équitation. Alors que les *señoritas* de la «haute» montaient à cheval en amazone, Laura, cheveux au vent, bottes, éperons, culotte d'équitation et chemise de *vaquéro*, faisait sauter les obstacles à sa monture. Elle fut la seule femme à participer aux compétitions et à gagner des trophées. À un concours hippique, Mattéo la remarqua et eut le coup de foudre. Chez nous, hum... les hommes ont le sang chaud.

— Oui, j'en sais quelque chose: *la sángre caliénte.*

— À son tour, Laura fut très attirée par lui. Sans tarder, Mattéo demanda sa main. Étant de la même classe sociale, sa demande fut agréée. Voilà l'histoire de Laura et de Mattéo. Ils vécurent heureux. Hélas! ils n'ont eu que peu de survivants parmi leur progéniture: mes deux sœurs et moi.

***

Depuis son retour de Floride je pressentais en Laurin un changement, mais lequel? Il allait avoir quarante-cinq ans. L'andropause? Impossible: il devenait encore plus amoureux et passionné tout en sachant s'arrêter à temps. Et quelle forme! Il paraissait plus jeune que son âge. Quand il nous disait qu'il ne vieillirait pas, il avait sans doute raison.

Tout d'un coup il se souvint d'une rumba, *Luna de Monte-Carlo,* qu'il me chantait lors de nos retrouvailles pour me rappeler sa tristesse d'avoir été séparé de moi. Cette fois, sa voix avait des accents pathétiques.

Laurín voulut ajouter à son répertoire le concerto en ré mineur de Brahms. Le travail de mise au point étant terminé, dès qu'il commença à jouer avec l'accompagnement de la bande magnétique, j'eus la réponse à ma question: il voulait se prouver à lui-même qu'il était capable d'interpréter d'autres œuvres que celles de Mozart.

Suzanne lui apprit qu'elle le transférait à une agence internationale pour au moins douze concerts aux États-Unis. Elle lui laissait un an pour préparer un répertoire du «tonnerre». Laurín, après avoir cru rêver, retrouva vite le sens de la réalité.

— Tu vas voir, mon trésor d'amour... Quand je reviendrai des États-Unis avec un dossier de presse épais comme ça, les critiques de Paris sauront qui je suis et d'où je viens, et je raconterai avec fierté les sept ans de travail et de bonheur passés avec les *Boys*. Tous, ils seront à mes pieds!
— Mon Laurín chéri, enfin on reconnaîtra ton grand talent et ce sera ta consécration. Mais la séparation sera longue!
— *¡No importa!* Je prendrai l'avion aller et retour entre deux concerts, rien que pour te donner un baiser. Oui, c'est vrai, crois-moi, mon amour! Quand je reviendrai, en attendant ton

divorce, je t'engagerai officiellement comme collaboratrice. Ensuite nous pourrons envisager notre avenir à tous les trois, rempli de bonheur!

Comme avant le concert de Toulouse, cette expression pathétique apparaissait sur son beau visage presque chaque fois qu'il interprétait Brahms. Je me souvins du temps des *Boys*, quand en jouant des gammes, il provoquait une tempête. Alors une ombre mystérieuse, fugitive glissait sur ses traits. Que se passait-il en lui maintenant?

Il se levait plus tard et pratiquait le piano moins longtemps. Son répertoire étant au point, il pouvait se permettre un peu de repos entre deux récitals.

En octobre, il donna un concert à Vienne. Le beau Danube bleu était encore plus sale qu'avant la guerre, dit-il. Il rencontra Alix: vieillie, mariée à un pépé de son âge. Elle et Laurín se sont pardonnés mutuellement et réconciliés. À présent, elle lui reconnaissait un grand talent et regrettait de ne pas l'avoir aidé en temps utile. Elle avait pleuré pendant l'*Allegro* du Nº 20 de Mozart.

— Alix était surprise de me voir en aussi grande forme... Elle ne cessait de me complimenter sur ma bonne mine. Je me demande bien pourquoi.
— Elle pensait que tu crevais de faim en jouant du piano. C'est tout!

***

Denis venait de partir à son travail. Sophie s'en allait au lycée quand le téléphone sonna:

— *Mi querída*, c'est moi. Il faut que tu viennes. *Mamacíta, ella...*
— Je ne comprends pas ce que tu dis. De grâce, parle l'une ou l'autre langue, mais pas les deux à la fois!
— Oh, Vály! c'est affreux: *mamacíta...* elle est morte hier soir, ou cette nuit, avec le décalage horaire, je ne sais plus quand. Je t'attends à l'endroit habituel.

Dans la voiture, il pleurait.

— Mon pauvre Laurín, montons vite chez toi et tu me raconteras tout.

Il s'effondra. Comme un soir d'octobre 1939, il pleura sur mon épaule, inondant mon pull de ses larmes, incapable de parler. Il n'y avait pas de mots pour le consoler. Au bout d'un moment, il commença:

— À 3 heures ce matin, téléphone. J'ai pensé que quelqu'un se trompait de numéro. Mais la sonnerie persistait. L'opératrice m'annonça un appel de la Floride. C'était l'infirmière qui veillait maman: elle venait de mourir. Je demandai que l'une de mes sœurs m'envoie immédiatement un télégramme pour obtenir une place prioritaire sur le premier vol pour New York. Veux-tu m'accompagner à l'aéroport?

De retour chez moi, ébranlée par ce que je venais d'apprendre, je me mis à pleurer et à prier. Trois mois et demi plus tôt sa mère était en pleine forme et rien ne laissait présager le drame.

***

Laurín revint à Paris une semaine avant Noël. De l'aéroport, je le ramenai chez lui. Très las de son voyage, il refusa cependant d'aller dormir et je l'installai confortablement dans le salon. Il regardait par la fenêtre. Sur un ciel grisâtre, déchirant par moments les nuages, un soleil fatigué se traînait par-dessus les toits des immeubles, s'accrochant parfois aux cheminées.

— Mon trésor d'amour, quelle chance pour moi de t'avoir! J'ai tant de peine, je ne m'y attendais pas.

Après un long silence, il m'a tout raconté.

— Dès le début de juillet, maman savait qu'elle était fichue; malgré les traitements, le taux des leucocytes n'avait pas diminué. Alors, elle décida de se battre en profitant au maximum de la vie. Elle interdit strictement à son médecin de me révéler la vérité.

— Quel malheur! Je me souviens de son comportement quand tu es allé la voir en août dernier.

— Tu sais, Vály, d'avoir mené un train de vie pareil, ça ne l'a pas aidée: ses forces commençaient à diminuer. Elle se battait quand même. Les premières douleurs s'étant manifestées, elle continua de se cramponner. N'en pouvant plus, elle demanda, avec insistance, de la morphine à dose élevée. En moins de dix jours, c'était fini. Plus de Laura! Ma seule consolation, c'est qu'elle soit délivrée; à présent, elle ne souffre plus.

Pauvre Laurín, il était brisé de chagrin. Après un long silence, sur un ton qui imitait faiblement la plaisanterie:

— Me voilà orphelin de père et de mère.

Et il eut son petit sourire en coin.

— Moi aussi, mon Laurín d'amour, je suis orpheline. C'est dur de perdre nos parents, quel que soit notre âge.

Je sentais qu'il voulait me poser une question.

— *Muñequita*, est-ce que ton frère se bat contre son cancer?

— Oui, à sa manière: il travaille à temps partiel; il est sobre durant toute la semaine. Le samedi, il arrive ici, paie la tournée générale dans un bistrot à tous ses copains et se saoule avec eux.

— Ouais... c'est une façon comme une autre de se battre. Et toi, est-ce que tu te battrais si tu te savais atteinte d'une maladie mortelle?

— Ainsi que je l'ai dit à mon frère, je commencerais par me mettre en règle avec Dieu. Ensuite, je mettrais de l'ordre dans mes affaires afin de ne rien laisser après moi. Je ne me battrais que s'il y avait un espoir de guérison, car, autrement, on fait face à un adversaire sans merci: la lutte est inégale. Je me laisserais plutôt vivre en douceur.

— Tu m'as dit, il y a quelque temps, que parfois l'adversaire pouvait reculer.

— Oui, quand cela dépend de nous. Par exemple, quand le moteur du *Potez-36* (conduite intérieure) que je pilotais prit feu, je n'avais pas perdu la tête: j'avais immédiatement coupé l'arrivée d'essence. Par une manœuvre calculée, j'avais placé mon appareil dos au vent. J'invoquai le Seigneur: «Mon Dieu, laisse-moi vivre encore, j'ai seulement dix-huit ans!» En combinant la perte de l'altitude avec le maintien de la vitesse minimale, sans visibilité, le pare-brise étant noirci par la fumée, je réussis quand même à amener l'avion comme un planeur jusqu'au terrain. L'appareil, toujours vent dans le dos, capota sous la poussée d'une bourrasque et «se retourna les pinceaux», mais n'explosa pas. L'adversaire recula en disant: «Au revoir, à la prochaine...»

Cette remarque amusa Laurín. Après un long silence:

— Eh bien! moi, je me battrais. Oh! oui, je me

battrais en prenant à la vie tout ce que je pourrais lui arracher! Je me battrais jusqu'à la dernière flèche!

Ciel! que de passion, que d'ardeur, que d'étincelles dans ses yeux! Pour retrouver le calme, il se mit au piano et joua *Rêves d'amour* de Liszt. Puis il me serra longuement dans ses bras et, comme dans un souffle, près de mon oreille:

— J'ai tellement besoin de toi, ô mon amour.

***

Profitant d'une absence de Laurín, j'avais consulté les annotations sur ses feuilles de route: il avait étudié, en dehors de nos heures de travail, quelques sonates et le troisième mouvement du «ré mineur» de Brahms. Pourtant il m'avoua ne pas aimer beaucoup ce concerto:

— Techniquement je n'éprouve aucune difficulté à le jouer, mais je le trouve violent: c'est comme un vêtement qui ne serait pas fait pour moi... Je suis un «mozartien» avant tout. Un sentimental, un révolté à la rigueur, mais pas un violent.

***

Comme tous les hivers, Laurín avait projeté d'aller skier dans les Alpes pendant nos vacances de Noël. D'habitude, après un séjour en montagne, son teint naturellement cuivré prenait une couleur encore plus chaude. Cette fois-ci, il n'y avait aucun changement. Je le lui fis remarquer. Incapable de mentir, comme un petit garçon pris en faute, il m'avoua qu'il avait passé des tests:

— Oh! rien de grave, ma chérie: on m'a hospitalisé seulement quelques jours pour un examen complet recommandé par un docteur que j'avais consulté. Tu comprends, après ce qui est arrivé à *mamacíta*... Mais si je devais séjourner plus longtemps dans un hôpital... oh, non! quelle horreur! Jamais!

Nous en étions restés là.

Dès janvier 1960, il s'était passé à Cuba pas mal de choses défavorables pour son économie. Bien que Laurín considérât sa patrie comme perdue pour lui, il prenait à cœur chaque événement.

Ce jour-là, à midi, Laurín n'était pas encore rentré. La veille, il m'avait prévenue qu'il devait faire une petite course dans la matinée. Enfin, j'entendis le bruit de la clé dans la serrure.

— Ah! *Florecíta*, excuse-moi de t'avoir fait attendre. As-tu mangé? Oui... tant mieux. Moi, je n'ai pas très faim, mais j'ai apporté pour le dessert quelque chose que nous aimons beaucoup:

des éclairs au chocolat! Je vais faire du café, ou du thé, comme tu préfères.

En jouant du piano il semblait avoir, par moments, de la difficulté à poser ses doigts sur le clavier. Le lobe de son oreille portait la trace d'une piqûre. Malgré sa résistance, j'avais réussi à remonter la manche de sa chemise: dans le creux du coude, un pansement adhésif était collé. Je demandai de me montrer ses doigts.

— Bon... Je vois que je ne peux rien te cacher. Eh bien oui, Madame Aráldo R., on m'a fait une numération globulaire.
— Pourquoi un autre examen un mois après le premier? Et le résultat?
— Je le connaîtrai après-demain.

Le surlendemain, je dus lui tirer les vers du nez.

— Ne t'inquiète pas, mon trésor d'amour: tout est normal.

Quelques jours plus tard, à Londres, Laurín joua avec un orchestre, le «27e» en si bémol majeur de Mozart. Le succès fut énorme et encourageant, les Anglais étant très difficiles à détendre.

Laurín avait conservé sa bonne humeur. Il rayonnait de joie de vivre, de bonté et d'amour. Il dessinait aussi bien avec la main droite qu'avec la gauche. Je le lui fis remarquer.

— C'est vrai, *Princésa*, je me sers très bien des deux mains. Voyant que j'étais gaucher, mes parents me laissaient faire, mais à l'école on nous persécutait. Docile, j'avais accepté de me servir de ma main droite, mais obstiné, je décidai d'utiliser ma main gauche comme bon me semblerait.

Sur du papier à dessin, Laurín traça un cercle qu'il transforma en une orange en coloriant l'intérieur. Il marqua une faible séparation longitudinale; sur le côté ouest, un peu au-dessus de l'équateur présumé, il écrivit «Laurín»; sur le côté est, plus au nord, «Válly», et, à cheval sur la soudure, il dessina un cœur: toute une allégorie. Un axe dépassait de l'orange à chaque extrémité, incliné à 23° 27', comme notre Terre.

— Pourquoi tu l'as séparée dans le sens du méridien?
— Parce que, mon étoile d'amour, si le Créateur, en me la donnant à ma naissance, l'avait coupée dans le sens de l'équateur, en attendant que tu naisses elle aurait perdu tout son jus... Voilà.
— Moi, je n'ai jamais réussi à séparer une orange en suivant le méridien sans entamer les quartiers.
— Toi, tu ne peux pas, mais le Créateur, Lui, Il peut et moi aussi. Tiens, regarde.

Il choisit une belle orange, l'examina attentivement, puis la coupa dans le sens longitudinal sans en avoir entamé un seul quartier. En réponse à mon exclamation admirative:

— Si tu avais mangé autant d'oranges que moi dans ton enfance, tu saurais le faire aussi bien.

*

Février tirait à sa fin. Laurín eut encore une prise de sang.

— Ça devient une habitude. Mon bel amour, qu'est-ce que tu me caches?
— Mais rien, rien du tout, mon *Estrellíta*: le médecin qui me suit est très scrupuleux, il ne veut rien laisser au hasard. Point!

Un baiser ardent pour calmer mes craintes.

Ce 29 février, en arrivant chez Laurín, je m'étais arrêtée sur le seuil de la salle à manger, intriguée: des lettres, des factures, des souches de carnets de chèques s'étalaient partout... Avant que j'aie eu le temps de poser une question:

— Ce sont mes archives. Depuis dix ans, elles n'ont jamais été classées sérieusement.
— Pourquoi tu ne m'avais rien dit? Au fur et à mesure, je t'aurais arrangé ça en un rien de temps. Maintenant tu vas m'aider à classer tout ça et en trois jours ce sera fait.

Occupés à classer ses archives, nous n'avons pas vu le temps passer. En moins de quatre jours tout était bien rangé. Laurín ne savait pas comment me remercier.

*

Les grands cataclysmes sont toujours précédés par des signes avant-coureurs. Une tension étrange émanait de Laurín et je la ressentais, comme si nous étions un volcan et un séisme prêts à entrer en action.

J'étais sur le point de m'en aller quand Laurín voulut me retenir:

— *Princésa*, veux-tu rester encore un peu? Je voudrais te dire quelque chose de très important.

C'était difficile de résister à la tentation! Mais Sophie m'attendait pour faire un devoir compliqué.

— Mon beau Laurín, est-ce que cela peut attendre à lundi?

Pour toute réponse, il haussa les épaules. Durant le bref trajet en voiture, il n'avait pas parlé, c'était son habitude. En m'embrassant, il me dit: «À bientôt, mon amour.» En somme, rien d'anormal.

*

Cette fin de semaine était ensoleillée, mais fraîche. Mes pensées allaient sans cesse vers Laurín; j'étais inquiète.

Denis bricolait à l'intérieur de la maison de campagne. Je venais de mettre en terre les tubercules des dahlias et je ratissais soigneusement la plate-bande quand j'entendis une auto s'arrêter. À travers la haute haie des lauriers, je reconnus la Peugeot «coquille d'œuf» et une voix familière:

— Madame, s'il vous plaît, pour aller à Dampierre?
— Ce n'est pas le bon chemin, Monsieur... Tournez deux fois à gauche, arrivé au petit pont, vous demanderez...

Laurín m'attendait dans l'auto sur la banquette arrière, impatient. À peine dans la voiture, il m'étouffa dans ses bras.

— *Florecíta*, je ne pouvais pas attendre jusqu'à demain. Je n'arrivais pas à dormir. Il faut que je sache si tu veux toujours de moi. Ça fait combien de temps que nous n'avons pas fait l'amour?
— Oh, attends... ça remonte à ton retour d'Amsterdam. Les tulipes, tu t'en souviens?
— Oh! non, presque un an! Tout ce temps perdu. Ça ne peut plus durer, il faut que ça change.
— Mon Laurín d'amour, combien de fois en

vingt-trois ans avons-nous dit: «Il faut que ça change?»

— De nombreuses fois, je ne les ai pas comptées. Mais cette fois-ci, il faut que ça change. Je n'en peux plus, je t'aime à en mourir! Il nous faut de l'amour à temps plein!

— Moi aussi, je t'aime à en mourir, je ne peux plus vivre sans toi. Mais ne crains-tu pas les lendemains qui nous déboussolent chaque fois pendant plusieurs jours?

— Ne pense plus aux lendemains! Il y aura «un seul» lendemain fait de bonheur infini. Donne-moi une réponse pour que je puisse dormir un peu la nuit prochaine, en attendant demain. Je suis à bout de résistance. Je n'en peux plus.

Et il continuait en invoquant toutes les raisons possibles:

— Il nous reste très peu de temps. Maintenant nous avons quarante-cinq ans. Puisque Denis fait chambre à part, nous ne ferons de tort à personne. Sophie est très raisonnable, elle aura moins besoin de la présence de sa mère à la maison.

À chacun de ses arguments, je lui donnais raison. Il avait de la difficulté à se contrôler et j'eus du mal à le calmer:

— Pas ici voyons, mon Laurín! Tu as raison, ça ne peut plus durer, il faut que ça change. Oui demain, c'est promis.

Je laissai Laurín sur cette promesse. J'entendis l'auto sortir du bois en marche arrière, faire un rapide demi-tour et prendre la direction de la route de Paris.

À mon retour, dans notre jardin, je me suis trouvée en face d'un Denis courroucé. Se doutait-il de quelque chose? Laurín m'avait mise dans un tel état que j'étais prête à affronter tous les dragons. À sa question d'où je venais, je répondis que pendant deux jours je n'avais pas cessé de jardiner et, qu'après cela, j'avais parfaitement le droit de rendre visite à des voisins. Point!

— Où est Sophie?
— Elle regarde la télévision chez son copain Yannik.
— Est-ce qu'elle n'avait pas des leçons à apprendre? Ce n'est qu'une fainéante, comme toi, une bonne à rien, «une» parasite!

Denis ruminait la nouvelle que je lui avais apprise la veille: je ne travaillais plus pour l'agence de secrétariat à domicile. Il s'était mis en colère: c'est de l'argent en moins qui va rentrer à la maison. Mais je m'étais bien gardée de lui dire que je collaborais avec Laurent.

Ébranlée par mon entrevue imprévue, j'explosai pour la première fois en vingt-cinq ans de mariage:

— Denis, puisque je suis «une» parasite, toi, tu n'es qu'un raté qui...

Je reçus une gifle... par-dessus les baisers passionnés de Laurín. Alors, j'ai vu rouge: furieuse, je lui ai demandé avec quel argent étaient payés tous les matériaux entrés ici depuis que nous aménagions ce terrain et construisions la maison, et les notes du maçon qui nous aidait à l'occasion? Sûrement pas avec son misérable salaire de dessinateur premier échelon, au chômage trois mois sur douze. À cause de son orgueil mal placé et de son manque de diplomatie, il se faisait renvoyer de partout.

— Sache, mon bonhomme, que c'est avec l'argent que me paie généreusement Laurent pour mon travail et avec qui je collabore depuis dix ans déjà!

Abasourdi, ne s'attendant pas à une telle révélation, après quelques minutes de silence, il s'excusa. Mais la gifle me brûlait encore la joue.

Ma décision était prise: demain, mon Laurín, tu auras tout ce que tu voudras!

***

Le jour suivant, dès le départ de Sophie, après m'être acquittée de mes obligations domestiques les plus urgentes, je me fis une beauté.

Le miroir me renvoya l'image d'une femme jeune, svelte, les yeux bleus discrètement fardés, les lèvres corail dans un visage au contour ferme, qui avait conservé un peu de hâle de l'été d'avant... Les cheveux blonds, légèrement bouclés, descendaient en cascades des épaules sur la poitrine. La robe noire, sans manches, découvrait des bras gracieux; le haut ajusté, décolleté en «V», mettait en valeur le galbe du buste; une large ceinture dorée soulignait la finesse de la taille, et la jupe ample, s'arrêtant à mi-mollet, laissait deviner des jambes qui n'avaient rien à envier à celles des femmes de trente ans... Des escarpins noirs à talons bas terminaient l'ensemble. Quelques bijoux assortis mettaient une touche finale à la toilette.

Satisfaite de cet examen, j'appelai Laurín. Il m'attendait à l'endroit convenu. Il m'accueillit avec un baiser furtif sur les lèvres; je m'attendais à un peu plus de chaleur. Arrivés chez lui, je le trouvai d'un calme surprenant. Tenant encore mon manteau sur son bras, en souriant, il fit cette remarque:

— Tu es belle, *Florecíta*, mon trésor d'amour... Une vraie star de cinéma!

Tout laissait supposer qu'ayant passé plusieurs nuits sans sommeil, Laurín avait fait la grasse matinée. La table était mise: deux couverts et une bonne odeur de café et de croissants chauds provenait de la cuisine. Il m'attendait pour prendre le petit déjeuner.

Il me regardait à la dérobée. Dans ses yeux scintillaient des paillettes... Des paillettes ou des larmes légères?

Ensuite, nous passâmes dans le salon-auditorium. Contrairement à son habitude, Laurín était silencieux. Le calme avant l'orage? Après la disette, je m'attendais à un festin et j'attendais l'invitation.

Debout près de la porte-fenêtre, le front posé sur ses bras appuyés sur la vitre, Laurín regardait dans le vague... Assise sur le banc du piano, je l'observais: toujours aussi beau, il ne paraissait pas plus de quarante ans. C'était «mon Laurín»; nous nous aimions d'un Grand Amour depuis plus de vingt-trois ans et rien ne réussirait jamais à nous séparer.

Tout à coup, je fus saisie par l'angoisse: Laurín souffrait. Il émettait des signaux de détresse. Il fallait lui tendre la main.

— Laurín... Lau-rent... Aráldo!!!

Il devait être très loin, car il sursauta. Sans quitter la fenêtre, il tourna vers moi son beau visage.

— Mon Laurín d'amour, d'où reviens-tu?

— De pas très loin d'ici...

Il tendit son bras droit vers moi comme pour m'inviter à me réfugier sous son aile. Je me blottis tout contre lui. Je l'entourai de mes bras. La main posée sur sa poitrine, je sentais son cœur battre très fort. Son silence me mettait mal à mon aise. Je sentais que, craignant un refus, il n'oserait jamais faire le premier geste.

Alors, tout doucement, je l'éloignai de la fenêtre et, passant mes bras autour de son cou, amoureusement:

— Mon unique amour, tu ne m'invites pas au festin?

Laurín n'attendait que cela... Déjà ma robe gisait sur le tapis, mes sous-vêtements volaient à travers la chambre. Le volcan, tenu si longtemps sous pression, explosa. La Terre trembla, la Planète, pendant une fraction de seconde, vacilla sur son axe et la lave en fusion engloutit le passé...

Les deux moitiés de l'Orange venaient de se souder jusqu'à la fin des Temps.

***

Une vie nouvelle commençait. Pour moi, cela signifiait une apparence nouvelle. Le lendemain je pris rendez-vous chez le coiffeur pour une permanente. La mode féminine étant un éternel retour, j'avais exhumé quelques-unes de mes robes de plusieurs années auparavant. Depuis, je n'avais pas pris un seul kilo. Conseillée par Laurín, j'avais acheté quelques toilettes. Avec admiration, il me disait: «*Muñequíta*, l'amour te va très bien.»

Les amis, les voisines me complimentaient sur ma bonne mine et me demandaient discrètement: «Avez-vous suivi une cure de rajeunissement?»

Denis ne semblait pas remarquer le changement de mon apparence. Cependant, il finit par me dire qu'il préférait mon ancienne coiffure, c'est-à-dire les cheveux longs, en queue de cheval, ou tressés en deux nattes.

— Tu m'as toujours dit ce que tu n'aimais pas en moi. M'as-tu déjà dit aimer ma coiffure, mes souliers, mes robes ou mon maquillage? Heureusement, d'autres s'en sont chargés à ta place!

Pour Laurín, c'était la pleine forme: il rayonnait de bonheur et de joie de vivre. Il était comblé: «de l'amour à temps plein», c'était ce qu'il voulait, n'est-ce pas? Mais chose curieuse, il avait complètement perdu le goût du travail. Il jouait beaucoup du piano, mais pour le plaisir, et ne voulait apprendre aucune œuvre nouvelle. Soudain, il se prit d'affection pour le concerto N° 27 de Mozart, qu'il surnomma «Le dernier printemps», qu'il joua à Londres.

Il me remit un chèque. Je le refusai. Il me proposa de me payer en espèces. Je me fâchai:

— Je ne veux pas de ton argent puisque depuis un mois, tu ne travailles plus, je ne collabore plus avec toi. À moins que tu ne me considères comme une femme entretenue!

— Ma chérie, mon amour, loin de moi une telle pensée. Tu es «madame Aráldo R.», ma femme. Je ne voulais pas t'offenser, pardonne-moi! Tu sembles oublier qu'à présent je dispose de ma fortune personnelle. Je ne veux pas être le seul à en profiter.

*

La lune de miel durait depuis cinq semaines et Laurín n'avait pas ouvert une seule fois la partition du 25e concerto de Mozart, que nous avions surnommé «La Marseillaise».

— Mon Laurín, quand vas-tu reprendre ce concerto?

— *Mañana*...

— Hier déjà, tu m'as dit: «*mañana*», avant-hier: «tomorrow».

— Eh bien! aujourd'hui, je dis «demain» ou *domani*, ou encore *morgen*, à ton choix, ma Válly d'amour. Et puis, je n'ai pas envie de travailler, j'ai envie de toi.

Il m'attirait vers lui et je sombrais dans ses bras. C'était ainsi tous les jours.

En classant ses feuilles de route, je m'aperçus qu'il avait annulé tous ses contrats des derniers mois précédant sa tournée en Amérique, lui qui se battait tellement pour avoir des engagements. Je renonçai à le comprendre. Devrais-je questionner Suzanne? Ce serait maladroit. Je demandai à Laurín une explication.

— *Florecíta*, regarde-moi: crois-tu que je sois capable de donner un récital dans l'état où je me trouve en ce moment?
— Mais dans quel état tu te trouves en ce moment?
— Tu ne vois pas que je ne suis plus dans le circuit? Je suis distrait. Je ne peux pas jouer une gamme de ré majeur sans dérailler!
— C'est vrai...
— D'ailleurs, ce ne sont pas des ruptures de contrats, seulement des annulations. Rien n'avait été signé auparavant. Je te rappelle que je dispose de ma fortune personnelle et j'en profite pour faire de la musique en dilettante, pendant un certain temps. Et toi-même, ne fais-tu pas des bêtises chez toi?
— Des bêtises chez moi, j'en fais: des étourderies énormes. Ça provoque la colère de mon mari.
— Tu vois... Je suis sûr que, malgré tout, tu prends soin de ton ménage, mais je n'aimerais pas être la cause de votre mésentente.

Cette histoire de contrats me revenait sans cesse à l'esprit. Je sentais que Laurín ne disait pas la vérité. Je voulais avoir des précisions.

— Ma chérie, cesse donc de te tourmenter pour rien et viens dans mes bras!

Après tout, rien n'était important... Il n'y avait que Laurín, seulement Laurín, rien que Laurín... Je comptais les heures dans l'attente de le retrouver et je plongeais avec lui dans la volupté.

*

Laurín m'attendait à notre rendez-vous habituel. Sur le siège arrière de sa voiture il y avait une pile de disques. En réponse à mon regard interrogateur:

— *Florecíta*, regarde ce que Marcel m'a prêté ce matin!

Et se penchant en arrière, il les a déplacés un à un: *La Passion selon saint Jean* de Bach. *Le Requiem*, *La Grande fugue* pour deux pianos et *La Messe du couronnement* de Mozart. *Le Requiem allemand* de Brahms, *Le Requiem* de Fauré et d'autres œuvres de Mozart.

— De quoi passer des soirées de rêve. Je n'ai pas pris le *Requiem* de Verdi: c'est presque de l'opéra, ce n'est pas de circonstances.

— Mon bel amour, qu'est-ce que tu veux dire?

— Bah, voyons... un *requiem*, ce n'est pas un opéra! Pourquoi es-tu si inquiète tout d'un coup, mon étoile?

Est-ce que Laurín me passait des messages inconsciemment? Que savait-il?

Pourquoi, fin février, était-il allé jouer de l'orgue un après-midi sans m'inviter? «*Florecíta*, j'ai besoin d'être seul pour méditer», m'avait-il donné comme explication.

Pourquoi, tout d'un coup, avait-il décidé de mettre à jour ses archives accumulées depuis dix ans?

Pourquoi avait-il dit: «Il nous reste très peu de temps», alors qu'il restait plus de six mois avant son départ pour les États-Unis?

Pourquoi cette demande pressante d'apporter un changement à nos relations: «... de l'amour à temps plein»?

— Mon Laurín, sais-tu quelque chose de grave au sujet de ta santé?

D'un ton joyeux, en écartant les bras en croix, bombant le torse, Laurín s'écria:

— Regarde-moi: ne suis-je pas en pleine forme?

Il me serra très fort dans ses bras et me fit l'amour.

— Et après ça, ma toute belle, est-ce que j'ai l'air d'un malade?

Et tous mes doutes se sont évanouis.

Je trouvais son teint un peu plus pâle que d'habitude. Rien d'étonnant, puisque cette année il n'était pas allé aux sports d'hiver. Et comme nous ne sortions pas beaucoup, la lumière solaire nous faisait défaut à tous les deux.

Le printemps battait son plein: il neigeait des pétales de cerisiers et de pommiers, et je suggérai à Laurín de faire des sorties plus fréquentes à la campagne pour profiter du soleil et respirer le bon air.

— *Princésa*, hier, après t'avoir déposée, je suis allé faire un tour au bois de Boulogne: imagine, sur l'un des petits lacs, il y a une famille de cygnes avec un bébé tout en duvet. Veux-tu que nous allions les nourrir?

L'idée m'enchanta. En chemin, Laurín entra dans une boulangerie et en sortit avec deux paquets:

— Les petits pains au chocolat, c'est pour nous, les petits pains au lait, pour la famille «Cygne».

Sois gentille de réduire ces pains en menus morceaux.

Quand les cygnes ont des bébés, comme d'ailleurs tous les animaux, ils ne sont pas très accueillants. Laurín, après avoir enjambé la barrière, s'accroupit au bord de l'eau et commença à parler au cygne, qui tendit son cou et siffla comme une oie. Laurín lui présenta sur sa main des petits morceaux de pain au lait. Une promeneuse le mit en garde:

— Monsieur, il va vous pincer.

Sans se relever, Laurín se tourna vers la jeune femme et, avec un sourire charmant:

— Il n'y a aucun danger, Madame.

À la surprise générale, le cygne s'approcha, prit dans le creux de sa main un morceau de pain, le trempa dans l'eau et le mit dans le bec du bébé. Quand le petit fut rassasié, les parents mangèrent à leur tour dans la main de Laurín. Il réussit à caresser la tête de l'un des cygnes, lequel s'éloigna en nageant majestueusement, les ailes en corbeille.

Laurín, visiblement très content, se releva d'un coup et... eut un malaise. J'eus à peine le temps de l'aider à s'adosser à un arbre, un mince filet de sang coula de sa narine. La panique me prit:

— Mon Laurín, qu'est-ce qu'il y a?

— Rien, ma chérie... Je suis resté trop longtemps la tête penchée.

Je ne comprenais plus rien: au mois de mars dernier nous étions allés cueillir en forêt des jacinthes et des anémones sauvages pendant presque deux heures. L'été passé, il avait ramassé à lui seul les fruits sur trois cents plants de fraisiers... Et aujourd'hui, au bout de vingt minutes, un malaise, et il saignait du nez.

Laurín jouait souvent *Le dernier printemps* de Mozart, pour l'*Allegro* final duquel il avait composé une ravissante cadence.

— Tu sais, mon trésor d'amour, c'est peut-être celui que je préfère: c'est «son» dernier. Wolfgang – il appelait maintenant Mozart par son prénom – le composa en janvier 1791 et il est mort le 5 décembre de la même année. Dans le premier *Allegro*, il y a une tendre espièglerie, une alternance de majeur et de mineur nostalgique. J'aime le *Larghetto* plein de douceur, enclin à la rêverie, sans virtuosité exagérée... Enfin, dans l'*Allegro* final, il y a ce rappel d'une ronde enfantine, d'une poupée valsante et des chants d'oiseaux: on a envie de s'envoler avec eux... Hélas! pour Wolfgang il n'y aura plus jamais d'autres printemps.

Il joua quelques arpèges au piano, puis:

— Ma belle princesse, ne trouves-tu pas que notre histoire ressemble à un concerto?

— Quelle idée!

— Écoute bien: d'abord une amitié fidèle: l'*Allegro*. Ensuite, une tendresse infinie: l'*Andante*, ou le *Larghetto*. Et pour couronner le tout: l'*Allegro finale*: le Grand Amour!

— Bravo! Je n'aurais jamais pensé à ça!

Presque chaque soir j'allais chez Laurín pour écouter les disques prêtés par Marcel.

Que n'ai-je pas inventé pour justifier mes absences prolongées du soir: il y en avait ce printemps des répétitions à la chorale, des conférences au *Planétarium*, aux Sociétés savantes, des projections de films documentaires au Palais de la découverte... Et la pauvre vieille amie de ma mère avait de terribles crises de rhumatismes...

— Et si Denis te proposait de t'accompagner à l'une de ces conférences, de quoi tu aurais l'air?

— C'est un risque à courir.

Denis, toujours aussi casanier, ne trouvait rien à redire. Quant à Sophie, elle avait son petit univers et en bonne adolescente à la page, sortait avec ses amies. Contente de me voir d'humeur joyeuse, elle ne paraissait pas dérangée le moins du monde par mes fréquentes absences.

***

À travers la fenêtre, les derniers rayons du soleil couchant avaient projeté sur le mur des rectangles orange. Laurín, étendu sur le canapé, la tête sur un coussin posé sur mes genoux, écoutait avec moi le *Requiem* de Mozart:

— Douloureuse, l'histoire de cette œuvre, entourée de mystère: en somme, c'est pour lui-même qu'il l'avait composée... et il fallut qu'un autre la terminât.

Après un long silence:

— Mozart, ce génie, jeté dans la fosse commune... Aberrant! Criminel! De nos jours ça ne se passerait pas comme ça!

Certains soirs, Laurín, après l'audition d'un disque, allait au piano et jouait un des trois mouvements du concerto «27», la plupart du temps l'*Allegro* final. Ou bien il chantait avec moi l'*Ave Maria* de Schubert, l'*Ave Verum*, l'*Exsultate, jubilate* de Mozart. Un soir, son sourire mystérieux sur les lèvres, il joua au piano l'introduction de *María la O* et nous avons chanté notre grand succès du temps heureux des *Lecuona's Cuban Boys*... Puis suivirent *Flor de Yumuri* et *Antillána*... En dépit des années, nous avions conservé nos «voix d'anges» comme disait autrefois Isabél.

Dans peu de mois, Laurín devrait partir en tournée pour la consécration de sa carrière, mais il n'avait pas l'air de s'en soucier. Il n'avait aucun goût pour le travail: l'amour à temps plein, la musique en dilettante et rien d'autre.

Durant nos doux moments de détente, pendant qu'il enroulait inlassablement autour de ses doigts les boucles de mes cheveux, je me posais toujours la même question: «S'il n'était pas plus intéressé que cela à revoir son répertoire, alors vers quoi nous dirigions-nous? Vers un échec?» Une fois de plus, je sortis de mon mutisme pour secouer gentiment la nonchalance de Laurín. Pour toute réponse, il alla chercher la Bible de grand-mère Terésa, l'ouvrit à une page marquée par un signet et dit en souriant:

— *Muñequíta*, écoute le conseil que donne le roi Salomon, le sage des sages de tous les temps: «Jouis de la vie avec la femme que tu aimes, pendant tous les jours de la vaine existence que Dieu t'a donnée sous le soleil, pendant tous tes jours de vanité; car c'est ta part de la vie au milieu de la peine que tu te donnes sous le soleil.»

Je pris la Bible à mon tour et lus la suite: «Tout ce que ta main trouve à faire avec ta force, fais-le...»

— Mais voilà un autre excellent conseil, mon Laurín chéri, mais toi, tu ne fais rien de constructif avec tes mains: à part les gammes et le ragtime, tu ne joues que «le répertoire de Sophie». Le temps passe et la partition du concerto 25 est toujours fermée sur ton piano.

Il allait reprendre la Bible, mais je l'ai retenue:

— Eh! minute... laisse-moi lire la suite. «Parce que dans le séjour des morts où tu vas...»

Je m'arrêtai, glacée d'horreur.

Laurín retira doucement le saint livre de mes mains et, après un instant de silence, reprit la lecture: «Parce que dans le séjour des morts où tu vas, il n'y a ni activité, ni raison, ni science, ni sagesse.»

Éperdue, je me jetai dans ses bras en sanglotant.

— Non, non! mon Laurín d'amour, ce n'est pas vrai, tu ne vas pas...
— Ma toute petite chérie, voyons... quelle est la cause de ce gros chagrin? (Tout en me parlant, il séchait mes larmes et m'embrassait tendrement.) C'est à cause du séjour des morts? Mais c'est le sort de tout ce qui vit sous le soleil: hommes et animaux.

Ses paroles ne réussissaient pas à calmer ma peine.

— Quant au concerto 25, je m'en fiche du

concerto 25! Je le sais par cœur. Tu ne me crois pas? Veux-tu l'écouter? Mais ne me regarde donc pas comme ça, voyons! Le ruban est sur le magnétophone, veux-tu le mettre en marche s'il te plaît?

M'ayant tendu la partition, il se recueillit en attendant l'entrée du piano.

Quel contraste entre l'introduction brillante de l'orchestre et l'entrée, presque timide, du piano! Progressivement, le soliste donna la pleine mesure de son talent et il joua avec brio! Laurín «était» la musique. Malgré quelques petites corrections à faire, je l'avais laissé aller jusqu'au bout.

En l'écoutant, je pensais: «Lori A., mon amour, tu es un pianiste exceptionnel... Tu n'as pas eu la chance de passer entre les mains des plus grands maîtres du piano, mais ton talent est inné et tu as aussi la connaissance intuitive de la musique comme diraient Armándo et Isabél.»

Le dernier accord tombé, Laurín me demanda en souriant:

— Et alors? Qu'en dit l'inspectrice des travaux finis?

J'étais muette d'admiration, mais aussi un peu déçue:

— Très bon, excellent. Mais je vois que tu peux te passer de moi pour apprendre tes concertos.

— Non, non, mon âme, je ne peux pas me passer de toi. Tu as dû te rendre compte que c'est loin d'être parfait. Mais te voyant si contrariée à cause de ce «25ᵉ», je voulais te faire une surprise. Je le jouerai à mon premier concert en Amérique et nous avons tout le temps pour le perfectionner.

Puisque Laurín rappelait souvent des versets de la Bible, ce n'était qu'une citation de plus. Je fus rassurée.

*

Mais pourquoi Laurín écoutait-il les œuvres ultimes de Mozart? Et son *Requiem* plutôt que celui de Fauré, qu'il aimait pourtant beaucoup?

De nouveau, la crainte s'empara de moi. La nuit je faisais des cauchemars. Je me réveillais, couverte de sueur froide. Et puis, je me rassurais: «N'importe qui peut être malade, mon frère, Denis, le mari de ma concierge, mais pas Laurín, cette force de la nature, pas lui, si passionnément sensuel... Impossible: un malade serait impuissant.»

Laurín décida de reprendre nos promenades à la campagne en dehors du temps consacré à l'amour.

Nous sommes retournés au bois de Boulogne

nourrir les cygnes. Laurín s'assit sur l'herbe, près de l'eau. Le bébé avait perdu son duvet et commençait à ressembler à ses parents. Le père n'était plus là. Le jeune cygne se nourrissait seul. Méfiant, il attendait qu'on lui jetât des petits morceaux de pain dans l'eau: il allait les repêcher, comme un grand. Quand le petit fut rassasié, à la stupéfaction générale la mère sortit de l'eau et monta sur la berge. Son gros corps porté par ses pattes courtes et palmées, elle s'avançait maladroitement vers Laurín: dans sa main tendue, elle commença à se servir. Pendant qu'elle se régalait, Laurín, tout en lui parlant, lui caressait la tête et le long cou, devenus gris par de fréquents plongeons dans la vase... Moi, tout près de lui, je ne cessais d'ajouter dans sa main des petits morceaux de pain au lait.

Je n'ai pu m'empêcher de faire un rapprochement entre Laurín et Lohengrin, l'énigmatique «Chevalier au Cygne».

*

Un peu partout, dans la campagne parisienne, s'étendaient des champs de blé, déjà hauts, mais encore verts. Tout en bordure fleurissaient des coquelicots, des marguerites et des centaurées, appelées «bleuets» en France. Laurín cueillait des gerbes de ces fleurs et tressait pour moi des colliers et des couronnes tricolores.

— Je te couronne, «Reine de mon cœur», maintenant et à toujours, jusqu'à la fin des Temps...
Amen.

En me pressant sur sa poitrine, il écrasa mon collier de coquelicots: sa chemise et le haut de ma robe furent maculés de rose. En nous regardant attentivement tous les deux, il rit joyeusement:

— Demain, mon amour, tu auras un autre collier, encore plus beau et plus durable.

Le lendemain, il m'offrit un superbe collier en nacre rose, de cinq rangs, acheté en Scandinavie. Il attendait une occasion spéciale pour me le donner.

Dans un autre champ, le foin était encore en herbe. Laurín se laissa tomber dans cette mer verte, adroitement, sans se faire mal, m'entraînant avec lui... Les yeux tournés vers le ciel, nous suivions les nuages légers qui naviguaient sur cette étendue bleue:

— Des voiliers blancs sur la mer des Caraïbes... dit-il tout bas.

Il paraissait tellement heureux, mon Laurín.

— *Florecíta*, je me souviens tout d'un coup: le fossoyeur du cimetière de... Saint-Lambert-des-

Bois, c'est bien ça? m'avait dit qu'en se couchant au fond d'une tombe, on pourrait voir les étoiles au ciel... en plein jour.

Au cours de l'une de nos promenades dans la vallée de Chevreuse, nous découvrîmes un pâturage. Comme autrefois, nous étions partis à la galopade à travers le champ: Laurín était toujours aussi rapide, j'avais perdu un peu de ma vitesse et il me tirait par la main... Brusquement il s'arrêta, plié en deux, le souffle coupé:

— Oh! j'ai une douleur... là, à gauche. Non, ce n'est pas le cœur, c'est beaucoup plus bas.
— Ça doit être un point de côté. Respire bien. Voilà... ça va passer.
— Ma mère avait raison: je vieillis...

Il se mit à rire et continua notre promenade au pas.

Le soir venu, dans la paix céleste, nous écoutions chez lui la *Grande Fugue* de Mozart, suivie du *Requiem* de Gabriel Fauré.

Comme sur la petite plage près de Biarritz au temps de notre heureuse jeunesse, j'aimais, dans l'obscurité, faire le tour de son visage. En caressant sa joue, je rencontrai deux larmes:

— Oh, tu pleures, mon beau Laurín d'amour?
— Mon étoile, c'est de bonheur que je laisse

couler mes larmes, le bonheur d'être avec toi pour écouter cette musique sublime.

*

Le joli mois de mai touchait à sa fin.

Ce soir, il faisait une chaleur humide. L'astre du jour glissait doucement vers l'horizon cendré.

Laurín joua les premiers accords de *María la O*, puis sortit sur le balcon, me tendit la main; je le suivis. Il appuya son coude sur mon épaule, son avant-bras toucha ma joue: il était brûlant. Il resta quelque temps pensif, puis:

— Il faudra l'embellir...
— L'embellir? Mais de qui ou de quoi tu parles?
— La pyramide: quand elle sera achevée, il faudra recouvrir de marbre les pierres brutes.

Son regard se perdit par-delà les toits. Que voyait-il?

Le soleil couchant redonna pour quelques instants le teint cuivré à son visage.

Tout d'un coup, il frissonna:

— Il fait frisquet ce soir!

Il ferma vivement la porte-fenêtre:

— Mais tu es tout brûlant!
— Ça y est, je viens de me réchauffer, j'ai chaud de nouveau.

Il m'observait attentivement:

— Tiens, je te regarde: quand Alix m'a épousé, elle avait le même âge que toi maintenant, mais quelle différence!

Comme les étés précédents, nous allions canoter sur le lac du bois de Boulogne. Laurín se contentait de faire un seul tour et, quand je prenais les rames, il disait en riant: «Tu vois, je vieillis.» Les promenades à bicyclette furent également écourtées. Parfois, il fronçait les sourcils, comme s'il avait mal. Il donnait des signes évidents de fatigue. Oui, Laurín était fatigué: rien de plus normal, il avait travaillé comme un enragé pendant de longues années.

*

Sur la hanche de Laurín, à la crête iliaque, un pansement adhésif recouvrait la trace d'une piqûre de grosse aiguille. Soucieuse, je le questionnai:

— Puis-je savoir ce que ça signifie?
— Absolument rien, mon amour: on m'a pré-

levé un peu de mœlle osseuse. Je t'ai déjà dit que mon docteur est très tatillon et ne veut rien laisser passer.

Et son étreinte passionnée m'enleva mes doutes.

Une semaine après, un aveu de Laurín me surprit. Nous nous promenions enlacés dans une allée du bois de Boulogne; il s'arrêta et, selon son habitude, me faisant face:

— Mon adorée, je ne sais pas comment te le dire: je suis très fatigué... je dois partir bientôt pour prendre de longues vacances. (Il insista sur le mot «longues».)
— Excellente idée, mon bel amour, il y a longtemps que tu aurais dû le faire.

De retour chez lui, Laurín continua:

— Ce n'est pas seulement ça. Je dois aussi aller en Floride: après la mort de *mamacíta*, nous avons réglé la succession, mais pas résolu le problème de la maison. C'est un sujet de discorde entre mes sœurs, ou plutôt entre leurs maris. L'un veut la garder, l'autre veut qu'elle soit vendue. C'est moi qui dois les départager puisque cette maison est «ma» propriété. Selon les volontés de maman, en cas de vente, je dois partager le produit entre nous trois. Je ne veux pas de cette maison, je ne l'aime pas. Toi non plus, tu ne l'aimerais pas.

— Comment le sais-tu?

— Je connais tes goûts. Ah! si seulement c'était la maison de Marianao, ou celle de mes grands-parents de Baya-Honda, à Cuba. Et puis, j'ai un autre rendez-vous que je ne peux pas manquer...

— Et ta tournée aux États-Unis? La liste des villes et des salles où tu devras te produire, l'as-tu? Et les deux disques des deux concertos et des sonates de Mozart?

— Le correspondant de Suzanne s'en occupe. D'ailleurs, Suzanne va bientôt quitter l'agence pour faire autre chose; elle en a par-dessus la tête de l'agence.

Marcel et Hélène, qui étaient devenus ses amis les plus proches à Paris, nous invitaient souvent à dîner chez eux. Laurín leur rendait la politesse. À l'occasion de son prochain départ, surmontant sa tristesse, il décida d'organiser une petite fête dans un restaurant des Champs-Élysées. Nos amis étaient assis en face de nous. Ils nous observaient depuis un moment et se regardaient en souriant. Intrigués, nous nous demandions si, dans notre tenue, tout était correct. Marcel lança un clin d'œil à sa femme:

— Hélène, dis-leur...

— Oui, depuis un certain temps, Marcel et moi avons remarqué que vous avez tous les deux des gestes synchronisés: quand Válly prend son verre, Laurín le fait aussitôt; quand Laurín se met à couper sa viande, Válly en fait autant.

— Ah! vraiment?

— Laurín étant gaucher, assis l'un en face de l'autre, ce serait comme un reflet dans un miroir. Vous marchez du même pas, vous respirez au même rythme. Vraiment, vous êtes faits l'un pour l'autre.

Laurín me fit un sourire complice et, à mi-voix, nous avons conclu: «l'Orange...» Hélène continua:

— Vous émettez des ondes bénéfiques. On se sent bien en votre compagnie.

*

Laurín fit une réservation sur un vol d'Air-France Paris–Montréal, avec escale en Islande.

— Sais-tu, ma chérie, je ne veux pas me plonger dans l'océan anglophone immédiatement: je veux encore entendre parler français. Ensuite, j'aurai un vol pour New York: Llóna m'attendra là-bas avec une... limousine et s'occupera du reste du voyage.

Grâce à l'une de mes ruses de Sioux, je pus avoir un *week-end* avant le départ de Laurín.

— *Florecíta*, le 18 juin, ça te dit quelque chose?
— Oui: l'appel à la résistance du général De Gaulle, en 1940.

— Et c'est tout? Le 18 juin 1791, Wolfgang composa l'*Ave Verum*. Et aujourd'hui, c'est le 18 juin, quelle coïncidence! Pas vrai?

Ce fut notre dernière nuit complète d'amour.

*

Les jours et les soirs avant notre séparation étaient comptés. Laurín devint encore plus passionné. Au plus profond de moi, je pressentais qu'il était conscient du peu de temps qui lui restait. Il profitait au maximum de la vie et faisait de chacune de ses journées des heures de bonheur, comme il disait.

***

Après les vacances en Floride, débuterait sa tournée en Amérique: Laurín s'y rendrait probablement sans revenir à Paris. La séparation serait longue, mais puisque c'était pour la réussite de sa deuxième carrière, il nous fallait l'accepter. Ne l'avais-je pas aidé de mon mieux dans ce but?

Essayant d'être joyeux, nous avions fait ses valises. Laurín voulait me laisser beaucoup d'objets divers, mais n'ayant pas de place pour les garder, à mon grand regret je n'avais pas pu les accepter. Il voulait donner sa Peugeot à Denis, qui refusa: «Nous n'avons pas les moyens d'entretenir une auto.» Alors, il vendit cette voiture presque neuve, pour une bouchée de pain, à monsieur Lebon. Denis s'étant opposé à ce que j'accepte le téléviseur de Laurín: «C'est très mauvais pour les yeux...», il le prêta à Jérôme, le fils des Lebon. Et ainsi de suite.

J'avais prévenu mon mari que Laurent partait le lendemain pour une série de concerts aux États-Unis. Voulant l'aider à mettre de l'ordre dans ses partitions de musique, je rentrerais tard.

Je me rendis chez Laurín à pied: un quart d'heure de marche ne pouvait que me faire du bien. Et des pensées, des souvenirs se bousculaient dans ma tête, remontant jusqu'aux temps heureux de notre amitié amoureuse.

Pour cette dernière soirée, Laurín sut créer un décor féerique: à son parfum particulier s'ajoutaient les effluves d'encens. Dans sa chambre, comme seul éclairage, il y avait la flamme dansante de quatre bougies, dont l'odeur de cire fondue se mêlait aux autres senteurs. Des vases avec des fleurs coupées étaient disposés dans toutes les pièces. L'encens, les bougies, les fleurs... Pour la dernière soirée de notre «demi-lune de miel», à la fin de juillet 1954, il avait fait exactement la même chose.

— Comment tu trouves ce décor, mon adorée? De circonstances?

Il éclata d'un rire joyeux et sincère. Moi, au bord des larmes, j'avais envie de crier: «Mon amour, ne pars pas, reste avec moi... toujours!»

Tout d'un coup, il devint sérieux. Avait-il lu dans mes pensées?

— Mon trésor d'amour, mon unique amour, je voudrais tellement rester toujours avec toi, mais je dois partir, il est nécessaire que je parte, au plus vite.

Dans cette ambiance de volupté, Laurín semblait irréel. Tout chavira autour de nous et nous nous sommes donnés avec passion, comme jamais auparavant.

***

La journée s'annonçait belle. Une fois de plus je me rendis chez Laurín à pied. En chemin, j'achetai des brioches françaises pour notre dernier petit déjeuner. Le café était déjà prêt. Échangeant des sourires attendris, nous n'avions presque pas parlé.

Le moment du départ approchait... Laurín caressa les touches du piano et ferma tout doucement le couvercle. Très élégant dans son costume gris clair, il faisait un effort pour paraître détendu et j'essayais d'en faire autant. Nous étions au bord des larmes. Une dernière étreinte passionnée avant de franchir le seuil de son logis où, pendant plus de dix ans, nous avions partagé tant d'heures inoubliables.

*

Le taxi nous attendait. Pendant que Laurín faisait ses adieux à madame Lebon, le chauffeur plaça les deux valises dans le coffre. Durant tout le trajet, Laurín me souriait tendrement en gardant son bras autour des mes épaules.

À l'aéroport, toutes les formalités étant accomplies, je ne sais par quelle faveur spéciale je fus admise à l'accompagner dans la salle d'attente réservée exclusivement aux passagers qui allaient s'embarquer. Mais avec Laurín, il ne fallait s'étonner de rien.

Debout près de la baie vitrée, il me serrait dans ses bras sans dire un mot. Puis de son attaché-case il sortit une enveloppe sur laquelle était dessiné un cœur, avec au milieu, en gros caractères, les initiales «A.L.R.» Il ouvrit mon sac à main et glissa l'enveloppe à l'intérieur:

— Pour toi, mon amour, et pour Sophie, en attendant mieux.

Le moment de l'embarquement approchait. D'une voix à peine perceptible, Laurín chuchota:

— Ma Válly, sache que tu as été pour moi le commencement et la fin et, quoi qu'il arrive, après toi il n'y aura jamais personne, non, jamais! Je... je te confie...

À mon oreille, tout doucement, il fredonna: «Ce n'est qu'un au revoir, ma sœur, ce n'est qu'un au revoir...» L'émotion lui serra la gorge, il ne pouvait plus continuer. Comme dans un souffle, il murmura: «Ô si seulement tu savais combien je t'aime.» Retenant mes larmes, je lui affirmai combien, ô combien moi aussi, je l'aimais.

Les passagers commençaient à gagner l'aire de l'embarquement.

— Laurín, mon amour, c'est l'heure, tu fais attendre les autres voyageurs.
— Moi, je ne suis pas pressé...

Et après un baiser passionné, il me laissa. Je le regardais s'éloigner, son imperméable sur son bras. Ciel! comme il avait maigri! C'était la première fois que je le remarquais vraiment.

Laurín fut le dernier à gravir les marches de l'échelle mobile. Sur le seuil de la porte de l'appareil, il se retourna et, sans se presser, avec sa main il m'envoya un baiser. L'hôtesse lui dit quelques mots de bienvenue, lui sourit, il dut lui rendre son sourire et il disparut. L'escalier mobile fut retiré.

417

*

Je m'empressais de monter sur la terrasse:
l'avion roulait lentement sur la piste en direction
de la ligne d'envolée. Je refoulais mes larmes,
tandis que l'appareil, étincelant sous les rayons
du soleil, se détachait lourdement de la terre suivi
par les panaches de fumée de ses deux réacteurs.

Épilogue

Le départ de Laurín me plongea dans une profonde tristesse. Qu'allais-je devenir, seule, après cette passion enfin libérée?

Sophie et moi nous nous installâmes dans notre maison de campagne pour les vacances d'été. Ce changement me fut bénéfique, comme une diversion. Sans oublier Laurín, mes pensées obsédantes étaient momentanément détournées.

Il était parti se reposer, il reviendrait. Il était toujours revenu, même au bout de six ans. Je ne devais pas attendre de ses nouvelles; tout au plus un bref message. Il n'écrivait jamais, ayant eu sa leçon: à la suite de la lettre stupide qu'il avait envoyée à son amie Aníta dans sa jeunesse, son destin avait été changé.

À la fin des vacances, je pris un travail dans un bureau. Quand Laurín reviendrait, je pourrais toujours me libérer et reprendre notre collaboration.

Sophie avait quinze ans. Elle était devenue une belle adolescente, aux cheveux cendrés, aux yeux gris verts, comme son père. Elle s'intéressait beaucoup à la musique classique. Puisque je travaillais, je ne devais rien à mon mari. J'avais commencé à acheter des disques: Mozart, Bach, Haydn, Beethoven, Debussy et tant d'autres étaient venus grossir notre collection naissante. Pour Denis, la «grande musique» commençait et finissait avec Tchaïkovsky.

Quel sentiment avait poussé Denis – lui qui était si près de ses sous – à acheter, à plusieurs reprises, des piles de quotidiens américains, de New York principalement?

— Tenez – à présent il me vouvoyait –, regardez si vous trouvez des concerts donnés par «votre Laurent».

Rien, absolument rien... Denis avait un sourire énigmatique.

***

L'année 1961 était déjà à sa première moitié. Les grandes vacances approchaient. Laurín était parti depuis un an. S'il ne voulait pas m'écrire, le téléphone fonctionnait très bien entre les deux continents. D'étranges sentiments me tordaient le cœur: et si le succès lui avait tourné la tête? S'il s'était lassé de moi? Et s'il avait refait sa vie avec une autre femme? Pendant un moment, la jalousie, ce poison mortel, plus fort que la haine, m'envahit... Il avait dit: «J'ai un rendez-vous que je ne peux pas manquer.» Avec qui? Avec une femme? Que fais-je dans tout cela, moi? Et l'Orange? J'avais oublié que le Grand Amour bannit la crainte et la jalousie.

Dans un endroit secret je conservais un épais dossier marqué «Laurín»: des coupures de journaux, des programmes, quelques partitions du répertoire des *Boys*, des photos. À la vue de toutes ces reliques, des souvenirs m'inondèrent: vingt-trois ans et demi de Grand Amour, en accord parfait. À quoi tient le bonheur? Il fallait éliminer le passé: libérer Laurín et me libérer de lui en même temps.

Il fallait tout détruire par le feu, mais pas dans la cheminée de notre maison d'été: le papier consumé laisserait trop de cendres et de traces. La vieille amie de ma mère, que je continuais de visiter, avait une cuisinière à charbon. Intuitive, elle s'était doutée que quelque chose de grave me tourmentait. Aussi, elle me laissa brûler mes documents chez elle.

Pendant que les flammes dévoraient ces chers souvenirs, une vague de tendresse commençait à me submerger: «Mon beau Laurín, pardonne-moi d'avoir douté de toi... Même s'il y a une autre femme dans ta vie, je sais que tu m'aimes toujours. Non, pas plus que moi, tu ne pourras jamais m'oublier. Notre amour est éternel.» Il ne restait à détruire que l'Orange dessinée par Laurín. Je la déposai délicatement sur le tas de braises, elle ne prit pas feu tout de suite; puis, chacun des quatre coins s'enflamma et la flamme la parcourut sans la détruire. Comme les caractères imprimés de certains documents brûlés apparaissent en négatif, de même l'Orange prit la couleur complémentaire, bleu verdâtre; le papier devint gris foncé et les lettres de nos prénoms, blanches. D'un seul coup de tisonnier, je la réduisis en cendres.

Fini... Plus de beau Laurín. *Adiós*.

En vain j'espérais trouver l'oubli, le souvenir de Laurín revenait toujours. La nuit, dans mon jardin, j'entendais sa voix: «Regarde palpiter les étoiles, on dirait des cœurs qui battent. Et la Voie lactée, cette poussière de diamants...»

Je décidai de chercher un travail continu et rémunérateur tout en conservant une certaine indépendance. La solution: un emploi de secrétaire intérimaire. C'est Denis qui me procura l'adresse d'une société recommandée par une jeune «volante» qui travaillait dans la même entreprise que lui.

Mes patrons étant très sympathiques, je m'intégrai rapidement dans ce milieu. Mon nouveau travail occupait beaucoup mes pensées.

Je changeais fréquemment de bureau, ce qui me permettait de connaître des gens et des emplois nouveaux. Avec mes compagnes de passage, nous parlions souvent de nos agences respectives, chacune vantant la sienne.

C'est ainsi qu'une employée mentionna comme directrice de son agence, Suzanne M.

— Suzanne M.? Mais elle était impresario d'une agence pour artistes et musiciens de classe supérieure!
— Oui, mais elle ne l'est plus. Voulez-vous son numéro de téléphone?

Je l'appelai dans l'après-midi.

— Ah! Válly, par exemple! que devenez-vous? Cherchez-vous du travail?

À ma réponse négative, elle me proposa de nous rencontrer, «histoire de brasser quelques vieux souvenirs». Le soir même, dans un café du quartier Saint-Lazare, nous nous sommes retrouvées, telles de vieilles amies.

Le travail à l'agence était devenu impossible; Suzanne ne se sentait plus le courage de continuer. Son mari, en retraite, bricolait dans leur maison de la banlieue parisienne. Son fils exerçait la médecine dans une clinique privée à Paris. Quant à moi, à part le fait d'avoir une fille adorable, pour le reste, je menais une vie bien ordinaire, après avoir connu des splendeurs dans ma jeunesse.

— Et Lori? En avez-vous des nouvelles?
— Lori? Eh bien, Lori, mais il est mort, voyons! Vally, vous ne saviez pas?
— Comment?... Tout a vacillé autour de moi. Mais quand?
— Environ trois semaines, au maximum un mois après son départ.
— Vous avez reçu un avis de décès?
— Ce n'était pas nécessaire: il n'y avait qu'à voir ses deux certificats médicaux.

Et Suzanne me raconta comment, une fin de matinée, Laurín avait demandé à la voir d'urgence. Mécontente de son refus de signer les derniers contrats avant son départ pour les États-Unis, invoquant comme prétexte «un rendez-vous important», elle avait voulut le faire patienter jusqu'au lendemain. Mais devant son insistance, elle avait accepté de le recevoir immédiatement.

— Il avait l'air bouleversé. De la poche de son veston il sortit deux enveloppes, chacune contenait un certificat médical: l'un émanant d'un service d'hématologie d'un hôpital parisien, l'autre, de son

424

médecin hématologue. Le contenu était à peu près identique: «Monsieur Araldo R., alias Lori A., en raison de son état de santé, doit cesser immédiatement ses activités professionnelles», à cette différence près que l'un disait «pour un temps indéterminé», alors que l'autre spécifiait «définitivement».

— *Je suis foutu, Suzanne: j'ai du sang de navet et il n'y pas de remède...* dit-il.

«Ses yeux se remplissaient de grosses larmes. Je l'invitai à s'asseoir et à se confier.

— *Excusez-moi de perdre ma dignité. Ce n'est pas de mourir que j'ai de la peine. Je suis prêt. C'est à cause de ma carrière: Suzanne, vous êtes témoin qu'après dix ans de luttes, d'humiliation et d'espérance, j'allais enfin voir le bout du tunnel. À présent, tout s'effondre... Le plus dur pour moi, c'est de laisser la seule femme que j'ai aimée le plus au monde. Ne lui dites rien pour le moment.*

«C'était facile à deviner qu'il s'agissait de vous, V-ally. J'étais atterrée: Lori, cette merveille de la nature, arrivait déjà au terme de son voyage? Il avait seulement quarante-cinq ans. Sachez que je l'admirais beaucoup et, comme presque toutes les femmes, j'avais un petit faible pour lui. Parfois j'étais très dure: je lui donnais des itinéraires très difficiles. Je voulais le faire plier, le voir se révolter ou demander grâce. Mais non. Il acceptait tout, avec son beau sourire, en disant: «Je suis capable...»

et il réussissait là où d'autres auraient abandonné. Je me demande si, en lui imposant un surcroît de fatigue, je n'ai pas donné un coup de pouce à sa maladie.»

— Ne vous culpabilisez pas: Lori aimait toujours relever les défis et il avait en lui la puissance nécessaire pour réussir.

— Malheureusement, Válly, je ne peux pas vous dire davantage sur lui. Êtes-vous allée voir ses amis, l'avocat et sa femme? Je pense qu'ils en savent bien plus que moi sur son cas.

Nous nous quittâmes en larmes.

Marcel et Hélène m'impressionnaient. Je n'avais pas osé les déranger plus tôt. Et s'ils savaient que Laurín avait refait sa vie aux États-Unis, je risquais de perdre la face. Maudit orgueil!

Je pris sans tarder rendez-vous avec Marcel pour une affaire personnelle. Se doutant de l'objet de ma démarche, il me demanda si Hélène pouvait assister à l'entretien. J'acquiesçai.

Dans leur appartement du boulevard du Montparnasse, je fus reçue les bras ouverts. À l'école de Laurín j'avais appris à ne pas aller par quatre chemins:

— Je viens d'apprendre que Laurín est mort. Ce n'est pas vrai, n'est-ce pas?

Surpris, Marcel me demanda si je n'avais pas été contactée par un homme de loi de là-bas. Laurín avait l'intention de me doter.

— Non, Marcel, je ne suis absolument au courant de rien.
— Il a dû être empêché ou n'a pas eu le temps de prendre des dispositions.
— Je ne veux pas de sa fortune. Je veux savoir ce qui est arrivé à mon Laurín! Je veux toute la vérité! Je préfère le savoir vivant avec une autre femme plutôt que mort!

Hélène intervint:

— Vous l'aimiez donc à ce point?

Le lendemain de la petite fête organisée par Laurín à l'occasion de son départ, il avait confié à Marcel que depuis plus d'un an il avait des doutes au sujet de sa santé. Il espérait que ce ne soit qu'une fausse alarme. C'est à la fin de février 1960 qu'il sut que ses jours étaient comptés. À aucun prix, il ne voulait que je l'apprenne, mais il craignait que j'aie pu deviner son secret:

— *Involontairement, je passais des messages à Vàlly. Me connaissant si bien, elle avait deviné la vérité, mais refusait obstinément d'y croire, et c'était mieux ainsi. Pourtant, la seule personne capable de me comprendre et de me consoler, c'était elle, mais cela lui aurait brisé le cœur et nous nous serions aimés dans les larmes alors que pendant plus de trois mois, nous avons vécu dans la félicité et dans la plénitude de l'amour. Pour l'instant, ne lui dites rien, elle le saura assez tôt.*

Marcel n'avait pas osé lui demander combien de temps il lui restait à vivre. Mais Laurín avait lu dans ses pensées:

— J'espère que je n'en ai pas pour longtemps. À présent, mon destin est accompli, je suis prêt pour le rendez-vous. J'ai été très, très heureux. Pendant vingt-trois ans et demi j'ai vécu le Grand Amour avec la seule femme que j'ai jamais aimée. Que pouvais-je souhaiter d'autre? Plusieurs fois, le destin nous a éprouvés, mais rien, non rien n'a pu nous séparer. À présent, la mort va s'en charger.

Et avec son sens de l'humour, il avait rajouté:

— En somme, chacun voulait cacher à l'autre que l'un avait deviné ce que l'autre savait.

Laurín s'était mis à rire franchement.

— Il nous a conté la légende de l'Orange: nous sommes prêts à y croire. Laurín était admirable. Nous l'aimions beaucoup; nous avons perdu un ami très cher. Il était encore jeune, plein de talent et la vie était remplie de promesses pour lui.
— Savez-vous que moi, je dois beaucoup à Laurín: par sa bonté et sa sagesse, il m'a transfor-

mée; par son amour il a fait de moi une femme accomplie, épanouie. Je ne comprends pas que ce soit arrivé si vite, en quelques mois. Sa mère a eu une longue rémission.

— Tout laisse croire que Laurín aussi a eu une très longue rémission. Après son emprisonnement en Italie, les transfusions sanguines et la vitamine B12 à hautes doses qui lui étaient administrées à l'hôpital et la longue convalescence qui s'ensuivit laissent supposer qu'il avait eu un accident hématologique, mais il ne le savait pas. Alix, elle...

— Vous connaissiez donc Alix?

— Qui ne connaissait pas la belle Alix à Paris dans les années trente? Je suppose qu'après la convalescence de Laurín, elle était au courant et le couvait. En refusant de l'aider dans sa deuxième carrière, elle voulait lui épargner un surcroît de fatigue et ainsi prolonger sa vie. De toute évidence, elle l'aimait, et depuis longtemps, mais Laurín n'avait d'yeux que pour vous, Válly. Alix le trompait honteusement, espérant provoquer sa jalousie et l'attirer finalement à elle. Laurín, grâce à sa résistance physique exceptionnelle, réussit à passer à travers la maladie. Cette fois-ci, il était à bout de forces et ne vous quitta qu'à la dernière limite. Sa sœur Llóna l'attendait à New York avec une ambulance pour le conduire dans un hôpital.

— Le rendez-vous important, c'était donc avec la mort! Et la fameuse «limousine» dont il m'avait parlé, je vois maintenant...

***

Il se fit un silence. Marcel ouvrit la fenêtre et brusquement les bruits de la rue envahirent la pièce. Lentement la douce nuit de juin descendait sur la ville, ravivant plus que jamais le souvenir de Laurín...

Dans la pénombre du salon, les yeux rivés vers l'infini, Hélène et moi pleurions doucement...

Sainte-Foy, le 11 novembre 1991

VALLY ZÉLÉNA

est née le 7 février 1915 à
Nijni-Novgorod en Russie.
Orpheline de père à cinq ans,
elle s'exile avec sa mère
en France (Paris) en 1925.

Elle y complète ses études du
premier cycle (BEPC) et obtient
même son brevet de pilote d'avion
de tourisme en 1932. Du côté chant,
elle suit des cours au Conservatoire
Serge-Rachmaninoff à Paris.

Elle applaudit Lindbergh à son
atterrissage en 1927, écoute Saint-
Exupéry lire ses manuscrits, chante
avec le groupe latino-américain
Lecuona's Cuban Boys et vit la
Seconde Guerre mondiale
à Paris et à Berlin.

Entre 1956 et 1959, elle collabore au
Bulletin «juniors» de la Société
astronomique de France et signe
quelques textes dans la revue belge
Demain qui traite de recherches sur
les sciences nouvelles.

En 1973, elle décide de s'intaller
au Québec où elle vit depuis.

Achevé   Imprimerie
d'imprimer Gagné Ltée
au Canada Louiseville